なかよし小鳩組

荻原　浩

なかよし小鳩組　目次

なかよし小鳩組

一・ずっと一緒にいられたら

1

ずっと一緒にいられたら、
綴りはじめた文字の隣にもう一行、寄り添わせるように言葉を足す。
きっと素敵な毎日が始まる。
改行。さらに、頭の中の思いのたけを指先へ絞り出して続きを書く。こんな具合に。
ずっと一緒にいられたら、
きっと素敵な毎日が始まる。
ほら、違う世界が見えてくる。
さぁ、スタートしよう。
いつも君のそばにいるよ。
そして、最後の一行。

結婚しよう。

少し迷ってからその言葉の下に、いく文字かをつけ加えた。

結婚しよう。――鶴亀会館で。

ふう。杉山は深々とため息をつき、マッキントッシュ〝パワーブック190／66〟の削除キーを押して、モニターの中の文字をすべて消した。だめだ。こうして休日に家まで仕事を持ちかえってマックを叩いているのに、結婚式場の広告キャンペーンのプレゼンテーションはあさってだというのに、ろくでもないコピーしか出てこない。仕事机がわりに一年中出しっぱなしにしている電気ごたつの上で、ラップトップの液晶画面がちらちらと挑発するように揺れている。おしゃれなコピーを、とクライアントの鶴亀会館チェーンは言うが、おしゃれな広告を望むなら、まず会社の名前を変えてくれ。

時刻は午後五時半をまわっていたが、窓の向こうのまだ力を余した夏の日差しは、2DKの部屋に鋭い光の針を投げこんでくる。杉山は薄く汗の浮いた顔をつるりとなでた。

女の気持ちで書いてみたらどうだろう。結婚式場の広告ターゲットは女だ。「お式選びの主導権は現場サイドの経験則に鑑《かんが》みますと概ね新婦側に存します」鶴亀会館から渡された『らぶりーめもりーウィンターウェディングプラン――冬期顧客需要拡大戦略』というタイトルの販売企画書にも、確かそう書いてあった。なるほど、男は結婚生活のスタート時点において、すでに敗北しているというわけだ。杉山は目を閉じ、目がしらを指でもみほぐして、脳ミソの隅っこのスイッチを男から女へ、ころりと切り替える。そして再びキーを叩きはじめた。

今日はシンデレラの日。

――TSURUKAMEウェディング

キーボードの上の小指が思わず立ってしまった。こんなコピーを三十過ぎのおっさんが書いているなんて、広告を見ている人間はきっと知らないだろう。打ち上がった文字を見ているうちに二の腕に鳥肌が立ってきた。削除キーを押す。だめだめ、こんなのじゃ、お馬鹿さん。

鶴亀しあわせストーリー

書いた瞬間に消した。これはどうかしら。

こっちに、恋。――鶴亀会館

ぷふう。昼間からつけっぱなしだったエアコンが、含み笑いに似た音をもらして停まった。またた。バッタ物を二束三文で買い叩いたのがいけなかった。何年ぶりかで独り暮らしを再開した時、会社に近い秋葉原の在庫処分市で買ったエアコンは、まだ何度も夏を越したわけでもないのにもう瀕死の状態だった。

エアコンのリモコンを切り、スタートボタンを押し直す。ついでにパソコンの削除キーも押した。こたつテーブルの上に嵐で吹き寄せられたように散乱する書類やプリントアウトしたペーパーをかき分けて煙草のパッケージを探し出し、一本をくわえる。先週、十何回目かの禁煙に失敗したばかりだ。禁煙明けの煙草ほどうまいものはない。煙草をやめるたびに、かえって煙草のうまさを思い知る気がする。

エアコンは海底の深海魚のように息をひそめたまま動かない。額から汗がふき出してきたが、窓を開ける気にはなれなかった。それでなくても、どこかの工事現場のドリルの音が間断なく部屋の空気を揺らしているのだ。その音を聞いているうちになんだか奥歯まで痛み出した。葉っぱよりも巻紙の味がきつい低タールの煙草を灰皿の中で押しつぶし、昼間から築き上げてきた吸殻の山をまた高くしてから、杉山はまた空っぽのモニターに向かう。

広告コピーは結婚式の仲人のスピーチに似ている。新郎の山田君は明朗快活、スポーツ万能、職場では前途を嘱望されている好青年で……という例のあれだ。とにかくほめてやる。山田君がどんなにいいヤツかを他人に知らしめるために言葉を尽くす。客たちを退屈させないようになるべく簡潔に。できれば興味深いエピソードや罪のないジョークもまじえて。なにしろおめでたい場なのだから、欠点はあえてあげつらわず――新婦は妊娠六カ月ですが、妊娠だけなら新郎と出会う以前から何度も経験のあるベテランですので何の心配もありません――などという話題は避け、できるだけ長所を見つけてやることが肝心だ。得意種目が卓球だけでも、とりあえずスポーツマン。職場で期待されているのが宴会芸だけだったとしても、とりあえず前途有望。ＮＯＶＡ《ノバ》の駅前留学を始めたばかりでも、とりあえず語学堪能な才媛。困るのは、どこをほめたらいいのか見当もつかないヤツだ。いったいぜんたい鶴亀会館の長所はどこだ？　そもそも、そんなものがあるのか？

鶴亀会館は、首都圏数カ所に拠点を持つ結婚式場チェーンだ。広告キャンペーンを張ろうというぐらいだから、この業界の中では大手だが、指折りというほどではない。値段は高くもなく安くもなく、料理はうまくもまずくもない。しいて他より秀でているところを挙げるとしたら、創業何周年だったか歴史だけは古く、老舗《しにせ》として名が売れていることぐらいだったが、残念ながらその名前は、若い連中にとってジョークのネタにしかなっていない。

狙うとしたら、ただ一点。親だ。受験や就職だけでは飽き足らず、親は結婚式にも金を出すし口も出す。県会議員だった杉山の父親もそうだった。わざわざ東京の一流ホテルの大宴会場に国会議員や後援者まで呼び集めて、両親がなく係累も少ない幸子に気まずい思いをさせた。でも、いくら金をかけ人をかき集めても、だめなものはだめだ。会ったこともない多くの人間に祝福された幸子との結婚は、知り合ってから一緒になるまでの期間の半分足らずで終わった。

親。それも父親。結婚式といえば、お約束は父と娘のドラマだ。よし、〝泣かせ〟でいこう。杉山はまた即興ジャズのピアノ弾きのように忙しくキーを叩きはじめる。

花嫁になる君のために――鶴亀会館

どうしても嫁に行くと言うのなら、せめて鶴亀会館で。

なぜ父親は娘を嫁にやるのを嫌がるのだろう。自分の女をとられるみたいに。

泣かないで、お父さん。

そうだ、なぜ泣く。泣くのなら息子の時も泣いてやれ。まるで近親相姦じゃないか。

早く孫の顔を見せに来い。

　これは、猥褻教唆《わいせつきようさ》だな。いつもの悪い癖で、自分の書くコピーに自分で悪態をつきはじめていた。頭の中が煮つまってきた証拠だ。立ち上がり洗面台で顔を洗う。酒が飲みたかった。きりきり冷えて真珠のような水滴を滴らせているビールグラスが頭に浮かんだが、冷蔵庫の中にビールはない。家には酒を置かないようにしていた。医者に止められたわけでもないのに、ここ何年かは外でもほとんど飲んでいない。飲み出すと止まらなくなることは自分でもよくわかっていた。一杯のビールはすぐにコップ酒になり、コップ酒が気づかないうちにウイスキーのストレートになるのだ。幸子と離婚した理由は目録がつくれるほどあるが、その巻頭を飾るのは、たぶん杉山の酒だ。酔って暴力を振るうことはなかったが、女房と素面《しらふ》で顔を合わせることのない毎日そのものが暴力だったに違いない。

　再び煙草を手に取った。煙草はだいじょうぶ。いつでもやめられる。なにしろもう十五回以上やめているのだ。煙草のけむりを見つめながら杉山は考えた。そろそろ俺もヤキがまわってきたか？　広告業界に入って十年ちょっと。他の業界ならまだ若手といっても通用する年齢かもしれないが、数年前、まだ広告代理店のＣＭプランナーをしていた時分にはバブル景気が尻尾だけ残っていて、月々の残業がたいてい二百時間を超えていたから、働いていた時間は他人の二十年分だ。もう人生のあらかたを費やしてしまったような気がする。頭の中につまっているのは絞りあげられて干からびたボロ雑巾か、色が出なくなるまで漉《こ》した番茶の出がらしだけかもしれない。

　窓の外では夏の遅い陽がようやく暮れかかり、街は急速に色を失いはじめていた。休憩だ。

どこかへ飯でも食いに行こう。壊れかけのエアコンだってリセットすればなんとか動くじゃないか。

電話のベルが鳴ったのは、マンションのキーを手にして玄関に立った時だ。

——やぁ、父ちゃん。

受話器の向こうから早苗の声がした。幸子との間に生まれた杉山の一人娘。正確に言うと元・娘だ。杉山はことさらぶっきらぼうに「おう」とだけ答える。

——お願いがあるんだよ。

「なんだ、またサッカーの特訓か？」

早苗は七歳。地元の男の子ばかりのサッカークラブ低学年チームのエースストライカー。スカートとリボンが嫌いな男らしい娘だ。去年、幸子が再婚してからは、もう会わない約束になっていたのだが、時々こうしてこっそり電話をかけてくる。用件はいつも同じ。サッカーしよう、だ。新しい父親はサッカーが恐ろしく下手——早苗の言葉通りに言うと、マッハウルトラスペシャルヘタッピー——で使い物にならないそうだ。

「いまから？　いつものとこか」

——違うんだ。

幸子が再婚相手と住む家は、この街から私鉄で二駅ほどの所にある。杉山は早苗に呼び出されると、いつも面倒臭そうに返事をするのだが、断ったことはない。こっそりといっても早苗のこっそりだから、もちろん幸子にはバレているが、いまのところ黙認状態だ。

──泊めて欲しいんだ。

「何だって」

聞き違えたかと思って、杉山は問い返した。早苗はもう一度同じ言葉を繰り返す。早苗がそんなことを言いだすのは初めてだ。一度だけ杉山のマンションに連れてきたことがあるが、煙草臭いのが気に入らなかったらしく、十分で出ていった。おおかた幸子に叱られてヘソを曲げているのだろう。

「だめだめ、そんなことしたら、母ちゃんに叱られる。いまどこだ」

──お外。

その時になって初めて、早苗の声がやけに遠く、チューニングのずれたＦＭ放送のように聞こえることに気づいた。

「携帯でかけてるのか？」

──あ、ケータイっていうのか、これ。探検隊の無線機みたいなやつだ。ウチからもらってきた。

「勝手に持ち出したんだろう」

──そうとも言うな。

「早く家に帰りなさい、もうすぐ暗くなるぞ」

──道がわかりません。応答願います、どうぞ。

「道に迷ったぁ！」

思わず大声を出した。

——そうです、どうぞ。

幸子の新しい家があるのは、人通りのそう多くない閑静な住宅街だ。若い娘が夕刻過ぎに一人でほっつき歩く場所じゃない。若い娘といっても、まだ小学二年生だが、最近はそのほうが危ない。杉山の喉から胃袋へ鉛玉みたいな不安のかたまりが通過していった。

「何か近くに目印はないか？」

——鳩が近くにいます、どうぞ。

大変だ。杉山は受話器を握りしめて叫んだ。

「ち、ちょっと待て、そこを動くな。誰かそばにいないか？」

——鳩。

それだけ言って電話が切れた。あわてて幸子の自宅の番号をプッシュしたが、話し中の苛立たしい音がするだけだった。早苗がいなくなったのに気づいて心当たりに電話をかけ続けているに違いない。一度切ってからまたかけ直したが、結果は同じだった。三回目の電話を切ったとたん、またベルが鳴った。幸子かもしれない。杉山は置きかけたコードレスを握り直した。

——あ、よかった。こわれたのかと思ったよ。

早苗だった。

「どうしたんだ？　何があった」

——歩いてるとき、どっかボタン押しちゃったんだな、きっと。

「動くなと言っただろう」

——お、ここは見覚えがあるな。

「どこだどこだどこにいる」

——んーと、なんか書いてある。３０２、あとは……英語だな。清水エスパルスのＳ、次はわかんない。ガンバのＧ、棒が一本、次もわかんない。アントラーズのＡに、マリノスのＭ……

俺のマンションの表札を読んでやがる。杉山は受話器を置いて立ち上がり、玄関のドアを開ける。ドアの向こうに早苗がいた。

「やぁ、父ちゃん」

自分の胴体より大きなリュックを背負った早苗が、陽に焼けた顔の中で永久歯の生え揃っていない前歯を見せて、ニカッと笑った。


八時近くになって、ようやく幸子がつかまった。無事なの？　声を聞かせて。まるで誘拐犯人に訴える口調だ。受話器に耳をあてた早苗が、目をつぶり眉と口をへの字にして、酢を飲んだような情けない顔になった。電話の向こうで幸子がどんな顔でどんなことを言っているのか、おおよその見当がつく。結婚していた頃は、杉山も幸子を怒らせることばかりしていたからだ。そういう時の顔が、あなたと早苗はそっくりよ。幸子が笑いながらそんな話をするようになったのは、離婚して何年もたってからのことだ。

もう一度杉山が電話を替わって「これからそっちへ送ってゆく」と告げたが、幸子の返事は予想もしないものだった。

もし、構わなければ、何日か預かって欲しいの。ちょっと困っているのよ。あの二人には。

疲れ果てた声で妻は——元・妻はそう言った。


「だって、うるさいんだよ」

ダイニング・キッチンの椅子のすぐ下で、ひざ小僧にバンドエイドを貼った短い足をぶらぶらさせながら、早苗は下唇を突き出した。背中にはまだリュックをしょったままだ。

幸子の言うあの二人とは、早苗と新しい父親のことだ。幸子は言う。お互いに少し冷却期間を置いたほうがいいのかもしれない。どうもうまくいかないの。悪いのは早苗のほうなんだけど。

「ほんと、うるさいよ、カビゴンは」

「カビゴン?」

「ポケモンのカビゴンだよ」

「ポケモン?」

早苗があきれた顔で説明を始めた。新しい父親は、いま人気のファミコンゲームのキャラクターに似ているのだという。

「そのカビゴンがお前をいじめるのか？」

「ううん、しつこいんだよ。勉強教えてあげるとか、いっしょに本読もうだとか。勉強しようだぜ、早苗、笑っちゃうぜ」

笑っちゃう問題でもないが、思わず頷いてしまった。そうとも、悪いのは早苗じゃない。早苗に勉強などさせようとするほうが悪い。新しい父親は早苗の心を開こうとしていろいろ苦労しているのだろう。だが無駄だ。早苗はサッカーもまともにできないヤツを、父親として男として決して認めないだろう。

「なぁ、カビゴンってどんなヤツだ」

「ああ、身長二・一メートル、体重四百六十キロ。得意技はいねむり攻撃」

「いや、その、お前の家のカビゴンのほう」

「ああ」

こ〜んな顔と言って、早苗は両方の頬に手のひらをあてがい、顔を横に押し広げた。口が裂け、目が糸になる。

「ははは……そんな顔か」

いまさら別れた女房の亭主と張り合ったってしかたがないのだが、杉山は少し小鼻をふくらませながら訊いてみた。

「父ちゃんとどっちがかっこいい？」

眉をしかめて、ちょっと気取った顔を早苗に見せる。

「ま、どっちもどっちだな」

「……そうか」

背負っていたリュックを肩から降ろしてやった。何がつまっているのか西瓜《すいか》のようにまるまるとふくらんでいて、ずしりと重い。ゾウの顔の形をしたそのリュックの右の耳、ポケットの蓋のところにマジックインキで名前が書いてある。杉山が親の意見も姓名判断も無視して、自分でつけた名前だった。ただし苗字が変わっている。タカハシサナエ。ころころした少女じみた幸子の字だ。杉山の胸を見えない蜂がちくりと刺した。

重いはずだ。早苗がごそごそと取り出しているリュックの中身を見て、あきれた。一週間分はありそうなTシャツと半ズボンと下着、ゼッケン11番のサッカーチームのユニフォーム、遠足にでも行くようなお菓子の山、天使のタマゴッチ、漫画の本などなど。自分用の茶碗と箸、サッカーボールまで入っていた。

リュックの中に首を突っこんで中身を取り出している早苗に声をかけた。

「なぁ、学校はどうする」

早苗の背中が答える。

「いま、夏休みだよ」

「あ、そうか」

今日は八月の最後の日曜日だ。子供がいないとそんなこともわからない。

「夏休みの宿題は終わったか？」

なにげなく声をかけたとたん、早苗の背筋がぴくんと伸びた。

「父ちゃんもカビゴンといっしょだな」

背中を向けたまま早苗が言う。声が少し低くなっている。

「いや、違うよ、その、つまり、あれだ」何が違うのか自分でもわからずに、杉山は口ごもった。一緒じゃない。一緒にされてたまるか。「勉強はしなくてもいいけど、宿題はしなくちゃだめだ。なぜかというとな……」

そう言いながら頭の中を引っかきまわして次の言葉を探した。うん、そう、なぜかというと、

「お約束は守らなくちゃ駄目だからだ」

早苗がリュックから何冊かの薄い本を取り出して、背中を向けたままバスケットボールのノールックパスのようにフローリングの床を滑らせて寄こす。表紙に『夏休みドリル』と書いてあった。一応、気にはしているらしい。ただしめくってみると、中は真っ白だった。

「おし、これでいい」

荷物をすべて出し終え、ようやく早苗がこちらに向き直る。投げ出していた足を突然揃えて正座し、両手をすり合わせた。そしてカーペットにつくほど頭を下げる。

「ど、どうしたんだ」

「ふつつかものですが、よろしく」

目が点になった。

「なんだ、それ?」

「キョウコさんだよ」

「キョウコさんって?」

「お昼の奥さま劇場『愛のシュラ』、見てないのか?」

「愛の……修羅《しゅら》?」

「キョウコさんは大変なんだよ。こわいシュウトメがいてさ」

幸子と一緒に昼下がりのテレビを見ていて覚えたに違いない。夏休みだというのにロクなことをしていないようだ。

「腹減っただろう。どこかにメシを食いに行こう。何か食べたいものはあるか」

「チロップランチ」

「は?」

子供は難しい。一緒に暮らしていないとなおさらだ。早苗の説明によると、家の近くに母親とよく行くチロップという名のレストランがあって、いつも必ずそれを注文するのだそうだ。チロップランチがどんなに美味しいか、どんなものが入っているか、早苗は瞳の中に星を輝かせて説明するのだが、何度聞いてもどんな種類の料理なのか、杉山にはさっぱりわからなかった。

「悪いけど、この辺にそういう店はないんだ。でも、こっちにもいいレストランがあるぞ」

杉山は近所のファミリーレストランの名前をあげた。

「ファミレスかぁ」

生意気に略語を使って不満そうな声をもらす。

「そういえば、お子さまセットには、おまけがついたんだっけな。父ちゃん、このあいだ見たんだ。確か機動戦隊ガングリオンのシールセットだ」

「おおっ！」

早苗が歓喜の声をあげる。親としては少々心配になるほど扱いやすい性格だ。

「チョコレートパフェも食べていいぞ。今日は歓迎会だからな。メシ食ったら一緒にファミコンしよう」

昔、ゲームソフト会社の仕事をした時に資料として買ったゲーム機が、押し入れのどこかに突っこんだままになっているはずだ。一本だけだが大人向けの競馬シミュレーションゲームのソフトもある。

「競馬のゲームしかないけどな。ダビスタだ」

「おおっ、ダビスタ！」

早苗が再び歓声をあげた。悪いことを教えるのも父親の務めだ。

2

上にあがったきりなかなか降りてこないエレベーターを待たずに、雑居ビルの四階にあるオフィスまで、杉山は外階段をいっきに駆け上がった。

午前十時過ぎ。普通の会社なら、とっくに仕事が始まっていて会議のひとつぐらいは終わっている時刻だが、広告業界の人間、とくに始業時間が何時かなど、そもそも始業時間というものがあることなど、社員の誰もが知らないような広告制作会社《プロダクション》の人間にとっては、なかなか優秀な出勤時間だ。

今朝は六時半に早苗に叩き起こされた。

「いつも何時に起きるんだ？」

しゃきしゃきと着替えをし、手慣れた動作でモーニングショーにチャンネルを合わせながら早苗が訊いてくる。杉山は九時と答えた。少しサバを読んだ時間なのに、それでも早苗はあきれて、ひよこのように目を丸くした。

「目がくさるぞ」

カビゴンは毎朝五時半に起きて、六時半に家を出ていくんだそうだ。だから早苗は六時半まで寝てるんだ。それが、とてつもなく素晴らしい思いつきであるかのように、胸を張って言う。

というわけで、十時十一分、杉山は階段を四階まで駆け上がり、非常口のドアを開ける。たったそれしきのことで息が切れた。高校時代、陸上部にいたことなど、もう遠い過去の栄光だ。もうすぐ三十六。三十代はころがる石だと誰かが言っていたが、こと体力に関するかぎりそれは本当だと杉山は思う。急坂をまっ逆さまにころげ落ちる石だ。

四階の一番隅、もともとはライトグリーンに塗られていたことなどとっくに誰もが忘れている、噛み捨てたペパーミントガムを思わせる色にあせたスチール製のドアを開けた。目の高さ辺りに日本語とは思えないほど凝りに凝った書体で「ユニバーサル広告社」と書かれたプレートが貼りついている。ここが杉山の会社だ。名前だけ聞けばまるで大手広告代理店だが、実のところ社員はアルバイトを入れて四人。中小広告制作会社の例にもれず景気はよくない。三カ月先まではだいじょうぶだろうが、はたして来年まで会社が存続しているのかどうか、営業と金勘定のことは社長の石井にまかせきりの杉山にはわからない。まぁ、石井にしても、たいして先行きが見えているわけでもないだろうが。なにしろ、月末の支払い時期が来るといつも『さ、今月も綱渡りの始まり始まりや』などと自分の墓の穴を掘るようなジョークを飛ばしているぐらいだ。

オフィスにはもうアルバイトの猪熊《いのくま》エリカが来ていて、いつものように就職情報誌をデスクに広げて読んでいた。

「うっす」杉山は挨拶らしき声をかけて自分のデスクに座った。デスクの上も自宅のこたつテーブルと同じ、雑多なペーパー類の吹きだまりと化している。来る途中で買ってきた缶コーヒーをサマージャケットのポケットから出してプルトップに手をかけた。ふと気配を感じて上を見ると、茶色のストレートヘアを長く垂らした猪熊がパーティションの上へ獄門首のように顔を載せて、にまにま笑いを投げかけていた。

「おはよっす。なんだかご機嫌だね、杉山さん。なんかいいことあったのかなぁ〜〜〜」

そう言われて初めて、自分が鼻唄を歌っていたことに気づいた。昨日の晩、ファミレスからの帰り道で早苗に覚えさせられたポケモンのテーマソングだ。

「さては、女でもできたかね」

猪熊がセクハラ親父のような笑顔と口調で訊いてくる。

「おう、鋭いな」

杉山もにまにま笑いで応えてやった。

「若い娘《こ》？　もうオヤジだもんね、杉山さんも」

「まぁな」

若いなんてもんじゃない。まだ七歳だ。猪熊が次に何か言ったら種あかしをしてやろうと思った。娘がさ、家に来たんだよ。ほら、昔の女房との娘。早苗っていう名前だ。新しい親父が嫌だっていって、俺のところにね、と。だが、顔をあげてコーヒーを喉に流しこみはじめた時には、格別聞きたくもない話だったのか、猪熊の顔がパーティションの上から消えていた。ふむむ。

デスクの上のまだ二年間のリース料が残っているパワーマッキントッシュ８１００を立ち上げながら、オフィスの中を見まわした。狭い室内のほぼすべての壁がキャビネットやブックラックで埋まり、ごたごたと机や作業テーブルや応接椅子を並べた部屋の一番奥、こちら側に向けて置いてある社長の石井のデスクの上に、寿司屋の開店記念品の大きな湯呑み茶碗が置いてある。ということは、石井はもうすでに出社しているということだ。よくない兆候だった。こんな時間から外へ出かけている時に、石井がしていることはひとつ。またどこかで得意先を拝み倒して、ろくでもない仕事を引っ張ってこようとしているのだ。

　今回の鶴亀会館のプレゼンテーションは、ユニバーサル広告社にとって久々の大きな仕事だ。他社とコンペ形式で争う、いわゆる競合プレゼンではないから、確実に仕事は来るし金も入る。だが、それ以降の仕事のあてはまったくなかった。毎年が経営危機、毎月が自転車操業、毎日が綱渡り。そのくせ仕事は忙しい。ユニバーサル広告社が儲かっていないわりに忙しいのは、石井がどんな仕事でも悪食《あくじき》の魚のようにくわえこむからだ。横並び料金などない広告業界では、頼まれてしてあげる仕事と、頼みこんでさせていただく仕事では、料金がひと桁は変わる。それでもまだ料金がある場合はいいほうで、競合プレゼンになった場合など、何日も徹夜したあげく結局タダ働きになることだって少なくない。

　杉山はマックにフロッピーを差しこんで、昨日中断したままだったキャンペーンコピーのファイルを呼び出し、ポコリポコリとキーを叩きはじめた。しかし、なかなかモニターに集中することができなかった。なにしろ小学二年生の子供を家に残してきているのだ。

　あの子はだいじょうぶ、一人でなんでもやっちゃうから、と電話の向こうで幸子は自嘲気味に言っていた。幸子はカルチャースクールで染物を教えていて、週のうち三日は夕方まで家を空ける。その日、早苗は家のカギをランドセルに吊るして学校へ行っているという。

　家を出る時に、杉山は早苗と一日の予定を話し合った。そしてそれを紙に書いて壁に貼っておいた。二年生になるのに漢字がからきし読めない早苗のために、ひらがなで書いた。

ごぜんちゅうは　なつやすみドリル
おひるは　12じになるまでたべない
そとのこうえんにでかけるときは
いえのカギをかけること
ひとがたくさんいるばしょであそぶこと
ひとにめいわくをかけないこと
5じまでにかえること
しらないおじさんについていかないこと
ダビスタは　1にち1じかん

※

おやくそくはまもりましょう
とうちゃんは　7じまでにかえります

早苗のための昼飯は少し離れたパン屋までサンドイッチを買いに行き、主婦のように賞味期限をチェックし、パッケージの裏まで読んでカルシウムの一番多い牛乳を選んだ。早苗は嫌がったが野菜サラダも籠に入れ、自分自身は気にしたこともないくせに栄養のバランスがいかに大切かを説いて聞かせた。

家を出てまだ二時間もたっていないのだが、杉山は電話をかけてみる。三回のコールで早苗が出た。

「ちゃんと勉強してるか」

――もっちロンドンパリ！

早苗は声を弾ませて答えるが、その声の後ろで競馬ゲームの出走を告げるファンファーレが高らかに鳴っていた。

「お、レースが始まるぞ」

「あ、ほんとだ」

「おい、こら」

「……あ、しまった」

電話を切って、朝から我慢していた煙草に火をつけ、またマックのモニターに向かう。プレゼンの前日はいつも、最終電車で帰れればいいほうだが、今日はなんとしても七時までに帰らなくちゃいけない。お約束だからだ。杉山はモニターを睨んで、煙草のけむりと一緒に頭の中から彷徨《さまよ》い出そうになる思考をつなぎ止めようと努力した。

昼近くになってアートディレクターの村崎《むらさき》がうっそりと姿を現した。十一時三十分。ヤツのいつもの出勤時間だ。人波を歩くと首長竜のように頭ひとつ突き出てしまう恐ろしくひょろ長い体に、ドクロマークのTシャツとヘビ革のレザーパンツ。真っ赤な長い髪を結んでポニーテールにしている。あいかわらず目がチカチカするほど派手な男だ。朝がこんなに遅いのに、いつも眠そうな顔をしていて、片手にはこれもいつものようにコンビニのビニール袋をぶら下げている。

目をこすりながら部屋の隅のミニキッチンで湯を沸かしてインスタント味噌汁をつくっている村崎に、猪熊が恐怖の叫びをあげた。げ、またお味噌汁でハンバーガー？　信じらんない！

三個目のベーコンレタスバーガーを頰ばりながら、なめこ汁を飲んでいる村崎に、杉山は声をかけた。

「鶴亀のカンプはどうだ？」

耳にCDウォークマンのイヤホンを突っこんでいる村崎からは返事がないが、聞こえてはいるらしい。目の前のマックを起動させ、ハンバーガーでふくらんだ頰を牛の反芻《はんすう》のようにもそもそ動かしながらマウスを操った。カンプというのは、ようするに広告制作物の見本だ。この業界に遅ればせながらパソコンが導入されるようになって、完成形に近いものがたやすくつくれるようになった。グラフィックデザイナー用の大型モニターにほどなく極彩色の画像が現れる。

嵐の前触れを思わせる不吉な色をたたえた雲海の中に富士山の山頂が突き出している。その禍々《まがまが》しい背景の手前で、鎌首をもたげて翼を広げた巨大な鶴に、尻に毛を生やした大亀が挑みかかろうとしている。亀は火を噴いていた。まるで怪獣映画のポスターだ。さしずめキングギドラ対ガメラ。素敵なデザインだった。鶴亀会館の社長も大喜びでカンプを破り捨てるだろう。杉山は素直に感じたままの感想を述べた。

「馬鹿か？　お前」

村崎は才能のあるアートディレクターだ。だが残念ながら広告のデザインをするには才能がありすぎる。広告デザインは前衛アート展とは違うのだ。もっとも本人に言わせるとアートディレクターは副業で、自主制作のＣＤしか出していないロックバンドが本業なんだそうだ。

杉山の言葉に村崎はちょっと肩をすくめただけで、次の画面を呼び出す。新しい画面に浮かび出てきたのは、富士山をバックに鶴と亀とウェディングドレス姿の若い娘が跳びはねている、実写とイラストをコラージュしたデザインだった。少々ポップすぎるが、オヤジばかりの鶴亀会館の担当者たちにもわかる程度には抑えがきいている。ヤツの頭はＣＤウォークマンのイヤホンを突っこむためだけについているのかと思ったが、そうでもないらしい。

村崎の朝食を見かねたのか、いつもは客にしかサービスしないコーヒーを盆に載せて、猪熊がやってきた。杉山の真似をして、腕を組み、しかめっ面をしてパソコンの画面を眺める。

「なるほどねぇ、鶴亀会館だからツルとカメってわけだな。杉山さんってば、ちょっとイージー？」

語尾を半疑問形にしながら猪熊が断定した。ただのバイトのくせに、けっこう厳しいことを言う。確かに杉山は肩書だけは偉そうな、この会社のクリエイティブ・ディレクターだが、別に村崎に命令してつくらせているわけじゃない。

「向こうからの注文なんだ。マル必で入れてくれってね」

広告デザインの中に鶴と亀と富士山を入れること。これは鶴亀会館からの要請だ。社内の会議でそういう提案がなされたのだそうだ。別に深い意味や目的があるわけじゃない。意味があるとしたら、その提案をしたのが社長だということだけだ。目的があるとしたら、その会議の出席者一同の社内的地位の安定と向上のため。本人はもう忘れているかもしれない、そんな戯れ言《ざごと》ひとつで何千万かの金額を投じる広告キャンペーンがつくられていく。もったいない話だが、まぁ、金を出すのは向こうだからしかたない。

それ以上なにかを言うのが面倒臭くなったのか、猪熊はころりと話題を変えた。

「いいなぁ、ウェディングドレス。やっぱり結婚するなら若いうちですよね。そのほうがかっこいいもん」

猪熊は結婚願望が強い。自分の苗字が嫌いなのだ。夫婦別姓なんて彼女に言わせれば「とんでもない」ことだそうだ。早乙女とか伊集院なんていう名前の男なら、姑さえいなければ多少不細工でも年収が低くてもストライクゾーンだと言う。ただし猪熊のストライクゾーンは年収一千万円以上だ。

十二時を過ぎても石井は顔を見せなかった。杉山は作業テーブルでポスターに入れる本格フランス料理の写真を選びながら、猪熊に買ってきてもらったコンビニのタラコおにぎりを頬ばる。

「あ、杉山さん、オロロ豆食べる？」

テーブルの隅っこで、おにぎりとカフェオレという村崎のことをとやかく言えないような昼食を広げていた猪熊が、煮豆の袋詰めを滑らしてきた。オロロ豆は、以前、村おこしキャンペーンを請け負った牛穴《うしあな》村の特産品だ。いまでは三越の食品売場でも売っている。

社長の石井がいないのをいいことに、猪熊は応接コーナーのテレビをつけっぱなしにしていて、お目当てのバラエティ番組が終わった後もさして興味もなさそうな様子で昼のニュースを眺めている。杉山がポジフィルムを見るためのビューアーに写真を載せていると、その猪熊が急に声をあげた。

「ねねね、さっきの広告の結婚式場って鶴亀会館っていうんですよね」

「ああ、ほうらけど」

おにぎりを頰ばってポジフィルムに目を向けたまま返事をした杉山は、次の猪熊のひと言で顔をあげた。

「出てますよ、テレビに」

鶴亀会館のテレビＣＭか？　いや、そんな話は聞いたこともない。杉山はテレビに目を向けた。画面は相変わらずニュース番組だ。十四インチのブラウン管の中に、見覚えのある顔があった。鶴亀会館の社長、泉田《せんだ》だ。フラッシュの閃光が光る中、何人かの男たちに囲まれて黒塗りセダンに乗りこもうとしているところだった。スーツ姿だがネクタイをしていない。組んだ手首にはモザイクがかかっていた。画面にアナウンサーの声がかぶさる。

『東京地検特捜部は、今日午前、鶴亀会館社長泉田富士郎容疑者を特別背任の疑いで逮捕。

L&B商事を舞台にした一連の土地譲渡疑惑に関与したものとして――』

杉山の口の端からタラコおにぎりがこぼれ落ちた。「あらら」猪熊が声をあげた。村崎もやってきてイヤホンをはずした。なぜだ？　なぜ結婚式場が土地ころがし事件に関係があるんだ？　わからなかった。わかっているのは、明日のプレゼンテーションが吹き飛んでしまったことと、ユニバーサル広告社にとって命綱だった鶴亀会館が、当分の間、広告を出すどころではないということだけだ。

「あ、私、銀行に振込みに行かなくちゃ」

暇だったはずの猪熊が、急にいそいそと立ち上がり、倍速ビデオ並みの素早さでテーブルを片づけて、オフィスを出ていった。石井が帰ってくる時、この場にいたくないのに違いない。

今回の鶴亀会館の仕事が降ってわいたようにやってきた時の石井のはしゃぎぶりは痛ましいほどだった。ちょうどユニバーサル恒例の綱渡りのタイトロープがいよいよ切れかけようとしていた矢先だったのだ。依頼の電話を切った後、「運が向いてきたで、悪いことばっかりやない。人間万事塞翁《さいおう》が馬の耳ちゅうてな。なぁ、杉ちゃん」そう言って受話器にポンポンとカシワ手まで打ったもんだ。

猪熊には予知能力があるのかもしれない。彼女が出ていって十分もしないうちに、ユニバーサル広告社の蝶番《ちょうつがい》の緩んだドアが陰気な音を立てて開いた。

ぎぃ。

杉山からは見えないパーティションの向こうで、ペタペタと湿っぽいペンギンのような足音がする。靴を健康サンダルに履き替えた石井の足音だ。顔を見るのが辛かった。杉山が重い腰をあげてパーティションの上に顔を出そうとすると、

「やぁやぁ、みんな、やっとるかぁ〜」

石井のカン高い関西弁が部屋に響いた。

「よっ、杉ちゃん、調子はどや。おう、村崎、ちゃんと来とるな」

石井はいつもと変わらないお気楽な声を投げかけながら、のんびりと自分のデスクへ向かう。だが、歩き方が変だった。月面を歩く宇宙飛行士のようにふわふわと頼りなく、白いダブルのスーツを着た小太りの体が指でつついただけで倒れそうに見えた。第一、右手と右足、左手と左足が同時に動いている。その様子を見れば聞かなくても、もう鶴亀会館のニュースを知ったことがわかった。

「石井さん……」

杉山が声をかけると、石井はケンタッキー人形みたいな満面の笑みを浮かべてみせる。しかし、そのむりやり張りつけた笑顔の中で、金縁眼鏡の奥の瞳がきょときょとと落ち着きなく動いていた。少し充血している。まるで捨てられて雨に打たれている段ボール箱の中の小犬の目だ。

「石井さん」

もう一度呼びかけると、石井は先に話し出されるのを恐れるように喋り出した。

「見たで見たで、ニュース。いやいやいや世の中いろいろあるわ。人生、紙風船。ほんま、おもろいわぁ」

「プレゼン作業、ストップしましたけど」

「ま、社長があれじゃしゃあない。こんな時もあるやろ。春来たりなば冬遠からじ、ちゅうてな」

最近凝っているらしい「ビジネス金言集」から、いいかげんに覚えた格言を引っ張りだして石井は胸を張る。

「まぁええ、クライアントなんて星の数ほどあるんや。だいじょうぶ。一つや二つ、三つや四つだめんなったかて、なんとかなるわ、な、そやろ、杉ちゃん」

三つや四つといっても、鶴亀会館はいまのところ唯一のクライアントだったのだ。何と答えていいのか杉山が言葉につまると、石井はもう一度同じセリフをくり返した。

「な、そやろ」

金縁眼鏡の奥の小犬の目が潤んでいた。

「嘘でもええ、そうだって言って」

午後七時十九分。改札を出た杉山の足取りは、いつしか早足になっていた。駅から三分。その便利さだけで選んだマンションまでの道のりが、今日はやけに遠く感じる。いつもの帰宅時間に比べたら、奇跡と呼べる時刻だったが、もう早苗との約束の時間を過ぎている。鶴亀会館の仕事はなくなったが、石井の行きつけの店に行って愚痴を聞いていたからだ。酒の飲めない石井がこんな時に行く場所は決まっている。ケーキバイキングのある喫茶店だ。杉山が勧められるまま皿にとったチーズケーキをつついている間に、石井は五個のケーキを平らげた。見ているだけで胸やけがした。

「杉ちゃんや村崎はええよ。まだ若いし、手に職があるからな。わし、会社潰したら行くとこあらへん」

「石井さんには口があるじゃないですか」

杉山はそう言ったが、なんの慰めにもならなかったようだ。口の端に粉砂糖をつけたまま石井は身の不幸を嘆く。長男が通う私立小学校の授業料の理不尽さ。石井をそのまま縮小コピーしたように顔のよく似た長女が、ピアノの発表会用のドレスを欲しがっていることと、美鈴（長女の名前だ）には高い服しか似合わないこと。今年で結婚十周年になるひとまわり歳下の妻が、宝石のCMを見るたびに目を輝かせること。乗り換えたばかりのクルマの燃費の悪さ。会社の経営が思わしくないといつも嘆いているわりには、いい暮らしをしているように思えたが、そのことは黙っていた。

「宝石のコマーシャル、あれ、なんとかならんか。テンイヤーズなんたらとか、給料の何カ月分とかいうて、ほとんど犯罪やで」

自分も広告業者のくせにテレビのCMにも文句をつける。

「杉ちゃんはええなぁ、家族もおらんし」

そんなことはない。いまは一人いる。いまだけだが。明日から俺も営業をしてみますよ。昔のツテを頼ってね。石井にはそう言ったが、代理店時代はもちろん、いままでに営業の経験など一度もなかった。はたしてツテなどあっただろうか？　石井には悪いが、杉山にとって当面の心配は、会社の危機より家で待っている早苗のほうだった。幸子がよくこんな自分に子供を預ける気になったものだと、我ながら思う。子供に関してはいざとなると母親のほうが腹が据わっているものなのだろうか。

駅前通りを左に折れるとマンションが見えてくる。そこからは走った。エントランスへ入る前に見上げると、表通りに面した杉山の部屋に明かりが灯っているのが見えて、そこでようやく歩調をゆるめた。

ドアのノブに手をかけると、中からファンファーレの音が聞こえてきた。勢いよくドアを開けて、杉山は叫ぶ。

「ばっかもん！」

そういえば、明かりのついた部屋に帰るのも、ドアを開けて誰かに声をかけるのも、このマンションに越してきてから初めてだった。

「遅かったじゃないか」背中へファミコンのコントローラーを隠して早苗が言う。「七時のお約束だぞ」

「すまん、これでもいつもよりずっと早いんだ」

叱るつもりだったのに、逆に怒られてしまった。

「カビゴンはいつも六時だぞ。たのみもしないのに」

「ごめん、あやまる。腹減っただろ、メシ食いに行こう」

「できてる」

「へ？」

「できてるよ、ごはん」

ダイニングテーブルを見ると、確かに食器が並んでいた。ほとんど飾ってあるだけの食器棚から引っ張り出したのだろう。食器の上には、食べ物——たぶん食べ物だと思う——が盛ってある。

「これ、お前が？」

「もっちロンドンパリ！　あなた、お食事？　それともお風呂？」

早苗は突然、目をぱちぱちさせて、かくんと小首をかしげた。

「な、なんだ、それは」

「キョウコさんだよ」

「誰だっけ？」

「『愛のシュラ』のキョウコさんだよ。夜遊びばっかりしている夫の帰りを、毎晩けなげに待ち続けているんだ」

テレビドラマのナレーションを丸暗記したらしい口調で早苗が言う。

コーヒーカップの受け皿におでんが載っていた。ビールジョッキの中にワカメスープが浮いていた。部屋の飾りに置いてあった絵皿には、なぜかさきイカとイカのくんせいが山盛りになっている。どれもこれも近くのコンビニで買ってきたものらしい。キッチンの上は空き巣に入られたようなありさまだ。背が届かなかったようで、流しの前にダイニングチェアが置いてあった。

杉山がぽかりと口を開けたままテーブルの上を見つめていると、早苗は鼻をひくつかせて胸を張った。

「好きでしょ、イカ」

「えーと、これは、なんだろ」

茶碗の中をおそるおそる指さす。

「ケチャップライスだよ」

どう見てもコンビニで売っている白飯にトマトケチャップをかけてかき混ぜてあるだけだ。

「……これは？」

小皿の上にぶつ切りにしたキュウリが載っていて、どろりとした半透明の液体がかけてある。

「それはデザート、ニセメロンだ。キュウリにハチミツをかけるとメロンの味になるんだよ。一度やってみたかったんだ」

「なぁ」

「あ？」

「ファミレスに行かないか？　今日こそガングリオンもらってやるからさ」

昨夜は失敗した。袋を開けてしまってから気づいたのだが、女の子用のおまけは、早苗には必要のないお姫様変身セットだったのだ。

「食べないのか？　これ」

早苗の眉がくりっと吊り上がった。

「い、いや」

「タカヒコといっしょだ」

「タカヒコって？」

「キョウコさんの夫だよ。外にアイジンがいて遅く帰ってくるくせに、すぐちゃぶ台をひっくり返すんだ」

「あ、いや、食べるよ、うん、食べる」

その言葉を聞くと早苗は満足そうにこくりと頷いて、ハチミツをかけたキュウリをかじりはじめた。杉山は着替えもせずにダイニングテーブルに座る。チーズケーキがまだ胸の辺りにつかえていたが、勢いよくケチャップライスをかきこんだ。

「おいしい？」

「……うん」

「ケチャップライス、まだたくさんあるぞ」

「お、おう」
娘につくってもらった初めての料理だ。どんな味だろうと、うまいに決まっている。

3

翌朝も六時半に早苗に叩き起こされた。朝飯と昼飯の用意をして、近所の公園で一緒にサッカーをして、それでも十時前には会社に着いた。一日の大半を蛍光灯の光とつけっぱなしのクーラーと煙草のけむりの中で過ごすいつもの日々に比べると、夢のような朝だ。

まだ猪熊も来ていなかった。カギを開けてオフィスに入り、デスクの上のマックのパワーキーを押す。そうすると後は何もすることがなくなった。するべきことといえば缶コーヒーを飲むことぐらいだ。本当は休みを取って早苗を遊園地にでも連れて行きたかったのだが、石井の昨日の様子を見ているとそうもいかない。

アドレス帳をパラパラとめくってみる。空白ばかりだ。早苗の夏休みドリルとたいして変わりゃしない。代理店の制作部をやめたとたん、こちらからかけないかぎりかかってこない電話番号が多くなった。そいつらを消しまくったからだ。気は進まなかったが石井に見得を切った手前、仕事探しをしなくてはならない。まず「あ」のページから。阿部からいこう。代理店でCMプランナーをしていた頃、下請けで使っていたCM制作会社のプロデューサーだ。

「もしもし、お久しぶり。杉山ですっ」

阿部は杉山の名前を聞くと戸惑った声で挨拶を返してきた。杉山はあまり得意とはいえない快活な声を出してみる。

「いや、どうしているかと思ってさ」

阿部の声が警戒する口調になった。やぁ、どうもこうもありませんよ。やっぱり景気、悪いっすよ。仕事ありませんもの。杉山さんは相変わらず忙しいんでしょ……。

面倒な売りこみを断り慣れている口調だった。別に知りたくもない昔の知り合いの近況を尋ねてから電話を切る。

十時過ぎに猪熊がやってきた。小脇に何冊も雑誌をかかえている。ぜんぶ就職情報誌だ。杉山と半分うわの空で挨拶を交わすと、自分のデスクにかじりついて猛然とページをめくりはじめる。就職情報誌を読みあさるのは猪熊の趣味のようなものだが、今回ばかりは本気かもしれない。皮肉っぽい軽口でも叩いてやろうかと思ったが、とても声をかけられる雰囲気じゃなかった。

再びアドレス帳をめくって受話器を手に取る。「い」「う」「え」には代理店時代の同僚がずらりと並んでいた。なにせ杉山が勤めていた代理店は従業員数千人の大手だ。だが、こいつらには意地でも電話はできない。

七年間勤めた広告代理店をやめたのは、離婚届けを出してすぐだった。いま考えるとどうしてそうしたのか、自分でもよくわからない。たぶん生活を変えたかったのだ。自分が悪いのを忙しすぎる仕事の責任にしたかったのかもしれない。

「お」から「し」まで、いくつか電話をかけたが誰もが不在だった。無理もない、広告業者にとってはまだ早朝に等しい時間だ。引っ越したのかそれとも倒産したのか、電話番号が消えてしまったところもあった。

「す」。須藤が出た。ユニバーサルに入ってから知り合った広告デザイン会社の社長だ。確か半年ほど前に会った時、大手のファッションメーカーの仕事を一手に引き受けていて、猫の手も借りたいと豪語していたはずだ。おざなりに天候の話をしてから、思いきって言ってみた。「実は仕事をですね……」そう切り出したとたん須藤が言った。

「えっ、仕事くれるの？」

杉山は天気の話を続けることにした。

石井は今日もいない。オフィスに立ち寄った様子もなかった。いったいどこへ行ったのやら、「ま」のところで杉山がアドレス帳を放り出した後も、正午近くのいつもの時間になってコンビニの袋をぶらさげた村崎がやってきても姿を現さず、普段はしつこいほど会社にかけてくる電話もなかった。石井の携帯に電話を入れてみたが、電源が切られている。猪熊に訊いてみた。

「どこへ行ったか聞いてないか」

「さぁ」

猪熊が首をひねる。ひねった首をまっすぐに戻しながら言った。

「……まさか」

「まさかって？」

「昨日の午後、私、キッチンでトイレのタオルとか洗ってたんですよ。ふっと気がついたら、後ろに石井さんが湯呑み持ってボーッと立ってて。幽霊みたいな顔して。思わず叫びそうになっちゃった」

小太りで赤ら顔の幽霊というのがどういうものなのか、杉山はうまく想像できなかったが、ともかく猪熊に続きを促す。

「それでね、屋上にこれ干してきま～すって私が言ったら、石井さん、『苦労かけるな、クマちゃんにも』なんてふだん言ったことないようなことボソボソ言って。で、私に訊くんですよ。『屋上って高いんか？』って。『このビル、何階まであるんやったっけ』って」

猪熊はそこまで話すと、寒い時にするみたいに両手をかき合わせて、ノースリーブの二の腕をさすった。

「屋上のドアって、いつも開いてるのか？」

「うん、いつでも行ける。村崎くんなんか時々昼寝してるしね。フェンスが低くて、フェンスの外にも行こうと思えばすぐ……」

杉山と猪熊は顔を見合わせる。まさか。二人の顔にそう書いてあった。わかめの味噌汁にお湯を注いでいる村崎が言った。

「石井さんなら、来る時会ったよ」

「どこで?」

「エレベーター。四階で降りないで上に昇っていった」

杉山はドアに向かって走り出した。まさか、まさか。下請け業者から人類は滅亡してもゴキブリとあの人は生き残る、と陰口を叩かれている石井に限って。猪熊から竹を割らずに小刀でほじくりかえす性格と、嫌《いや》みを言われている石井に限って。いや、そういう人間ほど心の内側はガラス細工でできているのかもしれない。ドアノブに手をかけた。と、突然ドアが開く。したたか鼻を打った。

「おっ、すまん」

ドアを開けたのは石井だった。

「そんなにあわててどこ行くんや」

どこへ行くも何もあるか。杉山は鼻を押さえながら、涙声で問いつめた。

「石井さんこそ、どこ行ってたんですか!」

「屋上」

杉山と猪熊は再び顔を見合わせる。

「……屋上で……何を?」

「ちょっと秋を探しに」

「は?」

「気持ちええで。まだ暑いけど、風はもうそこはかとなく秋や。高い所から下々の暮らしを眺めとると、人間なんて小さいもんやっちゅうことがようわかる。つまらんことで悩むのがアホらしゅうなるわな」

人が心配していたのに、涼しげな顔で似合わないセリフを吐く。石井は妙に機嫌がよかった。どう見てもまっとうなサラリーマンには見えないダブルの白いスーツのポケットに手を突っこみ、いまにもスキップをしそうな足取りでデスクまで歩いていく。

「クマちゃん、すまんが、お茶もらえんかの」

ユニバーサル広告社は社長といえども飲み物は自分でいれるのがルールだが、しばしば石井はそれを破る。いつもは嫌な顔をする猪熊も今日は素直にキッチンへ飛んでいった。石井はデスクの上に組んだ両手の指を鳥の羽ばたきのようにぴこぴこ動かしながら、何か言いたげにちらちら杉山へ視線を投げかけてくる。最初はまた昨日と同様に虚勢を張っているのだろうと思っていたが、違った。道頓堀の食い倒れ人形のようなお気楽な顔は変わらないが、昨日の雨に打たれた捨て犬の目が、エサを前にした抜け目ない老猫の目になっていた。

寿司屋の湯吞みから茶をひとすすりすると石井は立ち上がり、おごそかに言った。

「みんな、ビッグニュースや」

ビッグというところで声が裏返る。いつものことだが、村崎は聞いていない。石井は村崎のデスクに近寄ると、イヤホンの片耳をはずして耳もとで叫んだ。

「ビィィクニュゥゥス」

村崎が顔をしかめる。

「新しいお得意さんが見つかったがな」

「どこから？」

そう来るとは思わなかった。杉山は驚いて訊き返した。

「帝国エージェンシーの光岡さん、知っとるやろ。新規事業開拓室の光岡さんや。さっき会《お》うたらな。ちょうどええとこに来たって言われてな。ほんまラッキーやで。捨てる神あれば拾うホトケさんちゅうやつやね」

光岡は知っていた。杉山がかつて勤めていた帝国エージェンシーでは十期以上先輩の古株営業マンだ。やり手という評判だったが、そのぶん何かと噂の多い人物だった。賭けマージャンに一晩百万使うとか、出入りの広告制作会社の請求書に自分の取り分を上乗せしているとか。確かいまは一線からはずされているはずだった。

「どこなんです、クライアントは？」

疑わしげに杉山は訊く。光岡からの仕事がそれほどラッキーだとは思えなかった。

「なんや、建設関係の会社や言うてたな」

「まさか、工事中の看板なんて言うんじゃないでしょうね」

杉山がそう言うと、石井はちっちっちと舌を鳴らして突き出したひとさし指を振る。

「驚いたらあかんよ、杉ちゃん。なんと、ＣＩや」

「ＣＩ？」

杉山の驚く顔を見て、石井は満足げに頷く。そして、うっとりとその言葉を舌先で味わうようにくり返した。

「せや、シーアイ」

ＣＩはコーポレート・アイデンティティの略称だ。日本語に訳せば企業イメージ統合戦略。ようするに会社のシンボルマークや社名ロゴ、スローガン、時には社名そのものまで作り替える一連の活動のことだ。大手企業のＣＩともなると億単位の金が動く。広告会社にとっては、通常の広告以上の大仕事になる。石井は幸福の絶頂にいるようだった。誰もいなかったら、たぶん踊り出していただろう。

「会社の名前は？」

まだ腑《ふ》に落ちずに杉山は尋ねた。バブルの頃はＣＩブームで、猫も杓子《しゃくし》もＣＩをやりたがり、広告業界はずいぶん潤った。だが景気が悪くなってからこのかた、ＣＩをする企業はぐっと減っている。財布の中身が乏しい時に、高い財布を買うヤツはあまりいないというわけだ。世の中が不景気になっても、少しはいいこともある。本当に必要なものが何だったかがわかるのだ。

「えぇっと、なんちゅうたっけ。せや、コバト。小鳩組や」

「小鳩組？」

なんだか幼稚園のクラスの名前みたいだ。確か早苗が通っていた幼稚園にもそんな組があった。早苗は小熊組だったから、幸子がクラス名まで女の子らしくない、と嘆いていたっけ。

「なんや会社の名前も変えたっちゅう話やったで。いまどき『組』なんて、いくら建設会社でもなぁ、ヤーさんみたいやろ。だからＣＩやるんやないか」

「確かに」

確かにブームの頃、建設会社は格別ＣＩに熱心だった。○○組という名の建設会社がいくつもおしゃれな社名に変わった。それに乗り遅れた会社なのかもしれない。そう考えると、いま頃になってＣＩを思い立っても不思議はなかった。まぁ、ユニバーサルに来るようなＣＩだから、そう大きな会社ではないだろうが、確かにいいニュースだ。なにしろ、もうアドレス帳を繰って気のすすまない電話をかける必要がないのだ。

「仕事はいつから？」

「それが急な話でな。今日、これから会えんか、と先方は言っとるそうや。三時や。二人ともスケジュールは空いとる？」

茶目っ気たっぷりの笑みを浮かべた石井が、答えのわかりきっている質問をする。

「ガラ空きですよ」

杉山も陽気に答えた。テリヤキバーガーをむさぼり食っていた村崎が、頬をふくらませたままもそりと言う。

「本当にヤクザだったりしてね」

「ウホホホホ」

石井が笑う。杉山もつられて笑った。だが、すぐにおかしくもなんともないことに気づいて黙りこんだ。

「たまには、おもろいこと言うんやな、村崎も。ホッホッホッホッホッ」

たいして面白いとは思えない村崎の言葉に、石井はいつまでもヒステリックに笑い続ける。つかのまの夢を少しでも長引かせようとするかのように。

二．きっと素敵な毎日が始まる

1

指定暴力団小鳩組は、東京近郊の七海市に本部を構えている。組員は構成員、準構成員合わせて百十七人。かつては関東では数少ない武闘派として知られていた。本部事務所が置かれているのは、暴力団対策法施行前には小鳩ビルと呼ばれていた、七海市の駅近くにある五階建ての建物だ。現在は名前がピースエンタープライズ・スクエアに変わっているが、全体が黒く塗られていて、窓が極端に少なく、入り口に二台の監視カメラが設置されているのは昔のままだ。

そのピースエンタープライズ・スクエアの一室で、石井、杉山、村崎の三人は、応接用ソファーに見ザル言わザル聞かザルのように肩を寄せ合って座っていた。

見ザルは、壁に並ぶ小鳩の名が入った提灯《ちょうちん》や『任俠一路』と墨書された額や絨毯《じゅうたん》の真ん中に置かれた虎皮の敷物には目もくれず、天井のシミを鑑賞し続けている杉山。言わザルは、駅を降りる前からＣＩがいかに儲かるか上機嫌で喋り続けていたのに、ビルに入り、この部屋のドアを開けたとたんに振り向いて帰ろうとした石井。ドアの後ろに立っていたパンチパーマの大男に押しこまれるようにソファーへ案内されてからはひと言も喋っていない。聞かザルは、この期《ご》に及んでまだＣＤウォークマンのイヤホンを耳から離さない村崎。独得の趣味のインテリアが気にいったのか、いつもと変わらないぼんやりとした薄笑いを浮かべて、部屋を眺めている。この男の神経は針金でできているか、もしくは神経などというものがもともとないか、どちらかに違いない。

　ここでお待ちいただけますか。パンチパーマが風体に似合わない丁重な口調で、だが有無を言わせない鋭い目つきをして、ソファーを指し示してから、そろそろ十分近くたつ。

　三人の前、テーブルを挟んだ向こう側には、三人掛けのもうひとつのソファーを一人で占領して丸坊主の男が座っていた。肩組みをするように両手をソファーにあずけ、片足を載せたもう一方の足を気短げに貧乏ゆすりさせている。中背だが肩幅が桐ダンスのように広い。極彩色のアロハシャツの上で、金色のチェーンを巻いた猪首の贅肉が凶悪そうに盛り上がり、つるつるに剃りあげたスキンヘッドに天井の蛍光灯の光が映りこんでいた。年齢は四十過ぎぐらいだろうか。なにしろ顔の中の毛といえば唇に沿って細く生やしたヒゲだけで、髪も眉もないし、上半分にスモークがかかったファッショングラスを大きな顔に窮屈そうにかけて目の表情を隠しているし、第一、杉山は男となるべく目を合わさないようにしていたから、はっきりしたことはわからない。

パンチパーマが運んできたティーカップを、石井はまるでそれが重要な任務であるかのように、せわしなく口もとへ運んでいる。紅茶でもウーロン茶でも焙じ茶でもない得体の知れない飲み物だ。杉山はひとくち口をつけただけでやめた。貧乏ゆすりを続けるスキンヘッドの靴先が応接テーブルに触れるたびに、ティーカップがカタカタ鳴った。

「社長さん」

首を四十五度ほどかしげて三人の頭上の空間を見つめているスキンヘッドが、突然ぼそりと声を出した。ピンサロの呼びこみみたいに、三人のうちの誰かを本当の社長などとは思っていない口ぶりだったが、社員四人とはいえ、とりあえず本当の社長の石井が返事をする。

「は、はいっ」

小学一年生のような素直な返事だった。石井は背筋を伸ばして次の言葉を待ったが、男の言葉はそれだけだった。石井は部屋中に聞こえるほど大きく息を吐き、もうほとんど中身の入っていないカップを口に運ぶ作業を再開する。と、首を四十五度にかしげたまま、またスキンヘッドがぼつんと言った。

「うまい？」

今度はファッショングラスの奥の目で石井の顔を捉えながら言う。石井は首を振って両脇の杉山と村崎を見まわしてから、ようやく自分に向けられた言葉だと気づく。

「へ？」情けない声を出した。

男は苛立った口調で言う。

「それよ、それ」

「は？」

中空に止まったままの石井のティーカップを顎で指した。

「どくだみ茶だ」

「ははぁ、なるほど、いやいやいや」

石井は大げさに驚き、恐れいったというぐあいに、何の変哲もないカップを両手でうやうやしくかき抱いて頷いてみせる。高価な焼き物の銘でも確かめるようにカップの裏まで覗いていたが、無印良品と書いてあるだけだった。

「上の命令でな、わしらみんな飲まされとるんだわ、それ」

「ははぁ」

男の言葉に石井は必要以上に首を動かして相槌を打つ。

「人間、健康第一ちゅうてよ」

「はぁ、ごもっともで」

「ふざけるんじゃねえよ！」

突然、男が声を荒らげた。ひっ。石井が悲鳴をもらす。

「ヤクザが健康気にしてどうするのよ、なぁ」

「ははっ、ごもっとも」

この部屋と男たちの風体を見れば、聞かなくてもわかるが、スキンヘッドの口から改めてヤクザという言葉を聞いて、石井はますます縮みあがる。杉山は毛のないうなじをぺしぺし叩いている男をちらりと窺った。アロハの袖から龍の尻尾がはみ出していた。うなじを叩く手にはお約束通り小指がない。

「なぁんて、最初は俺もそう思うとったけどな、一週間続けたら体調違うのよ。前はよ、毎朝赤い小便してたのによ、最近は出んからね、血ぃ。やっぱ上はええこと言うわ、なぁ」

「ごもっとも」

「社長さん、他になんか言えんの？」

「ごもっとも」

部屋は応接室兼詰め所のようなところらしい。スキンヘッドの他に何人かの若い男たちがたむろしていた。上下ともジャージー姿で所在なげに漫画雑誌を読んでいるのが一人、隅のデスクに何台も並んだ電話にかじりついているのが二人、先ほどのパンチパーマは、杉山たちの逃亡に備えるかのように、ドアにもたれて立っている。ユニバーサル広告社がすっぽり二つ入りそうな広さがあり、床に敷かれた絨毯の長い毛足はまるで夏草で、部屋の隅に置かれたテレビは窓より大きい。少々古びてはいるが、いま座っている黒い革張りのソファーは、ユニバーサルの応接セットより金額がひと桁多いに違いない。

ビルの玄関に入った時には、若干、悪趣味な建物だと思ったぐらいで、特に不審なふうはなかった。ヤクザ映画で見るように看板がかかっていたわけではないし、見張りが立っているわけでもなかった。玄関ホール正面にあったこの部屋のドアにも「お客さま窓口」と書かれた小さなプレートがかかっていただけだ。

振り子も針も金ピカの大きな柱時計を見ると、約束の時間をもう二十分ほど過ぎている。スキンヘッドの貧乏ゆすりがまた激しくなってきた。細長い茶色の煙草をくわえて蒸気機関車さながらに煙を吐き出している。斜めにかたむけたままの首を動かさずに、村崎のニワトリのトサカのような赤い髪から足もとのビーチサンダルまでを眺め下ろして何か言いたそうにしていたが、何も言わず、今度は杉山に向けて口を開いた。

「どう、景気は？」

「よくないですね」

石井のことは笑えない。杉山は普通に喋ったつもりだったが、喉につまったようなかすれ声になってしまった。

「わしらの業界も、そうよ。駄目だね、最近は。バルブがはじけてからはさ」

「バブル」

不屈のパンクロッカー村崎が、男の言葉に訂正を加えた。杉山と石井はロダンの彫像のポーズで固まってしまった。スキンヘッドがゆっくり村崎に向き直った。毛のない眉の間に十円玉が挟まりそうな溝をつくり、「あん？」という感じに開いた口から煙草のけむりを立ちのぼらせ、四十五度だった首を六十度ぐらいまでかたむけながら村崎の目を捉えようとする。だが、目を閉じてＣＤに聴き入っている村崎は、男のほうをまるで見ていない。スキンヘッドが叫んだ。

「石井！」

石井がソファーの上で飛び上がった。ドアのあたりで返答があり、パンチパーマがこちらへやってくる。どうやら彼の名前も石井らしい。いまどき珍しい髪形だから老けて見えたが、よくよく顔を見るとまだ二十《はたち》にもなっていないような少年だ。

「三本たまったら、灰皿とっかえろって言ってるだろうが、ボケ！」

スキンヘッドがガラス製の大きな灰皿で、いきなりパンチパーマの石井の頭を殴りつける。痛そうな鈍い音がした。パンチパーマの石井が頭をかかえてうずくまると、社長のほうの石井も自分が殴られたように顔をゆがませた。

「近頃の若いもんは、行儀作法からしつけねえと駄目だね。ねぇ、社長さん」

石井にそう言いながら、スキンヘッドの目は村崎の顔を捉え続ける。石井と杉山は考える人のポーズを続けた。が、何を聴いているのかイヤホンを耳につっこんだまま大あくびをしている村崎は、目の前で起こっていることにまったく気づいていない。曲がサビの部分に入ったらしく、鼻唄まで歌いはじめた。演歌だった。

スキンヘッドはひとつ鼻を鳴らしてから、また石井に声をかけた。

「社長さん、関西？」

「へ？」

「いや、生まれがさ」

「あ、へぇ、しばらくあっちにおったんですわ。生まれは別のとこでっけど」

「いえいえ、関西ちゅうても、私ははずれのほうで」

「大阪？」

「俺、大阪。西成」

単語を並べるだけで言う。そういえば、言葉に西のほうの訛りがある。酸欠になってしまいそうなほど張りつめたこの場の空気を、なんとかときほぐそうと思ったらしい、石井が鼻息を荒くしながら言った。

「ええとこですな、西成。よく行きましたわ。通天閣のすぐ下にジャンジャン横町ちゅうのがありましたやろ」

「ああ、あったあった」

「いや、懐かしい」

「好きか、大阪？」

「そりゃもう、第二の故郷と思うとります」

嘘に決まっているが石井がそう言うと、男が煙草のけむりを輪にして吐き出し、その輪を見つめながら言った。

「俺、嫌い」

「……へ？」

石井は泣き笑いの表情になった。

「せんに捨てた街や。いや捨てられた街よ。嫌な過去がぎょうさんつまっとる。思い出しとうもない」

どうやらスキンヘッドは退屈しているらしい。石井は完全にもてあそばれていた。またもや石井は言わザルになってしまう。

沈黙を破ったのは、ドアの外でわき起こった喧騒だ。突然の豪雨に似た靴音が響いたかと思うと、突風に吹き飛ばされたようにドアが開く。杉山たちが振り向くと、開いたドアのかなり下から、まん丸い顔が小さな目をぱちくりさせてこちらを覗いていた。

「ややや、お待たせお待たせ」

腹話術の人形じみたカン高い早口が、そのまん丸顔から飛び出した。背の低い、ゴマ塩頭を短く刈りこんだ初老の男だった。学芸会で子供が老人役にメーキャップしたような愛嬌のある笑顔が、長袖のゴルフシャツにニッカボッカという身なりにそぐわない。背後にその男の二倍の体格がありそうな何人かのブラックスーツの男たちが森林のように突っ立っていた。

そのうちの一人はゴルフバッグを抱えている。スキンヘッドも部屋にいる若い男たちも一斉に立ち上がる。ゴマ塩頭が、ベテランの落語家を想像させる地蔵顔で言った。

「どもども、小鳩です」

この男が小鳩組組長、小鳩源六だった。

2

スキンヘッドとパンチパーマに挟まれるようにして部屋を出て、エレベーターを待つ。スキンヘッドは村崎へ張りつくように立ち、顔を睨《ね》めあげていたが、頭ひとつでかい村崎とはまるで視線が合わない。首が疲れたらしくすぐにやめてしまった。

ゴトゴトと陰気な音を立ててエレベーターが動き出す。まるで監獄に護送される気分だった。石井が背伸びをして杉山の耳に囁きかけてきた。

「どないしょ、杉ちゃん」

「どないもこないも」

階数表示を見つめたまま杉山は声をひそめて答えた。

「なんとか断れんかいな」

「断るなら早いほうがいいですよ、石井さん」

「え？　わしが？」

本人は囁き声で話しているつもりでも、地声の大きい石井の声はよく響く。スキンヘッドがじろりとこちらを睨んで、二人は黙りこんだ。

エレベーターは三階で停まった。ポケットに手を突っこんだままスキンヘッドが、廊下の右手を顎で指し、先に立って歩きはじめた。

また石井が小声で話しかけてくる。

「断ってみようや、社長さんは話せばわかる人やで。間違いない、こう見えてもわし、人を見る目はあるほうやから」

「組長でしょ」

「だいじょうぶやて、言いたいことはびしっと言わな。なぁ、杉ちゃん」

石井のだいじょうぶは、だいじょうぶではないことのほうが多いから、あまり当てにせずに杉山は答えた。

「じゃ、お願いしますよ、石井さん」

「え？　わしが？」

「社長でしょ」

フロアの一番奥、他の部屋と同じく何の表示もないドアをスキンヘッドが開け、また顎だけで、入れと命じる。

ドアの向こうは薄闇だった。そこだけ先に夜が訪れたように陽光が失せ、シャンデリア風の照明の下で煙草のけむりが渦巻きをつくっていた。バーのカウンターを思わせる黒檀のテーブルがコの字に並んでいて、手前に裁判の被告席のようにテーブルがひとつ置かれている。

部屋が薄暗いのは、片側に並んだ窓を鉄板で覆っているためだ。

コの字型のテーブルの両側に数人ずつ男たちが並んでいた。揃いも揃った悪相。たいていはスーツを着ていたが、どこからどう見てもサラリーマンには見えない。ただ一人、和服姿の老人をのぞけば、みな年齢は三十代から五十代ぐらい。スキンヘッド同様、はっきりした年齢はわからなかった。誰もが三十代にも五十代にも見える。

正面右手には、オールバックの髪をポマードで黒々と光らせた、やけに座高の高い男が座っていた。顔も体もマウンテンゴリラのようだ。杉山たちが入ってきても眉ひとつ動かさなかったが、眼球だけはのろのろ歩く三人を捉え続けている。

石井を真ん中にして両側に杉山と村崎、さっきと同じ席順で三人を被告席につかせると、スキンヘッドは部屋を出ていった。ドアが閉まる音がした後には、どんよりとした煙草のけむりと沈黙だけが残った。何の会話もなく誰も声をかけてこない。時おり、男たちの誰かが関節を鳴らしたり、ういっとえずいたりする音がするだけだ。さすがの村崎もイヤホンをはずす。誰かが小さく舌打ちするだけで、石井は見るにしのびないほど背筋を固くする。杉山は爪の甘皮の点検に専念することにした。

ほどなくドアが開き、小鳩が入ってきた。福々しい老けた子供のような顔はそのままだが、先ほどのゴルフウエアを着流しの和服に着替えていて、ますます落語家じみて見える。これから高座に上がろうかというふうの身軽な足取りでひょこひょこ歩く小鳩の後ろに、ダークスーツを着た細身の若い男がつき従っていた。フレームレスの眼鏡をかけた白皙《はくせき》のその顔は、まだ三十そこそこ、杉山より年下に見えた。この男だけはまるでヤクザには見えない。丸の内のオフィス街を歩いていても、まったく違和感がないだろう。

正面の真ん中の席に小鳩が、ダークスーツがマウンテンゴリラの反対側、向かって左手の席についた。

「じゃ、始めようかい」

マウンテンゴリラが、その容貌にふさわしい獣が唸るような声をあげると、ダークスーツが喋りはじめた。

「お待たせして申しわけありません」その言葉は杉山たちにではなくゴリラと両サイドの男たちに向けられたもののようだった。「さっそく、月例幹部会を始めたいと思います。まず懸案のＣＩに関してですが」

「なんじゃ、シーアイっちゅうのは？　わしは聞いとらんぞ」

右手から声があがった。和服姿の痩身の老人だ。地方文化人風の長めの銀髪、削ったようにこけた頬に一筋の深い傷がある。

「先月お話しした新しい代紋の件です」

ダークスーツが答えた。

「こいつら、何？」今度は左から声がかかった。ボクサーのように鼻の潰れた中年男が、杉山たちを顎でしゃくる。「どこの組のもん？」

再び見ザル言わザル聞かザルとなって固まっていた三人は、同時に首をすぼめた。

「今回のＣＩ制作をお引き受けいただいた広告会社の方々です」

ダークスーツはそこで初めて杉山たちに視線を向けてきた。

「申しわけありません。まだ御社の名前を伺っていませんでしたね」

そこで言葉を切り、どうぞという具合に首をひねる。名乗れと言っているらしい。石井が杉山の顔を見た。得意先との打ち合わせの時、最初に喋るのは石井の役目だ。杉山もどうぞというかわりに首をかしがせた。石井はか細いため息をつく。

「ユユユニバーサル広告社でございます。代代代表の石井と申します。帝国エージェンシーの光光岡さんからご紹介にあずらあずかれあずかりまして……」

石井が直立不動の見本のような姿勢で喋りはじめた。口から先に母親のお腹から出てきたと評判のいつもの弁舌は見る影もない。

「光岡っちゅうのは誰じゃ、わしゃ知らんぞ」

銀髪の老人がまた不機嫌な濁声《だみごえ》を出す。それには隣に座る男が答えた。

「うちの賭場《ボン》によく来る半カタギですよ、叔父貴。二千万借りつくらしてますから、時々、働かせてるんですわ」

「そそその光岡さんからお話を伺ってお話だけでも伺ってこいと。そこで、とりあえずお話だけでも伺おうかと伺った次第で……」

寒いほど冷房が効いているのに、石井はこめかみの汗をハンカチで拭っている。石井にすれば遠まわしにまだ仕事を引き受けてはいないことを表明したつもりなのだろうが、ダークスーツは石井の言葉が終わらないうちにさらりと言った。

「今回はお引き受けいただいて、ありがとうございます。今日、ここに集まっているメンバーは、ピースエンタープライズ社長、小鳩以下、役員およびグループ各社の取締役です。申し遅れました。私、事業本部長の鷺沢《さぎさわ》と申します」

「若頭、桜田だ」

ゴリラが恫喝するように言う。昔観たヤクザ映画の記憶では、確か若頭は組長に次ぐナンバー2だ。

「桜田専務です」

鷺沢が言い直した。他の面々は名乗らず鷺沢も紹介しない。小鳩は名乗るまでもないという風情で、相変わらず笑みを浮かべたまま悠然と座っているだけだ。

「今回のCI計画について、もう一度、骨子をご説明いたします。お手もとに簡単なメモをお配りしますので、ご一読ください」

簡単なメモなどではなかった。ワープロでびっしり文字を打ったA4サイズのペーパーの束をホチキスで綴じてある。両側に並ぶ役員たちが物珍しそうにページをめくりはじめた。桜田は不潔なものでも見るように顔をそむけている。『ピースエンタープライズCI計画書』という表紙がついたその書類は、こんな文面から始まっていた。

1992年3月、基本的人権を侵害し、結社・職業選択の自由、住居不可侵等を無視した天下の悪法「暴対法」の施行以来、我々は国家権力により度重なる不当な弾圧を受けてきました。従来の活動は大幅に規制され、集会の場も奪われつつあり、組織の象徴である代紋の使用もままならない状況にあります。現在、我々は同法を憲法違反として法廷闘争を検討中ですが、悪法とはいえ施行力を持つ以上、自己防衛の為に現状に対応せざるを得ません。ご承知の通り、旧来の代紋の使用を休止し、傘下組織の株式化、一般企業との提携等、様々な対抗手段を講じるとともに組織名称もピースエンタープライズと改めて新たな出発をいたしました。この急速な改革と皆様のご尽力により、寡占化、過当競争化する業界の中で独自の地位を維持し続け、今年、めでたく四十周年を迎えるに至っております。しかし同時に、こうした変革が組織の結束力、組織員の士気の低下等の弊害を招いていることは否めず――。

鷺沢は書類にはまったく目を落とさずに、内容の概要だけをよどみなく説明してみせた。見事なものだ。メモも見ずにこれだけ能弁に喋れる男を杉山は初めて見た。

暴力団対策法のことは、杉山も少しは知っている。施行される時分には、ヤクザの妻たちが街頭デモをして『極道の妻たちの反乱』などというタイトルの記事が新聞紙上を賑わしたりしていた。この書類によると暴対法によって暴力団に指定されると、あらゆる活動が不当な威力行使として法律違反になるらしい。「組」としての事務所も構えられないし、「代紋」と呼ばれる組織の紋章も使えないという。どうりでビルの前に看板がかかっていなかったはずだ。

鷺沢の演説は続いた。『CI計画に至る背景』というくだりを説明し終えると、今度は『CIの概念とその意義』。

「CIは企業の理念、姿勢、目標を社会に訴えかけ、浸透させることを目的としています。ピースエンタープライズが統一されたシンボルマーク、シンボルカラー、スローガンなどを持つことにより、我々は我々の存在と思想と影響力を、より広くより確かに社会に知らしめることができるのです」

書物で得た知識には違いないだろうが、とてもわかりやすい。広告制作者の多くがそうであるように、杉山もビジネス書に書かれているような広告理論にはまるでうといから、思わずメモをとろうとしたぐらいだ。隣では石井が本当にメモをしていた。いつもは得意先の話など右から左へ聞き流すくせに、今日は脇目も振らずシステム手帳にペンを走らせている。

鷺沢は平易な言葉を選んで説明しているようだったが、両脇に並ぶ男たちは皆、狐につまれた顔をしている。小鳩組長はすべてを悟りつくしているといった笑みをたたえて、仏像のように座っているが、手首でゴルフの素振りを繰り返しているところをみると、おそらく話はほとんど聞いていないだろう。無理もない、杉山だって初めて聞く話ばかりだ。なんだかここにいる鷺沢以外の全員が、巧みなキャッチセールスに騙されつつある間抜けな客のような感じだった。

「今日はプロの方がいらっしゃるのですから、私が下手な講釈をするより、専門家の方にご説明いただいたほうが早かったかもしれませんね。何か補足する点がありましたら、おっしゃってください」

あるはずがないと言いたげに自信たっぷりに言葉を切って、鷺沢が視線を向けてくる。三人は同時にすくめた首を横に振った。

老眼鏡を取り出して書類を眺めていた向こう傷の老人が戸惑った口調で言う。

「むずかしゅうてようわからんが、要するにまた代紋を掲げられるっちゅうことだな」

「はい。ただし、ピースエンタープライズという企業のシンボルマークとしてです。旧来のものは使えません。ご承知の通り、当局は組織の代紋を威嚇行為と見なそうとしていますから、これまでの代紋とは、まったくイメージの異なるものが望ましいと思われます」

「なんじゃ、結局、代紋は降ろしたままか……」

「隠れ蓑《みの》っちゅうわけですよ、藤村顧問」

左側の一人が慰めるように言った。だが、鷺沢はその言葉を言下に否定する。

「いえ、というよりも、もっと前向きにお考えいただけたらと思います。このＣＩ導入を契機に、ピースエンタープライズの近代化を一層推進する、というのが主たる目的であり、社長のご意向です」

自分よりずっと齢の若いだろう鷺沢に諭されるような物言いをされて、男はまなじりを上げたが、社長のご意向という言葉を聞いたとたんに下を向いてしまった。事業本部長というのがどういう地位なのかよくわからなかったが、この鷺沢という男は、小鳩組の中でかなりの実権を握っているらしい。

「さて、次に制作手順ですが、これは、専門家の方のお話を伺ったほうがよいでしょう。実際の制作手順の説明をお願いします」

お願いされた石井がお願いする目で杉山の顔を見る。譲り合いをしているうちにご指名が来た。

「お願いします。石井社長」

石井がハンカチでしきりに汗を拭きながらのたのたと立ち上がる。

「え〰〰〰〰〰〰〰」

後の言葉が出てこない。せわしなく瞬《まばた》きを繰り返しながら、口をパクパクさせているだけだ。極度の緊張で立ったまま半分気絶していた。

「え〰〰〰〰〰〰〰」

村崎がＣＤウォークマンのジャックで石井の尻をつつく。そのとたん電源が入ったように石井が喋りはじめた。

「まままずオリエンテーションののちにリサーチとヒヤリングを、あの行いまして、それからクリエイティブを開始しまして、ビジュアルアイデアのラフ、スローガン、キャッチフレーズなどのプレゼンテーションを……そして、あのそして……」

テイクバックのチェックに余念のなかった小鳩組長がようやく石井に目を向ける。そして石井の震え声を制するように片手をあげた。その手には小指も薬指もない。石井は気づかずに喋り続けている。

「え、そしてラフスケッチをもとに今度はカンプを制作し……」

小鳩が慈悲深い仏像風の微笑を浮かべたまま左へ首を振り、桜田に何か耳打ちをする。次の瞬間、桜田が吠えた。

「もっとわかりやすぅ喋らんかい。オヤジさんがお怒りじゃ！」

ひっ、と声をもらして石井の体が硬直した。小鳩は相変わらずの満面の笑顔で桜田の言葉言うほど話のわかる人ではないようだった。やっぱり石井のだいじょうぶは、だいじょうぶではない。小鳩組長は石井の顔に頷いている。

「え～～～～～～～」

石井の電源が再び切れた。しかたなく杉山は石井を引きずり降ろすように座らせて、代わりに自分が立った。部屋にいる男たちが一斉に杉山を睨めつけてきた。その瞬間、石井の気持ちがわかった。杉山も怖かった。思わずもう一度座りこみそうになったぐらいだ。なにしろ街を歩いていてもそうは顔を合わせることのない本物のヤクザが目の前で束になってひしめいているのだ。しかもチンピラではなく、全員幹部だ。どの男の視線も刃物の先のように鋭い。力ずくで世間を渡ってきた人間の眼だ。他人を恐れさせることに慣れている眼だ。そしておそらく、その中のいくつかは人を殺したことのある眼だ。

「え～～～～」石井と同じように最初の言葉がなかなか出てこなかったが、幸い村崎にジャックを突き刺される前に次の言葉が出た。「リサーチと言いますのは、つまり制作前に行う調査です。内部、外部の方に、これまでの企業イメージ、これからめざすべき企業イメージについてのアンケートなどを」

普段より声が上ずっているのが自分でもわかる。また小鳩が桜田に耳打ちを始めたらたまらない。慎重に言葉を選んだ。

「ヒヤリングというのは日本語で言うと、まぁ、事情聴取というような意味で……」

「事情聴取だぁとぉ～」

右手からすごまれた。

「取り調べするっちゅうんかい!」

左からも。事情聴取という言葉がお気に召さなかったらしい。

「いえ、あの、面談方式で内部の方にお話を伺うという意味で、言い換えるなら聞き取り調査……」

「聞き込みだぁ?」

やりにくいったらありゃしない。座りこみたくなるのを耐えながら杉山は喋り続けた。

「調査データと伺ったお話をもとに、まずおおまかなアイデアを練ります。これをラフと呼びます。最初にこの段階でプレゼンテーション、つまり候補となるいくつかのアイデアの提示を行います」

広告業界の専門用語を素人相手に説明するのは難しい。実際のCI制作にはもっと複雑怪奇な手順があったはずだが、言ってもわかるはずがないし、実のところ杉山自身も知らない。たぶん広告の理論と用語をちゃんと知っているのは、広告などつくったこともない学者だけだ。

「ここで合意を得たものをもとに次の段階ではカンプにします。カンプ……カンプというのは、つまり……」

つまり、なんだっけ。鷺沢が杉山の言葉を引き取った。

「カンプリヘンシブ。実物に近い制作物見本のことですね」

そんなことまで知っているのか？　杉山は驚いて鷺沢の端正な顔を見返した。どんな企業に行っても成功するタイプに見えた。この男はなぜこんな所にいるのだろう。

なんとか説明を終えて座ろうとすると、またもや小鳩が桜田に耳打ちを始めた。今度は何だ。杉山でも駄目なら次は村崎だが、敬語や丁寧語の使い方をよく知らないコイツが喋りはじめたら、生きて帰れる保証はない。

桜田が再び嚙みつくような声をあげた。

「オヤジさんは忙しいんじゃ。面倒なことは抜きにせい」

「は？……と言いますと」

「その事情聴取ちゅうのを、すぐやれや。あとは余分なことせんでいい。できたもんを全部持ってくりゃいい。一発で決めたる」

通常の広告制作物は、提出したものが即決されることはまれだ。金を払っている以上、一回で決めるのは損だとばかりに、どんなクライアントも相撲取りのように何度も仕切り直しをしたがる。ましてＣＩを即断即決するなどという広告業者に都合のいい話は、聞いたことがない。だが、うまい話にはもれなくおまけのように但し書きがついてくる。小鳩組長はひとつ咳払いをすると、溢れんばかりの笑顔をつくり、声変わりしているのかどうか疑わしいカン高い声で言った。

「ええものさえあれば、な」

良いものがなかったら、どうなるのだろう。怖くて聞けなかった。

「じゃ、始めようかい。事情聴取」

性急な口調で桜田が言う。

「いま？　ここで、ですか……？」

ＣＩの仕事の半分は、リサーチとデータ集めだ。通常はかなりの期間を費やしてそれを行う。鷺沢が異を唱えるだろうと思って杉山は待ったが、素知らぬ顔で縁なし眼鏡をはずしてハンカチで拭いている。桜田の言葉が小鳩の意を汲んだものだからに違いない。

「早くせんかい！」桜田が睨みつけてきた。

「は、では」

石井はデスクの上で、何を書いているのか、一心不乱にメモをとり続けている。しかたなく杉山は口を開いた。

「え～通常ですと、まず企業の概要を把握することから始めます。例えば資本金ですとか」

「体が資本じゃ」

話を最後まで聞かずに桜田が答える。

「それから従業員の方の数などを」

「はて、何人おったかの？」

両サイドの一人が呟くと、別の一人が指を折って数えはじめた。もちろん九進法だ。

「全部で、百十なんぼだな、そのうち四十が務めに出とる」

「実際に勤めていらっしゃる方は四十人ですか？」

「逆じゃ」

桜田が唸った。ツトメというのは懲役のことらしい。鷺沢が口を挟んできた。

「当局の不当介入を防止するために、正式な構成員数は公表しておりません。ここだけの話ということにしておいてください」

「え～あとは企業の活動内容です。つまり一般的には製造や販売している製品、提供しているサービスなど……」

「男を売る稼業よ」

これも桜田。そう答えて、ゴリラ並みの分厚い胸を、いまにもドラミングするのではないかと思えるほど突き出した。鷺沢が桜田に構わず、例の原稿を読み上げるような滑らかな舌で言葉を継いだ。

「建設業、および運輸・運送業、そして小鳩ファイナンス——金融業。以上がピースエンタープライズの営業種目です。後は幹部の方々が独自に活動されておられる分野なのですが……」

そこでこの男には珍しく言いよどんだが、その様子にはどことなく演技臭さが感じられた。鷺沢が小鳩組長をちらりと見やる。ただ笑っているだけに見える小鳩の表情からどんな指示が出たのか、再び喋り出した。

「わが社の仕事をしていただく以上、あなたがたはもう身内同然ですから、我々の活動をトータルに理解していただいたほうがいいかもしれません。とりあえずその他の業務も列挙します。まず不動産仲介業。土地の売買、斡旋のサポートをしております。需要は減少傾向にありますが、現在もグループ全体の売り上げの根幹です。孫請けの形ですが都銀、大手建設会社ともおつきあいがあります」

石井が律儀にメモをとる。村崎は小鳩組長の座る辺りを見つめていた。その視線の先、着流しを腕まくりして剝き出しになった小鳩の二の腕で、蛇の絡みついた般若がこちらを睨んでいた。

「そして経営コンサルティング業。地元の飲食店、風営店がお得意様です」

「コンサルティング……ですか？」

思わず問い返した。みかじめ料とかいう用心棒代のことを言っているのだろうか。杉山の心の中を読み取ったように鷺沢が答える。

「ええ、コンサルティングです。ただし、あなたが想像されているようなものではありません。現在では年間契約料のたぐいは一切いただいておりませんから。おつきあいのある店舗に、経営プランに応じた店舗ツールとして、おしぼり、ドライフラワー、植木などのリース、年末年始のしめ縄などを、あくまでも任意でご購入いただいているだけです」

いったい一本いくらのおしぼりなんだろう。隣の石井を見ると、システム手帳にきちんと、おしぼり、しめ縄と書いている。

「公営ギャンブルの私設窓口サービス。競馬、競輪、オートレースなどの独自の発券窓口を開設して、公的施設でご購入になれない方のお役に立っております」

冗談かと思って鷺沢の顔を見る。だがその鋭角的な面差しにはひとかけらの微笑も浮かんでいない。小鳩組長は鷺沢の言葉にいちいち満足そうに頷いている。鷺沢の舌が本当の企業経営者になった夢を見せているのかもしれない。信じられないことに、両サイドに並ぶ男たちの大半も、まんざらでもない様子のくすぐったそうな顔をしていた。

「産業廃棄物処理。不動産仲介などで培った企業とのルートを生かして開拓した新分野です。現在、最も成長が見こまれている業務です」

劇薬を言葉のオブラートで包んで甘い菓子に変えるような鷺沢の言葉は続いた。コピーライターだって、さすがにここまではしない。

「出版業務。業界専門誌『小鳩ジャーナル』を発行しております」

出版？　再び杉山は首をひねる。左手のボクサー鼻の男が口をはさんだ。

「評判がええんだ。何しろ年四回、四ページで購読料十五万だっつうのに、どこもすぐ欲しがるからな」

「以上です」

鷺沢が言葉を切ったとたんに、右手から声があがる。

「それだけじゃなかろう」

「何か抜けておりますか」

鷺沢は声の主の藤村老人の顔を見すえた。

「鷺沢、お前が外人や若いのを使って、売《ばい》しとるもんがあろうが。わしは知っとるぞ」

「あれは海外事業提携の一環として行っているもので、ごく短期的なプロジェクトとお考えいただければと」

「短気だか損気だか知らんが、ありゃご法度《はっと》のはずだ」

小鳩は自分には聞こえていないと言いたげに、目を閉じて腕組みをしている。枯れ木のような体に似合わず、藤村老人の声は激しかった。

「どうせ腹割って話すのなら、全部、話さんとお客人も納得せんぞ！」

鷺沢が老人の言葉を遮るように声をあげる。

「医薬品販売！」

「イヤクヒン？」

メモに専念していた石井が思わず声をもらす。どういう漢字で書くのかわからなかったらしい。

「クスリだよ。社長さん、気持ちよくなるクスリだ」左サイドの男の一人が嘲るように言う。

「社長さんも打ってもらったらどうだ。アレが十倍よくなるっちゅう話だぞ。チンポの大きさは十倍にはならんけどな」

つまらない下ネタに何人かが笑った。鷺沢は冗談の嫌いな教師が生徒の私語を諫《いさ》めるような冷たい声を放つ。

「以上です。おおまかにはご理解いただけましたか」

杉山たちは頷いた。頷くしかなかった。

「ブツはいつできる？」

若頭の桜田が杉山に視線の刃《やいば》を突きつけてくる。言葉に窮した杉山のかわりに鷺沢が勝手に答えた。

「次の月例幹部会の時ではどうでしょう」

杉山はあわてて言った。

「あの、まだ正式に仕事をお受けしたわけでは……」

鷺沢がゆっくりと杉山の顔を見る。杉山が先に視線をそらした。スキンヘッドや桜田よりも不気味な、心の内を覗かせない薄い膜を張った目だった。まるで蛇の目だ。

「何か問題でも？」

杉山は喉につまった言葉をけんめいに押し出した。

「いえ私たちの手にあまるかもしれずあの態勢を整えてから返答をいえお返事させて……」

自分でも何を言っているのかよくわからない。石井が失語症に陥っている以上、自分が何とか断るしかない。鷺沢は杉山から視線をはずして石井の顔を毒蛇の目で覗きこむ。

「社長さん、何か問題がありますか？」

「……は、いや、あの」

「では、一カ月後に。期待しています」

ちょっと待って欲しい、杉山は塹壕《ざんごう》から顔を出す兵士のようにおそるおそる、そんな言葉を絞り出そうとする。だがその前に、石井がテーブルへ頭がつきそうになるほど平伏《ひれふ》して答えた。

「ははっ。どうぞよろしゅう」

自分の陣地から鉄砲玉が飛んできた。

3

パンチパーマに送られて玄関へ出ると、黒塗りのハイヤーが待っていた。小鳩組が三人のために用意したものらしい。一般企業ではこんな手厚い扱いを受けたことがない。しかしその情の濃さがまた怖かった。クルマに乗りこむなり、さっきまで貝になっていた石井が、それまでの分を取り戻そうとするようにぼやきはじめる。

「まいったわ、光岡さんも人が悪い。ほんま、たまらん」

「たまらんのはこっちですよ。一生懸命断ろうとしたのに、なんですか、さっきのは」

「しゃあないやんか。わし、駄目なんや。極道は大の苦手や」

「どうするんです?」

「どうするって、そりゃもう、このままなかったことにするんや。今日のことは、みぃんな夢。悪い夢や。ぜんぶ忘れて明日から出直ししよ」

「だって、もう仕事受けちゃったでしょ、石井さんが」

石井さんが、というところで皮肉っぽく語気を強めてみせたが、石井はけろりと言う。

「わしら名刺渡しとらんやろ」

「え？　ああ、そういえば」

「やつらも案外、甘ちゃんやで。断りは光岡さんにだけ入れたらええ、明日会って、この話なかったことにしてもらうわ。それで、一件落着。ジ・エンドや」

小鳩組の面々よりも質《たち》の悪そうな物言いをして、石井が胸を張る。

「え？　仕事しないの」

村崎が残念そうに言った。こいつは杉山が喋っている間ずっと、書類の裏に小鳩組長の刺青《いれずみ》をスケッチしていたのだ。

「なんだか騙したみたいで後味が悪いな」

杉山もそう言うと、石井はあきれ果てたというため息をつく。

「お前ら、本気で極道の仕事する気やったんかいな。なんちゅうアナーキーなヤツらや。考えてもみぃ。わしらが手ぇ貸した仕事で誰ぞが泣くことになるかもしれんのやで。わし、嫁はんや子供らに顔向けできんような仕事はしとうない。こう見えても曲がったことは大嫌いなんや」

「それは知りませんでした」

「カスやで、ほんま、あないなやつらは」

先刻、さんざん脅されたのを根に持っているらしい。石井の声は怒りに震えていた。

「人間のクズや、世間のゴミや、人の生き血を吸う……なんやったっけ。人の血を吸う……

南京虫じゃなしノミじゃなし……」

「ダニ、ですか」運転手が石井に助け舟を出す。

「それや。ダニやダニ」

ふと杉山は鷺沢の言葉を思い出した。小鳩組の表向きの顔のピースエンタープライズの営業種目の中に運輸業もあったはずだ。ダッシュボードの上の乗務員証を見る。小鳩タクシーという文字が目に入った。

「……石井さん」

杉山は石井のひじをつついたが、タコやスカタンやダボや、とさっきとうって変わって威勢のいい石井はまったく気づかない。

「そこまで言ったらかわいそうでしょ」

運転手が低い声でぼそりと言う。

「いいや、言わしてえな、おっちゃん」

石井の罵詈雑言《ばりぞうごん》は止まらなかった。乗務員証の写真は痩せこけた初老の男だが、いまハンドルを握っている男はなぜか頑丈そうで肩幅がやけに広い。

「えーと、仲御徒町の手前でええんでしたっけ」

どこかで聞き覚えのある関西訛りで運転手が行き先を確認してくる。運転帽を被っていたから気づかなかったが、帽子の下のヘッドレストから垣間見えるうなじには毛が一本もなく、太い首に贅肉が瘤《こぶ》のようにもりあがっていた。

「……い、石井さん」

杉山がもう一度石井を、さっきより強くこづいた。石井が尖った声を出す。

「なんやの、杉ちゃん」

「もうやめましょ、石井さん」

「なんでや、ダニをダニっちゅうて、何が悪いんや」

その言葉には運転手が答えた。

「ダニやおまへんで、ノミはしまっけど」

自分の身に何が降りかかってきたのかを石井が気づくのと、スキンヘッドが振り向くのは同時だった。

「しぇぇぇぇぇ〜っ」

石井が後部座席で跳ね上がり、天井に頭をぶつけた。

「今日から、わし、あんたらの担当。河田《かわた》言います。よろしゅう」

スキンヘッドが口を青龍刀《せいりゅうとう》のような形にして歯を剝く。笑ったのだと思う。おそらく。

500ミリリットルの缶ビールのプルトップを開け、干からびかけた鉢植えに水をやるように一気に喉へ流しこむ。ビールの泡が脳天の裏側で弾けた。アルコールを口にするのは、この夏初めてだ。今日ぐらいいいだろう。暑かったし、この部屋のクーラーは死にかけているし、おまけに、いろいろなことがありすぎた。たまには脳味噌の中の乾ききったボロ雑巾に水気を与えなくては。

タクシーをユニバーサル広告社のある雑居ビルに横づけにすると、スキンヘッド男河田は何度もビルを振り仰いで名前と場所を確認してから立ち去った。タクシーを降りた石井の足は、昨日と同じように右手右足が同時に動いていた。しかも今日は震えていた。

杉山は昨日に続いて石井の愚痴につきあう覚悟を決めていたのだが、石井はビルの入り口まで来ると、場所を知られてしまったそこが忌まわしい場所であるかのようにくるりと背を向けた。

「一人にさせてえな。探さんといて」そう言ってネオンが瞬きはじめた雑踏の中へ消えていった。探すなと言っても行く先はわかっている。ケーキバイキングの店だ。

どうすればいいんだろう。確かに石井の言うことは正しい。広告の仕事をするということは、どんな形態であれ広告主に加担することであり正当化することだ。あの時、石井が何も言わないままだったとしたら、本当に断る勇気が自分にあっただろうか。杉山は小鳩組の幹部たちの前で演説をぶつ自分を想像してみた。「お断りします」想像の中の杉山の声はずいぶん朗々としている。「広告は人を騙す道具ではない。一般の人間に迷惑をかけないのが任俠であるはずです。私はそう聞いておりますが？」鷺沢の顔を睨み返すと、鷺沢が気弱げに目をそらす。杉山は自分の言葉に感激した小鳩組長と握手するシーンすら想像した。なんだか情けなくなってきて、そこでやめた。無理だったに違いない。

「父ちゃ〜ん」

早苗が風呂から出てきた。一緒に入ろうと言ったら、河田のような顔で睨んだくせにパンツも穿いていない。

「パンツなら、そこに出したぞ」

「スヌーピーのはやだよ。ゲゲゲの鬼太郎があったでしょ」

「どっちだっていいじゃないか」

着るものには何の関心もない娘だと思っていたが、そうでもないらしい。

「父ちゃ〜ん」

お尻の鬼太郎を揺らしながら、早苗がまた杉山を呼んだ。

「今度はなんだ」

「髪の毛、おだんごにして」

男の子のような恰好はしているが、早苗の髪は結構長い。幸子との約束だと言う。七五三までの我慢なんだよ、着物でお写真を撮るためなんだと早苗は言うが、幸子は本当はずっとそのまま髪を伸ばし続けて欲しいに違いない。

「父ちゃんにはできないよ。このままじゃだめか？」

「やだ、あたまがカユクなる」

女の子というのはいろいろ大変だ。昨日もおとといも面倒臭がって髪を洗っていなかったのを、注意したのが間違いだった。さっきはコンビニにリンスを買いに行かされた。一緒に暮らしていた頃は、いつも寝顔しか見ていなかったツケが、こんなところでまわってくるとは思わなかった。

カユ〰〰イ、カユ〰〰イ。早苗が幽霊のように垂らした髪を振り立てて迫ってくる。

「明日、床屋に行くか？　バリカンで丸刈りにしちまおう」

脅かすつもりで言ったのだが、早苗は口を半月型にほころばせ、目を輝かせた。

「え？　いいの！」

「いや……やめとこう」

ただでさえ幸子の家庭に波紋を投げかけているのに、このうえ丸刈りにして家に帰したら、何を言われることか。

顔に落ちかかった髪の毛の隙間から早苗が杉山の手もとを見つめる。

「お、お酒飲んでるな」

「ビールだよ、父ちゃんにはジュースみたいなもんだ」

「早苗にも、ひとくち」

「だめだ、子供の飲むものじゃない」

「そういえば、母ちゃんが言ってたな、父ちゃんのお酒のこと」

「なんて？」

「いや、やめとこう」

「教えてくれ」

「髪の毛、おだんごにして」

杉山はゴムの髪留めを受け取った。最近抜け毛が気になりはじめた杉山には羨ましいほどたっぷり量のある真っ黒いクセ毛に悪戦苦闘を繰り返す。何度やっても上手くいかなくて、髪を全部まとめて頭のてっぺんで束ねることにした。なんだかパイナップルみたいな頭になってしまったが、早苗は結構気に入った様子だった。

「♪パイナップルンプルルン〜」

鏡を見ながら自分で勝手につくった歌に合わせてふるふる首と体を揺すっている。さりげなさを装って早苗に訊いてみた。

「なぁ、母ちゃんはなんだって」

「なんだっけ」

「ほら、父ちゃんのお酒のことで何か言ってたんだろ」

腰を振りながら、早苗が答えた。

「ああ、父ちゃんは子供だから、すぐお酒飲んじゃうんだって」

その通りだ。缶ビールに伸びかけた手を思わずひっこめる。

「カビゴンは飲まないのか？」

そう訊くと、天井を睨んで少し考えてから早苗が言った。

「うーん、飲むな。毎日飲んでる。朝から飲む時もある」

「なんだ、昔の父ちゃんと一緒じゃないか。父ちゃんはもう朝からなんて飲んでないぞ」杉山はちょっと小鼻をふくらませ、自分のことは棚に上げて小姑のように訊いた。

「たくさん飲むのか？」

「いや、ひとくちだけ」

「ひと口？」変なヤツだ。

「うん、養命酒ってお酒だ」

「そうか」

ふくらんだ小鼻がたちまち萎んだ。部屋の隅、朝と同じ場所に夏休みドリルがころがっていた。自分でつくったパイナップル踊りに夢中の早苗に言う。

「そういえば宿題は？」

片手は腰、ひとさし指を突き出したもう一方の手は頭上高く。踊りの決めポーズのまま早苗が動かなくなった。

「……早苗、なんだか眠くなってきたよ」

「うそつけ」

「明日からちゃんとやるよ」

「やると言った以上、やらなくちゃ」

石井に聞かせたいセリフだ。

「父ちゃんも仕事するからさ、一緒にやろうよ」

こたつテーブルの上にレイアウトペーパーを広げる。早苗を机に向かわせるために思わず言ってしまったが、もちろん仕事なんてない。あるとしたら小鳩組のＣＩだけだ。ケーキをやけ食いしているはずの石井がどうするのか、自分がどうしたいのかわからないまま、杉山は2Bの鉛筆を手にとった。

そういえばCIの仕事は初めてだ。何から始めればいいんだろう。とりあえず、今回のCIの目的を箇条書きにしてみることにした。

①新会社の設立とグループ化に対応するため（一般企業の場合もこれが動機となるケースが多い）

②グループ内の結束、社員の意欲向上

③事業内容の変化、多角化への対応

④社会環境の変化、イメージの旧弊化への対応（中身の前にまず包装紙から、だ）

⑤マイナスイメージの払拭（不祥事で新聞を賑わした企業がしばしば取る方法だ）

こうして列記してみると、普通の会社となんら変わりはないように思えた。今度はB4サイズのレイアウトペーパーの新しいページに、『ピース』『鳩』と二つの単語を並べて書く。余白にスケッチを描いてみた。やっぱりキービジュアルの第一候補は鳩だろう。翼を広げて大空を飛ぶ鳩。色をつけるとしたら青と白。グラフィックデザイナーではないから、そう上手くは描けないが、だんだん熱中していくのが自分でもわかる。正直にいうとCIは一度やってみたかったのだ。

両手で頰をはさみ夏休みドリルにしかめっ面をしていた早苗が、レイアウトペーパーを不思議そうに眺めている。子供に父親——元・父親だが——の仕事を見せるのはいいことかもしれない。そんな普通の父親のような殊勝なことを考えながら、早苗の視線に気づかないふりをして仕事を続けた。

「父ちゃんの仕事はお絵描き？」

早苗が声をかけてくる。

「うん、まぁ、それもある」

「かけ算とかアサガオの観察は？」

「うーん、そういうのはないな」

「お気楽だな」

逆効果だったかもしれない。

「それ、鳥？」

早苗がまた杉山の手もとを見つめながら尋ねてきた。

「うん、鳩だ」

「下手だね」

「ほっといてくれ」

「鳩はこうだよ」

早苗はレイアウトペーパーの端っこにすらすらと鳩の絵を描きはじめる。確かに杉山より上手いかもしれない。

「お、上手いじゃないか」

ついほめてしまった。早苗は得意顔になって、ぷるぷるパイナップル頭を振りながら宿題そっちのけで鳩に服を着せ、セリフまで書き出した。

「名前をつけよう。鳩のピーちゃんだ」

「宿題」

「プルップ〜」

鳩の鳴き声で早苗が答えた。

杉山は煙草を吸うためにキッチンへ立つ。早苗の目の前では吸わないようにしているのだ。念のために釘をさしておいた。

「サボるなよ」

換気扇のスイッチを入れて煙草に火をつける。マイルドセブン・スーパーライト。十代の頃に吸っていた両切りピースに比べたら、ほとんど空気を吸っているようなもんだ。二本立て続けに吸いだめしてから部屋に戻る。案の定、早苗はテーブルに顔を突っ伏していた。

「こら〜っ、起きろ」

う〜ん。早苗がうなった。なんだか様子が変だ。頰をほてらせて汗をかいている。うっすらと開いた目はうつろで焦点があっていない。

「どうした、早苗」

「気持ちわりい」

額に手を当ててみた。じっとりと汗ばんでいて、少し熱かった。

「ちょちょちょっと待ってろ、いま薬を……いや、医者に行こう」

病院はとっくに閉まっている時間だが、無理やり押しかければ何とかなるだろう。もしドアを開けなければ、開けるまで叩き続けてやる。

「父ちゃん、おぶってってやるから、しっかりしろ」

目を閉じたまま苦しげに息をしながら早苗がうめいた。

「注射は……やだよ」

「おう、先生に頼んでみる」

ん？ 吐く息が匂った。杉山にはおなじみの熟れすぎた果実に似た匂いだ。

「…………早苗」

「……おクスリも………やだ」

こたつテーブルの上の缶ビールを手にとって振ってみる。まだだいぶ残っていたはずなのに、空になっていた。杉山は叫ぶ。

「ばっかも〜〜〜ん」

それから大きく安堵の息を吐いた。

「プルップ〜」

ひと声鳴いて早苗は意識を失った。テーブルの上の宿題は真っ白なままだ。夏が終わり、家に帰る日がもうすぐだというのに。

4

寿司屋の湯呑みを握りしめながら石井が言う。午後になってようやく姿を見せたと思ったら、第一声がこれだ。

「引っ越すんや、電話番号も変えて。誰も知らん場所でユニバーサルは再出発するんや」

昨夜、ケーキをヤケ食いしながら出した結論らしい。石井は表情のないニワトリじみた目をして何もない正面を見つめている。杉山があきれて顔を覗きこむと、本当のニワトリのように首をひねって視線をそらせた。

「引っ越すって、どこへ？」

「どこでもええ、熱海でも鬼怒川でも牛穴村でも」

「熱川もいいっすよ。バナナワニ園もあるし」

社員旅行の行く先じゃあるまいし。脳天気なセリフを吐く村崎を無視して、石井を問いつめた。

「そんなとこへ行ったら仕事が来なくなるじゃないですか」

「奥多摩ならどや」

「本気ですか？」

石井は子供のように下唇を突き出したまま黙りこんだ。渋茶をすすりながら、ちらちらと上目づかいで杉山の顔を窺ってくる。早苗より始末が悪い。

「こうしたらどやろ、どこかよそに仕事を振るっちゅうのは？　バラモンとかどや」

「バラモン通信社？　うちの仕事は受けないでしょ」

広告代理店や広告制作会社は、依頼された仕事を単独でこなすとは限らない。共同制作の場合もあるし、外部からスタッフを募ることもある。とりわけ自分たちにうま味がないと判断した仕事の場合、いくばくかのマージンがはじき出された後、すみやかに下請けにまわされる。まわされた下請けは、その中からさらにささやかな取り分を算出し、そのまた下請けにまわす。ババ抜きみたいなものだ。この業界のほぼ末端に位置するユニバーサル広告社に、ババを引かせる会社などほとんどなかった。

「アイアイ・アドは？」

「あそこはこの間潰れたじゃないですか。第一、こんな仕事どこだって嫌がりますよ」

「黙っとりゃ、わからせんやろ」

曲がったことが嫌いな男とは思えないことを言う。

「三田嶋《みたじま》はどや？」

「ふむ、三田嶋か……」

杉山はちょっと考えこんだ。三田嶋とは三田嶋デザイン研究所のことだ。名前は大げさだが電話に出るのは実は代行秘書サービスのおばちゃんで、実際にはフリーのアートディレクターの三田嶋が自宅兼用のオフィスで個人営業をしているデザイン事務所だった。三田嶋は独身で、収入のほとんどをクルマと洋服代につぎこんでいる大馬鹿者だ。金になるならどんな仕事もいとわないし、最近、仕事がなくて愛車ジャガーのローン代にも事欠いているという噂だ。仕事をまるごとぶん投げるわけにはいかないが、三田嶋をメンツに加えるのは悪くない。ＣＩの最大の作業はシンボルマークのデザインだからアートディレクターの数は多いほうがいいし、第一、村崎一人では何をしでかすか心配だった。

考えはじめた杉山を見て、石井はもう電話に手をかけようとする。

「よっしゃ、三田嶋にまわそ。マージンはなしでええ。大サービスや。幸せもんやで、三田嶋は」

「ちょっと待ってください。ヤツ一人にやらせるつもりですか？　いくら三田嶋でもそりゃかわいそうだ」

「黙っとりゃ、わからせん」

カン高い声にドスをきかせて石井が言う。ヤクザがどうのこうのと言えた義理じゃない。村崎まであきれて肩をすくめると、石井は言い訳をするように言った。

「お前ら知らんのや、極道の怖さを。わしみたいに石投げれば極道に当たるちゅうようなとこに住んだことないからな。わしがせんに居《お》ったところはハンパやないで、朝、家に届くんは新聞と牛乳だけやない。鉄砲のタマも飛んでくるんや」

「ほんとに？」

村崎が疑わしげな顔をする。

「おおよ。あれはワシが中学ん時やった。お父《とん》が工場潰してえらい借金をこさえたんや。借りた金の期限が切れた日からは、もう地獄や。電話にも出れんし夜も電気つけられん。わし、お母《かん》と震えて暮らしとったがな。いまでも耳に残ってるで、やつらがドアを叩く音。コッコツ、コッコツって、最初はそっと叩いてくんねん。雲隠れしとるお父が帰ってきたのかと思って、ここでドアを開けたら終《しま》いや。で、居留守使こうたままでおるとな、急にドンドンとドアを蹴飛ばしてきよる。近所に聞こえるように大声で怒鳴りながらな……ドンドン、ガンガ〜ン」

まつ毛の長い、つぶらと言えなくもない石井の瞳に、仄暗《ほのぐら》い影がよぎったように見えた。広告業界に長くいることは確かだが、杉山は石井の前歴はよく知らないし、本人も多くを語らない。

「あいつら、ほんまに布団まで持っていきよるんや。ナベやカマもやで。あんなもん持ってったかて、なんぼになるわけでもない。わしらに精神的なダメージを与えるためや。結局、お父が新しい事業を始めるために隠しといた、大切な金まで持ってかれてな。しばらくはわしら一家離散や」

石井の父親は借金を踏み倒す腹だったらしい。どっちもどっちのような気がしたが、石井は恐怖と怒りが同居した、いままでの何年かのつきあいの中では見たこともない表情を浮かべてぶつぶつと呟き続けた。「ドンドン、ガンガ〜ン……」

ドアの開く音がした。使いに出ていた猪熊が帰ってきたらしい。猪熊は今回の仕事の詳細を知らないし、知らないままのほうが本人のためだ。

「だから、わかるやろ、わしは」

「石井さん、この話は後にしましょ」

「いいや、杉ちゃん、言わしたって。だからわし、極道は大大大嫌いなんや。あいつら、ほんまカスやで。ゴミや、人の生き血を吸う……」

石井の背後を見て杉山は目を見開いた。

「なんてったっけ……ほら……人の生き血を吸う……」

入ってきたのは猪熊じゃなかった。口から泡を飛ばして喋っている石井のすぐ後ろに立っているのは、河田だった。

「石井……さん」

杉山が声をかけても、石井はまったく気づかない。なんやったっけ……え〜ノミやなしヒルじゃなし……。まだ首をひねり続けている。光沢のあるうぐいす色のスーツを着こんだ河田が腹の下にずりさがったベルトを持ち上げて、ういっとうめき声をあげた。ようやく気づいた石井が振り返るより早く、河田が石井の肩をぽーんと叩く。石井の顔が一瞬にして凝固した。

「ご苦労さんです。会議でっか？」

昨日のアロハと共布《ともぎれ》かと思うような派手な原色のネクタイの端を石井の頭に載せたまま、

河田が石井の肩をもみはじめる。石井の目はニワトリになっていた。

「さ、続けて続けて」不気味なほど愛想よく河田が言った。「ささ、わしに構わず」

顔から表情をなくしたままの石井が抑揚のない声で言う。

「では……会議の続きを」

いつの間にか制作会議になっているらしい。声が震えて聞こえたのは、肩をもまれながら言葉を発したせいばかりではないだろう。

「杉山君、例の件だが……」

「例の件？」

思わず問い返すと、石井が訴えるような眼差しで見返してきた。

「ああ、はいはい例の件、はいはい」

調子を合わせて何か適当に喋ろうとするより先に、河田が言った。

「あれやで、あんちゃん。ヤクザはダニの件やろ」

石井の目から再びすうっと光が消えた。

「三田嶋さんに振ろうって話じゃなかったっけ」

気をきかせたつもりか、村崎がよけいなことを言う。

「三田……さんて、誰？」

河田の問いに杉山が答えた。

「あのォ、デザイナーです。ＣＩマークのデザインを担当する人間で、スタッフに加えようかという話をしていまして……」

「ああ、ええね、兵隊は多いほどええ。その三田さんも来てもらおやないの」

これで三田嶋の参加も決まった。

ほどなく猪熊が帰ってきた。応接コーナーの椅子で手足を投げ出している河田の姿を、石井の湯呑みの中に茶渋を見つけた時と同じ目で眺めながらキッチンへ行き、麦茶の用意を始める。そのジーンズの尻を眺めながら河田が言った。

「あ、お姉ちゃん、ボク、コーシー。アイスでね」

多くの時間と労力を費やして完璧なカーブを描き上げている猪熊の眉が、ぴくりと上がった。杉山はあわててアイ・コンタクトを試みる。待てのサインだ。ここはこらえてくれ。

三田嶋は一時間もしないうちにやってきた。仕事がなくてヒマだという噂は本当らしい。

「ちぃぃぃ〜っす。おひさしぶりぃ」

脳天気な挨拶とともに部屋へ入ってくる。杉山よりひとつ歳下だから、もう三十をいくつも超えているが、気持ちと恰好はジャニーズ事務所だ。頭頂だけ残して刈り上げた頭の上で寝ぐせのように髪を突き立てたヘアスタイル。とっぽい楕円形のサングラスを鼻の上に載せて、まだ八月だというのに、この秋冬の流行りらしいロングコートをなびかせている。

「見た見たぁ？　表に停めてあるベンツ。誰んだろうね、あれ。Sクラスなのに窓にスモーク張っちゃって、アンテナいっぱい立ててさ。やだね、ビンボー臭い。田舎もんだね。いまどきヤーさんだってあんなことしないよ。あ、まさか石井さんのじゃないよね」

よく喋る男だ。誰の返事も聞かないうちにまた喋り出した。

「ここだけの話だけどさ、変な停め方してるから、少しこすっちゃったよ、よかったよ、俺のジャグァーは無事だったから。やっぱり天然カラナバコーティングの勝利だね」

応援コーナーで河田が咳払いをする。三田嶋はサングラスをずり下げて河田を物珍しげに眺めて言った。

「……どちらさん？」

石井が紹介した。

「今回のお得意さんや、ピースエンタープライズの河田さん」

「どうも、河田です」

河田は気味悪いほど丁寧な口調でそう言い、三田嶋に名刺を差し出した。『ピースエンタープライズ宣伝部部長 河田薫』と書いてある。いつの間に作ったのだろう。小鳩組に昨日まではなかったはずの宣伝部が新設されたらしい。長すぎるほど長く頭を下げてから河田が呟く。

「ええっと、三田さんでしたっけ」

「三田嶋でぇ〜っす」

誰に対してもそうなのだが、三田嶋が世間をなめきった口調で答える。

「私のクルマ、ご無礼しました。田舎者ですから」

三田嶋が向こうずねを打ったように大げさに顔をしかめてみせる。

「あ、申しわけないっす。いや、修理代はちゃんと払うつもりだったんだけど」

「修理代？　何をおっしゃいますやら。悪いのは私のほうでしょう……あなたのお話ではね」

「あ、いや、冗談っすよ。払いますよ、金」

三田嶋がユニバーサルの面々の顔を見比べて、トレンディドラマの男優みたいなしぐさで肩をすくめた。

「金で済む問題じゃないんでね」

河田の声がいちだんと低くなる。

「え？」

「ありゃあ借り物なんですよ。私の兄弟筋からのね」

「ああ、ご兄弟の……」

「ご兄弟って、あんた、血のつながった兄弟じゃないよ。もっと濃いもんでつながってる兄弟だ。毘沙門《びしゃもん》のカズ兄貴って、ま、あんたは知らんだろうけど、わたしらの世界じゃ名の通った人なんだけどね。まいったな……」

河田は小指のない手を見せつけるように、うなじをぺしぺし叩く。

「ほんと、まいったな……明日、義理掛けで使うっていうのを、無理やり借りてきちまって。知ってます、義理掛け。まずいでしょ、やっぱりキズ入った車で、先代の親分さんの法事に行くわけにゃいかんですものね、ヤクザがさ」

三田嶋がただでさえ白い顔をさらに白くして石井を見る。石井は軽く頷き、河田から見えないように指でそっと頬に切り傷をつけるしぐさをした。

「あ、あの、すいません。ごめんなさい。お金、払いますから」

「金じゃすまねぇって言ってんだろ！ ええ、あんちゃん」

河田が急に声を荒らげた。いつの間にか、三田さんが、あんちゃんに格下げになっている。

「いや、しかし……払います」

「じゃ、五百万」

「へ？」

「金、出せなきゃ指でもいいよ」

三田嶋が、ピアノの弾き語りが得意だとかホラを吹いて女を騙している長い指を握りしめる。河田が歯を剝き出して威嚇するように笑った。

「なんてね。冗談ですよ、三田さん。でも、いけないな。当て逃げはさ。第一ね、人のクルマこするような人が、外車運転しちゃだめだよ」

「あ、まぁ、その……」

「ま、わかりゃいいんだ。わし、言いたかったのは、それだけだから。気にせんでください。三田さん」

「……あの、三田嶋です」

「長いよ、三田さん、名前が」

「あ、すいません」

「漢字三文字は使いすぎでしょうに。昔の華族様じゃあるまいし。私もこちらの皆さんもみんな二文字でしょ。カズ兄貴なんて苗字は森だよ、森。懲役合計二十年の強者だっつうのに、名前は森。謙虚だよね。男はそうでなきゃ、ねぇ三田さん」

「……すいません」

三田嶋は素直に謝っている。

「気をつけてくださいよ」

河田は人心掌握術にたけた管理職が部下を叱った後につくるような笑顔を見せて、しょげかえった三田嶋の肩を励ますふうにポンと叩く。「じゃ、そういうことで。わたしはこれで」

そして、呆然とする広告業者たちに小指のない左手を上げて挨拶すると、来たときと同じように唐突に帰っていった。

「かんべんしてよ、杉山さん。あれ、本物？」

エレベーターが昇ってくるのを待ちながら、三田嶋がサングラスの上の眉をへの字にして杉山を振り返る。

「ああ、すまん」頭を下げるしかなかった。「今日の分のギャラはちゃんと払うよ」

当然、仕事は断ってくるだろう、そう思って言われる前に言ったのだが、三田嶋は図太い笑みを浮かべて言った。

「いや、仕事はやるけどさ」

さすが大馬鹿者だ。ジャガーのローンがだいぶ苦しいのかもしれない。

エレベーターに二人で乗りこむと、三田嶋が杉山をひじでつついてくる。

「杉山さん、最近、帰りが早いんだって？　まだ五時だよ。どうしたのさ、デート？」

「いや、そんなんじゃないよ」

今日は早苗をJリーグの試合に連れて行く約束だった。さっきまで顔面蒼白だった三田嶋が、このこのっと言いながら杉山をつつきまわす。羨ましいほど立ち直りの早いヤツだ。

「バツイチってもてるんだよな女に。いいなぁ、離婚。憧れちゃうな」

「簡単だよ。結婚すればいいんだ。結婚すれば、もう半分は離婚したようなもんだ」

「そりゃ、かんべんだな」

ビルの正面玄関に停めてある最愛のクルマの尻に、いとおしげな視線を向けながら三田嶋が言う。途中まで送っていくよ。チャラチャラとキーを鳴らしながら、クルマのドアに近づいた三田嶋が立ちすくんだ。

「どうした」

杉山が近寄ると、三田嶋の背中が震えているのがわかった。肩に手をかけようとしたとたん、三田嶋が慟哭《どうこく》した。

うぉぉぉぉぉぉ〜〜〜っ。

夕刻の鈍い光を照り返して、ジャガーのフォレストグリーンのボディが誇らしげに輝いている。そのボンネットいっぱいに、くっきりと硬貨か何かで刻みあげた文字が浮かんでいた。

〝おめこ〟

と書いてあった。

各駅の普通列車がひと駅ずつ、等々力スタジアムのある新丸子へ近づくにつれて、早苗はだんだん無口になっていった。ついさっきまで、アウェイで戦う浦和レッズがいかに強いか、顔を真っ赤にして杉山にまくしたてていたのに、もじもじとシートの上で尻を動かし、ちゃんと電車が前に向かって走っているのかどうかを確かめるように、何度も窓の外を振り返る。トイレを我慢しているのかと思って訊いてみたが、だいじょうぶだと言う。

早苗の右のほっぺたには浦和レッズのチームカラーの赤で〝オカノ〟と選手の名前がペイントしてある。早苗の話によると浦和レッズは凄いらしい。ワールドカップにレッズが出ていれば、軽く優勝したはずだと言う。ただし試合を生で観るのは初めてなのだそうだ。カビゴンが興味のあるスポーツは、青竹踏みだけだよ。早苗はそう言って首を振った。

昨日、突然思いついて行くことを決めたから入場券はもっていないが、まぁ、二つぐらいの空席はあるだろう。もし駄目ならダフ屋をつかまえる。思いきり買い叩いて、いい席をとってやろう。なにしろこっちには小鳩組がついているのだ。

思っていたほどスタジアムは混んでいなかった。二つ続きのシートを確保して座りこんだ時には、もう試合が始まっていた。敵地だというのに、こちらサイドではそこらじゅうで浦和レッズの赤い旗が揺れている。レッズが相手ゴールを脅かすたびに観客席全体が巨大な生き物のように咆哮し、身をよじる。二人のすぐ脇では、顔はもちろん裸の上半身一面をチームカラーでペイントした長髪のあんちゃんが応援歌に合わせてタオルを振って乱舞していた。

杉山もサッカーの試合を観るのは初めてだった。昔はよく行った野球の試合に比べるとうるさすぎるし、ボールが右と左に行ったり来たりするばかりでイライラさせられたが、杉山は楽しかった。早苗が楽しそうだったからだ。

結局、前半は0対0。早苗のお気に入りのオカノ選手は、決定的チャンスを三回も逃した。そのうちの一回は空振り。その瞬間、早苗は叫んだ。ああ、カビゴンといっしょだぁ〜。

後半に入ったとたん絶好調になった。レッズではなく早苗がだ。前半はまわりの大人たちの応援に気圧《けお》されていた様子だったが、いまはもう立ち上がってオカノの名前を連呼している。後ろの客は座ったままだったが、チビだからまったく邪魔にはなっていない。

後半終了間際、ついにレッズの選手の——ごちゃごちゃして誰だかわからなかった——シュートが相手のゴールネットに突き刺さった。ビールを我慢してコーラをなめていた杉山も思わず立ち上がり、隣の早苗を振り返る。早苗はいなかった。ひとつ向こうの席を見ると、いつの間にか上半身裸になった早苗が、長髪の兄ちゃんに抱きかかえられてTシャツを振りまわしていた。

あのゴールは絶対にオカノだよ。土産に買ってやったオカノ君人形を抱きしめながら、早苗は場内アナウンスが間違えていて、電光掲示板も壊れていたと訴える。叫び疲れたのか踊り疲れたのか、糸が切れたマペット人形みたいに電車のシートにもたれかかっていた。目はもうとろりと半分閉じている。そうかもしれない。お前がその目で見たものが本当のことだよ。杉山がそう言うと、安心したように杉山の胸に頭をあずけて目を閉じた。

会社は倒産寸前で、唯一のクライアントはヤクザで、十何度目かの禁煙にも失敗して、禁酒の誓いも守れない。ろくでもない毎日だったが、杉山は幸せだった。早苗が幸せそうだからだ。

眠ってしまったとばかり思っていた早苗が突然顔を上げ、半分夢の中にいるらしい寝ぼけまなこで言った。

「今日のこと、一生忘れないよ」

寝言のようにそれだけ言うと、こんどこそ本当にことりと首を折って寝息を立てはじめた。

杉山は自分によく似た黒くて硬いくせ毛を梳《す》いてやる。一緒に暮らしていた頃に、そんなことをしてやったことがあったかどうかも忘れてしまった。降りなければならない駅に着くまでずっとそうしていた。

明日は早苗が帰る日だ。

三．ほら、違う世界が見えてくる

1

駅前のロータリーを右手に折れて、だらだら坂を登っていくと、夏の終わりの蟬の声が木立から降ってきた。坂道の両側には古くから住宅街として知られるこの辺り特有の、タクシー泣かせの入り組んだ路地が、葉脈のように延びている。杉山のマンションから電車で二駅先の街だ。近いと言えば近いが、子供が歩いて簡単に来られるほどの距離とも思えない。

「なぁ、お前、どうやって父ちゃんの家まで来たんだ？」

杉山が首をかしげて訊くと、早苗も首をかしげながら答えた。

「うん、なんとなく歩いてたら、見たことある場所にいたんだ」

「犬みたいだな」

「名犬サナエだ」

ワンワンと言いながら、早苗が腕にかじりついてくる。永久歯が生えかけのすきっ歯で嚙まれると結構痛かったが、杉山はされるがままにした。

いつも早苗と会う時には――いつもといっても年に数えるほど、それもほんの数時間だが――たいてい早苗がサッカー公園と呼ぶこの近くの区営公園で待ち合わせることにしていたから、幸子と早苗が新しい父親と住んでいる家には行ったことがない。坂道の途中からは、まだ名犬ごっこを続けている早苗に引っ張られるように案内される。

幸子と早苗の新しい家は一戸建てだった。特別に豪勢というほどでもない質素な二階家だが、家を持つことを人生の目標にする人間には、じゅうぶんため息をつかせることができるだろう。小さな庭はよく手入れされ、門の下のフラワーボックスにはゼラニウムが飾られていて、玄関の脇には早苗の自転車が置いてあった。杉山はなんだかこの家に、忘れ物を取りに来たような気がした。

門柱にはタカハシと楷書で書かれたプレートがはめこまれている。名前と同じごくありふれた、日本にいくらでもありそうな家庭。だが杉山にはついぞ持てなかったものだ。住宅ローンは人生の首輪だ、などと言って杉山はいつも住宅雑誌を眺めてため息をつく幸子に肩をすくめて見せ、そのくせ自分は、家のローン分ぐらいの金を月々の酒代に費やしていたのだ。

幸子はカルチャーセンターへの出勤を遅らせて、早苗を待っているはずだった。キッチンの化粧ガラスの向こう、深い水底を覗いたようにぼんやりと映る影が、たぶん一年ぶりに見る幸子の姿だ。

「じゃあ早苗、またな」

「あれ？　家に入らないの？」

「うん、母ちゃんによろしくな。カビゴンにも。ダビスタのことは言うなよ」

「もっちロンドンパリ！」

家に入りたくない、そう言って早苗が駄々をこねるのではないかと思ったが、つまらない心配だった。なんのことはない、あっさりと身をひるがえして、タカハシという表札のかかった門の中に消えていく。こちらを振り向きもしなかった。まぁ、まだ七歳だ。子供なんてこんなもんだろう。早苗の背中に手を振ってから、杉山も背を向けた。たっだいま〜。背後でドアの開く音がして、早苗の大声がした。幸子の何か言う声が聞こえた時には、もう道の角を曲がっていた。

さてと。大きく伸びをしながら杉山は思う。実際に声も出してみた。「さぁてと」仕事をしよう。これで心置きなく仕事に専念できるじゃないか。よし、俄然やる気が出てきたぞ。小鳩組のCIをやろう。相手がヤクザだろうとなんだろうと構うもんか。何だってやってやる。いつの間にか覚えてしまったポケモンのテーマソングを口ずさみながら、杉山は駅へ続く坂道を降りていった。八月の最後の一日の日差しはまだまぶしかったが、頬をなでる風は少し冷たかった。


「ちょっとちょっと、杉山さん、何するの」

壁ぎわの書棚から本を放り出し、がたがたと棚を移動させはじめた杉山に猪熊が目をむいた。

「壁を使いたいんだ」

　部屋の片側から書棚二つとキャビネットひとつを片づけて壁を剥き出しにする。壁という壁が塞がっているオフィスに、そこだけ穴が空いたような空白が生まれた。困るのよね、こういうの。猪熊はブツブツ言いながら、掃除機で綿ぼこりを吸い取っている。

　ユニバーサルにある一番大きなＡ２のレイアウトペーパーをいくつも貼りつけて壁を覆う。展覧会の絵を眺めるように出来ばえを確かめていると、石井が入ってきた。オフィスの異変には目もくれない。それどころじゃないといった様子で杉山に声をかけてきた。

「わし、行ってきたんや、光岡さんのとこ。何度電話してもおらんから。わしの顔見るなり便所に駆けこんでしもた。いくら待っても出てこん」

「ずっと居留守を使ってたんでしょ。まぁ、光岡さんに何を言っても無駄だと思いますよ」

「そやろか……そやろなぁ。なんぼなんでも一時間もウンコするヤツはおらんものな」

　石井はため息をついてなで肩をさらに落とす。

「ところでどないしたんや、これ。夜逃げの準備かいな。わしも手伝おか？」

「仕事の準備ですよ。ＣＩの」

「ほんまにやるんか」

　石井が力なくため息をつく。たぶん石井も頭の中ではわかりきっていることを、杉山は口にした。

「やるしかないでしょ」

「わし、やりとうない」

「ま、心配するほどのこともないと思いますよ。ほら、ヤクザはカタギには手を出さないって言うじゃないですか」

「甘いな、杉ちゃん。まるでダイナーのチェリーパイやで。健さんの映画とちゃうんよ。あいつら素人泣かしてなんぼやがな」

「考えてみりゃ、この間の鶴亀会館だって、社長が捕まったんだ。裏で何をやってるかわからない会社の仕事請け負って、広告できれいなことを言うのは、いまに始まったわけじゃない」

鶴亀会館チェーン社長逮捕のニュースは翌日の新聞にも載った。泉田の容疑は、リゾート開発会社に回収の見込みのない債務保証や融資を続けたことによる特別背任だ。その開発会社が、いま政界も巻きこんだ騒ぎになっている土地取引疑惑の主役、L&B商事の系列会社だというのだが、もともとのL&B商事事件に関心のなかった杉山には、記事を読んでも詳細がよくわからなかった。

「結構、大人やね、杉ちゃんって」

幸子には子供だと言われたのに。四十面下げた石井が、子供のような目で杉山を見つめてくる。

「なんだか、やる気が出てきたんですよ。燃えてきましたよ。久々の大仕事だ」

「そうかいな。そうは見えんけどな」

石井は杉山の目の中にあるものを覗きこむように顔を寄せてきて、もう一度ため息をついた。

村崎が出社してすぐ、三田嶋もやってきた。杉山が呼んだのだ。ドアから半分だけ顔を出して泥棒猫のように様子を窺ってから、部屋に入ってくる。いつもこれ見よがしに振りまわしている外車ディーラーのキーホルダーが手の中になかった。今日は電車で来たに違いない。

「なんだ、タコ坊はいないのか。いたらただじゃおかないんだけどな」

部屋を見まわして河田がいないことを確かめてから、三田嶋は偉そうに言う。

「三田さん……」

部屋の隅から唸り声があがった。三田嶋が飛び上がる。不気味なほどよく似た村崎の声帯模写だった。

杉山は全員を壁の前に集めた。

「実は俺、ＣＩは初めてなんだ。村崎も経験はないはずだ。三田嶋は？」

村崎のポニーテールを引っ張っていた三田嶋が答えた。

「商店街のロゴマークならつくったことがあるな」

三田嶋デザイン研究所は、たいした研究をしていないらしい。

「自己流だけど、こんな方法でやってみようと思う」

杉山は紙の壁の真ん中に赤いマジックインキで『ピースエンタープライズ』『小鳩組』と並べて書いた。次に黒のマジックで二つの文字から矢印を引き、『ピース』『鳩』という文字を添える。

「最初は連想ゲームだ。この二つの文字から連想する言葉を挙げてみてくれ。同義語、関連語、イメージする単語、なんでもいい。まず『鳩』から」

「豆」

石井が言った。広告会社の社長とは思えない貧困なイメージだったが、杉山は異を唱えずに『鳩』という文字の近くに『豆』と書く。

「へちま」これは村崎。

思わず訊き返した。「なぜ？」

「いや、なんとなく。頭に浮かんだんだ」

初期のアイデア会議では、どんな発言であれ否定するのは禁物だ。杉山は村崎の頭の中身に首をひねりながら『へちま』と書く。

「羽根。空。ピジョン」

三田嶋からようやくまともな答えが返ってきた。ヤツをメンバーに加えたのはやっぱり正解だったかもしれない。

「エーゲ海、モンマルトル、スペイン広場」

ダスキンモップに顎を載せた猪熊が虚空を見つめながら言う。それも書いた。自分でも思いついたものを書いていく。

『翼』『大空』『青』『白』『自由』『フリーダム』『平和』『飛翔』『羽ばたき』『月桂樹』『メッセージ』『使者』『針路』『一直線』『帰還』『巣立ち』『群れ』『上昇』『雲』『宙』

昼飯をはさんで午後も同じことを続ける。壁の半分ほどが文字で埋まり、誰もが疲れ切った顔になった頃に打ち切った。

「今度は、もう少し具体的に、シンボルマークやスローガンのヒントになりそうなビジュアルや言葉を出してみよう。思いついたら、ここに貼るんだ。頭で考えるだけじゃなくて、雑誌の切り抜きでもいいし、気に入った会社のロゴマークでもいい、なんでもいいから出してみてくれ。これから先、一週間ぐらいはそれしかやらない。職種に関係なく全員でやろう」

「え、私も？」

退屈そうに枝毛を噛んでいた猪熊が顔を輝かせた。ふだんは杉山たちの仕事を眺めているだけだから、参加するのが嬉しいらしい。

「ああ、どんどん頼む。スペースが足りなければ、壁をもっと広げるから」

猪熊はその言葉には顔をしかめた。

タコ坊に会ったらただじゃおかないと息巻いていたのに、打ち合わせが長引くにつれて三田嶋の腰は落ち着かなくなり、終わったとたん、逃げるように帰っていった。

三田嶋の予感が的中したのか、午後遅く、窓の外が暗くなりかけた頃になって、そのタコ坊河田が姿を現した。昨日と同様のネクタイ姿。今日は地味なダークスーツだが、タチの悪い冗談としか思えないほど似合っていない。河田には連れがいた。

「おう、入れや」

河田にも入っていいとは誰も言っていないのだが、まるで自分の家に招く調子でドアの外に向かって呼びかける。入ってきたのは顔色の悪い若い女だった。か細い服の中身を見せつけるようなニットのミニのワンピース。はちみつ色のロングヘアの前髪を物理的な限界と思える高さまでカールさせて、紫色の口紅とマニキュアをしていた。女が入ってきただけで部屋に動物系の香水が匂った。

「ここよ、俺が世話しとるマスコミの会社はよ」

後ろに倒れそうなほどふんぞり返って河田が言う。ユニバーサル広告社の誰もがあっけにとられて二人を見つめた。

「宣伝部長ちゅうのはたいへんよ、マスコミともつきあわなくちゃならないしよ」

そう言って、自分の言葉が女に与えた感銘を確かめようと、ちらちら顔を窺うが、女の耳には河田の言葉が右から左へ通過しているようだった。カツカツカツ。恐ろしく細く高いハイヒールの靴音を響かせて部屋を歩き、つまらなそうに眺めまわす。猪熊の姿を見つけると、試合前のボクサーが対戦相手にそうするように頭から爪先までに素早く目を走らせてから、ぷいっと横を向いた。奥のデスクの石井には壁を見るのと同じ一瞥を投げ、杉山と目が合うと横顔を見せつけるように首をそらせる。猪熊が眉を吊り上げてこっちを見ていた。女は作業テーブルにいた村崎の所でめぐらせていた視線を止めた。カツカツカツ。村崎の背後まで歩き、赤いポニーテールをぼんやり口を開けたまま眺めはじめる。

「なぁ、サオリ、ほら見ろよ。ピースエンタープライズ。これ、うちの会社。言ったろ、俺が仕事させてるってよ」

壁に書かれた文字を見つけた河田が女に声をかけている。杉山の頭に血が昇りはじめた。サオリははしゃぐ河田を振り向きもせず、村崎のひょろ長い背中に声をかける。

「ねぇ、あんた、バンドやってるでしょ」

背後の女に気づいた村崎が振り返る。二人は口を開けたまま顔を見合わせた。

「ほらほらサオリ。これコンピューターだぞ、テレビじゃねえぞ」

河田の言葉はサオリの背中ににべもなくはねつけられた。

「ナルシーってバンド知ってる？　今度メジャーデビューするんだけど」

「ああ」村崎が面倒臭そうに返事をする。

「ボーカルのマモくんは？」

「ああ、あの音痴」

「お〜いサオリ」両手をポケットにつっこみ、北島三郎をうなりながら部屋を練り歩いている河田が不気味な猫なで声を出す。杉山はこめかみに血管が浮き出るのを感じた。あのタコ坊主に何か言ってやらなくちゃ。河田のほうにゆっくり向き直る。

「おい、いい加減にしろよ」

しかし杉山の言いたかったセリフを河田に先に言われてしまった。村崎にまとわりつくサオリを見て、河田は急に不機嫌な声になる。

「そろそろ店ぇ行く時間だろが」

村崎から引きはがすようにサオリの肩を抱き、オフィスの隅でなにやらひそひそ話をはじめた。時おりサオリのくすくす笑いが聞こえてくる。人の会社をなんだと思っているんだ。続きはラブホテルでやってくれ。

「失礼しまぁ～すぅ」

仏頂面に似合わない妖艶な声とともにサオリが帰っていく。残った河田にユニバーサルの全員が冷ややかな視線を投げかけた。

「いやいやまいったな。広告の会社が見たいって聞かなくてよ、コレがさ」

コレといって河田は残ったほうの小指を立てて見せるが、誰からも何の返事もない。河田は舌打ちをして、キッチンに立った猪熊に声をかけた。

「お姉ちゃん、ボク、今日はホットね」

アコーディオンカーテンに仕切られたキッチンの向こうでカシャカシャと洗い物をしていた音が止まった。猪熊の眉が四十五度ぐらいにつり上がっているのが、目に見えるようだった。一瞬の沈黙ののち、キッチンの物音が再開する。猪熊のことだからコーヒーの中に雑巾の絞り汁でも入れているのかと思ったが、キッチンから出てきた猪熊は、杉山の心配をよそに婉然《えんぜん》と微笑んでいた。ふだんはハンサムな来客にしか見せない最高の愛想笑いを浮かべながら、一流ホテルのウェイトレスさながらの完璧な手つきでステンレスのトレーを捧げ持っている。トレーの上には麦茶が載っていた。

厚底サンダルの重い音をさせながら猪熊は応接テーブルに近づき、ジーンズなのに短いスカートを穿いているかのように足を揃えて腰を折る。河田と同じ目線になると、まるでヤクザが仁義を切るように言った。いつも電話に出る時のハイトーンの声より確実に1オクターブは低い声だ。

「うちは喫茶店じゃありませんよ、お客さん」

タム。

テーブルに麦茶を置く。その音は冷え冷えとした部屋の空気を突き刺した。

「出されたものを飲みましょうね」

猪熊は壮絶な笑顔を河田に向けた。河田はぱくぱくと口を開けたが言葉は出ない。目をしばたたかせて麦茶をながめているだけだ。当の猪熊は目にもとまらない速さで帰り支度をすませ、

「失礼しまぁぁっす〜」

今度は完璧なソプラノを響かせて出ていった。後には沈黙と男たちの間抜け面だけが残った。

「おお、怖」河田が同意を求める口調で杉山の顔を覗きこんでくる。杉山はその視線をそむけた首で受けて、デスクに向かった。

河田の存在を無視することに決めてデスクの上にレイアウトペーパーを開いてみたものの、

なかなか集中することができない。背後で河田が鼻唄をうなっているからだ。鳥羽一郎の『兄弟船』。サビの部分になると後ろから『兄弟船』が近づいてきた。曲が二番に入ると調子はずれのメロディが頭上から降りはじめる。杉山が振り仰ぐと、真上に河田の顔があった。平静を装って声を出す。

「何です？」

「なぁ、ここにカメラない？」

「カメラ？」

「ビデオのカメラ。コマーシャルの撮影に使うヤツとかさ」

あるはずがない。CF撮影には専門の会社がある。大手の代理店だって、機材やスタッフは持っていない。NOと言うかわりに杉山が黙りこむと、河田はさらに言う。

「小さいヤツでいいんだけどよ。貸してくんないかな」

苛立ちを隠さずに杉山は言った。

「何で貸す必要があるんでしょう？」

「まぁ、ちょっとな。ええことに使おうと思ってよ」

サオリが出ていったドアの方角に視線を泳がせて、河田は口の端に下卑た笑いを浮かべる。

「俺のビデオで良ければ貸してやるよ」

隣のデスクから村崎が声をかけてきた。こいつの耳は妙な時に限ってよく聴こえるらしい。

「おい、村崎」

やめろ、というつもりで杉山は声をかけたのだが、村崎はなんだか嬉しそうに言う。

「バンドのプロモーションビデオ撮ろうと思ってさ、デジタルの買ったんだよ」

「お、悪いな、あんちゃん」

「一日五千円でいいよ」

信じられないヤツだ。ヤクザからぼったくるつもりらしい。

杉山は椅子を回転させて河田のほうに向き直った。

「今日はなんの用ですか？　河田さん」

「なんの用って、わし、宣伝部長だからさ。仕事、見に来たんよ」

「すまないけど、用がなければ帰っていただけませんか」

自分でも驚くほど尖った声になってしまった。ファッショングラスの奥から河田の小さな目が睨みつけてくる。杉山の目を捉えながら、わざとらしくゆっくりと煙草に火をつけた。

杉山も目をそらさなかった。猪熊に負けてはいられない。これ以上、会社をかきまわされてたまるもんか。河田が言った。

「ずいぶん、偉そやないの、今日はさ」

「ここは俺たちの会社だ」

ひと口吸っただけの煙草を床に落として靴先で押しつぶすと、河田が出ていった。

2

小鳩組のＣＩ以外仕事は何もないから、石井も村崎も早くに会社を出た。たいして急ぎもしない仕事をぐずぐずと続けていた杉山も、九時近くになってようやく重い腰をあげた。オフィスの灯を落としてカギをかける。一階に降りると、ビルの入り口にやけに横幅の広い人影が立っていた。河田だ。くいっと顎をしゃくってついてこい、という身振りをする。上等だ。こっちにも話したいことがある。二人とも何も喋らずに外へ出た。ビルの斜向かいにベンツが停まっていた。河田は無言のまま顎で後ろのドアを指し示したが、杉山は助手席に乗りこんだ。

ベンツが走り出し、クルマが幹線道路に入っても河田は何も喋らない。杉山も口を閉ざし続けた。先に喋ったほうが負けになる賭けでもしているみたいだった。クルマは高速のインターに入る。七海市の方角だ。事務所に連れて行ってヤキを入れるつもりだろうか？　不思議と恐怖心は少なかった。いったい、いままで何に怯えていたんだろう。相手がヤクザというだけで、何をされたわけでもない。いまの杉山に怖いものなどなかった。なにしろ失うものは何もないのだ。あるとしたら自分自身だけ。それすらこの頃は、たいして惜しいとも思えなくなっている。

河田のベンツは追い越し車線を百五十キロ近いスピードで走り抜ける。遠くに夜の闇よりも黒々とした東京湾が見えてきた。

「海は好きか？」

突然、河田が声をかけてきた。コンクリート詰めにされて東京湾に沈められるのだろうか？　杉山は虚勢を張ってあくびをしながら答える。

「以前はよく潜りに行ったな。タンク背負ってね」

そうだ。こんど早苗を海に連れて行ってやろう。早苗と海に行ったことは一度もなかった。もしまた会えればだが。

「わし、嫌い。泳げないんや」

とぼけた調子で河田が言う。

「ねぇ、河田さん、どこへ行くんです」

「うちの縄張《シマ》にな、いい店がある。そこ行こ」

なんだ。早くそう言ってくれ。

七海駅の北口はネオンの海だ。通りの両側の店の名を連ねた電飾看板が、酔っぱらい達へ誘蛾灯のように光を投げかけている。「ベルン」という名のその店は、いくつあるか知れないそんな飲み屋街の小さなバーのひとつだった。河田は顔なじみらしく、店の女たちに声をかけながら奥のボックス席につく。ごく普通の店に見えた。先客にサラリーマン風の五、六人連れがいるのを見て、杉山は少し安心した。酒を断りウーロン茶を頼むと、河田は珍種の爬虫類か何かを見たという目を向けてくる。

「話はなんでしょう、河田さん」

「ま、お近づきのしるしってやつをさ。世間話でもと思ってね」

「じゃあ、こっちから話をしましょうか？」

杉山は押し出すように肩をいからせて語気を強めたが、河田は杉山の言葉に委細かまわず、おしぼりで顔をぬぐってうっと唸り、のんびりとつるつるの頭や首筋まで拭いている。

「ええ娘《こ》やね」

「は？」

「ほら、あんたの会社のさ」

「猪熊……ですか？」

「イノクマっちゅうの？　ええ名前だ」

妙なことを言いだす。さっきのことを根に持って嫌《いや》みを言っているのかと思ったが、河田の顔にも口振りにも皮肉さは見あたらない。

「掃きだめに鶴っちゅうのは、あの娘のことやね」

鶴？　猪熊が？　鶴にしては少し太すぎないか？　それは言いすぎでしょう、そう言おうとして、もうひとつの暴言に気づいた。

「掃きだめ？」

杉山は不愉快そうに顔をしかめて見せたが、グラスを片手に自分の言葉に自分で頷いている河田は気づきもしない。杉山は組んだ指をぼきりと鳴らして言った。

「まぁ、愛嬌のある顔はしているけどな」

「杉山さん……女は顔じゃないよ」

河田は禿頭をつるりと撫ぜて、たしなめるように言う。まるで徳の高い坊さんに説法をされているみたいだ。なんだか自分の未熟さを指摘された気がして、杉山はいからせていた肩をすぼめる。

「ああ、確かにそうかもしれません」

そうだよ、早苗。女は度胸だ。

「わしも、ずいぶん女を泣かせてきてさ。この齢になってようやく気づいたんだわ」

河田は遠くの風景に目をこらす眼差しをして言う。

「女は顔やない」グラスを揺すりながらもう一度そう言い、分別臭い顔でゆっくり首を振った。「体よ」

どうもよくわからない男だ。河田の手の中で水割りのロックアイスが涼しげな音を立てる。酒を欲しがって杉山の体中の細胞が泡だった。一杯ぐらいなら、という誘惑を抑えて、ひりつく喉をウーロン茶でごまかす。一杯だけで終わるはずはないし、河田に言うべきことをまだ言っていなかった。

「河田さん」

「何？」

「受けた以上、仕事はちゃんとやりますけど、それ以外のことは……」言いよどんだ言葉を気合いを入れて押し出した。「仕事以外のことを、うちに持ち込むのはやめて欲しい」

「それって、サオリのことかいな」

薄暗い店の中でもはずそうとしないファッショングラスの奥が光ったように見えた。見かけほど酒は強くないらしい。河田の顔はすでに赤くなっている。

「サオリはもう連れていかんよ。他の女はわからんけどな」

他にもいるのか？　タコ坊主のくせして。

「あのビデオのことも」

「ああ、あれ」

「何をするつもりですか？　うちの猪熊を使ってアダルトビデオでも撮る気ですか？」

自分でも思いがけないほど刺《とげ》のある口調になってしまった。少し後悔したが、もう後には引けない。河田に挑むように視線を向ける。河田が目を剝いた。

「あんた、そんなこと考えてたんかいな」

あきれたという顔をして河田が口をあんぐり開ける。

「え、いや……」

「真面目くさった顔して、そんなことばっか考えとるん？」

「じゃ、じゃあ、何に使うんです？」

河田はうがいをするように口をもごもごさせるだけで答えない。タラコのような指で耳をほじり、耳垢を吹き飛ばしてからようやく口を開く。

「運動会」

今度は杉山の口が開いた。

「ウチのガキ、六年生でな。最後なのよ、今度が。一度も行ったらんかったから、今年ぐらいと思ってな。半袖でくるなってガキが言うから、長袖のポロシャツも買ったんよ」

河田は杉山から目をそらして喋り続けた。なんと答えていいのかわからなくなって杉山は煙草を口にくわえる。こういう時に役立つから煙草はやめられない。

「ま、あかんと言うなら、しゃあない。他あたるわ。五千円は高いし」

「いや、別に、村崎のものだし、駄目とは言いませんけれど……」

後の言葉をウーロン茶と一緒に呑みこむ。やっぱり酒が飲みたかった。河田は杉山から顔をそむけるように首をねじまげて首筋を掻いている。剃り上げた頭の毛が少し伸びて青くなっていた。よく見ると青い部分は耳の回りと後頭部だけだ。この男がスキンヘッドにしている理由は、こわもてに見せるためだけではないようだった。

それだけ話すと二人の間にはもうなんの会話もなかった。杉山と河田はまた我慢比べのように黙りこむ。沈黙の中に、部屋の一方の隅にいるサラリーマンたちのくだを巻く声が割って入ってくる。だからさ、オレ専務に言ってやったんだよ。さすが次長っす。次長だけですものね、専務に話持っていけるの。専務に言ったよ、あんたのやり方は間違っているってね、まぁもう少しやんわりとは言ったつもりだけどさ。次長、オレ、どこまでもついていきます。

みんなだいぶ酔っている。そろそろ街が泥酔者であふれる時間だ。ちらりと時計をながめて杉山は言った。

「河田さん……そろそろ」

「部長って言って」

「は？」

河田が腕まくりしていたワイシャツの袖を直しながら囁きかけてくる。

「部長って呼んでや」

「……河田部長」

杉山が言いなおすと、河田はただでさえ恐ろしい顔を、ぐしゃりと歪めた。笑ったのだと思う。

「なんでしょう。杉山さん。CIの件は順調でしょうか？」

河田が急に声を大きくして気取った調子で言う。目の隅にサラリーマンたちの何人かがこちらを振り返るのが見えた。

「ああ、順調ですよ、河田部長」

杉山も少しボリュームを上げた。お得意さんへのささやかなサービスだ。

「それは何よりです」

河田がもっともらしく頷く。何度も何度も。放っておくといつまでもそうしているように思えて、杉山は今日の作業のあらましを解説してやった。一般企業の宣伝部長と話をするように。話のほとんどを理解していないようだったが、河田は緩めたネクタイを締め直して満足そうに相槌を打ち続ける。しかし気の毒だが河田はどこから見ても、いくらダークスーツを着ていても、本人がその気になればなるほど、カタギには見えなかった。サラリーマンの一団の中で、酔ってろれつのまわらなくなった声が叫んでいるのが嫌でも聞こえた。

怖かねえよ、ヤクザなんか。オレ、剣道やってたからな。ヤクザと喧嘩したことあるもんね。一対一なら負けないよ。さっきの次長とかいう男の声だ。杉山はちらりと声の主を見る。しおれた顔立ちの、髪だけ妙に黒々と整った中年の小男だ。猪熊と闘っても勝ちめのなさそうなタイプに見えた。

次長、次長、やめましょうよ。追従《ついしょう》していたうちの一人があわてた声で叫ぶのと同時に、向こうのボックス席からおしぼりが飛んできて、杉山と河田の足もとの間にへちゃりと落ちた。杉山はおしぼりの飛んできた方角を睨む。だが河田は何事もなかったかのように黙ってグラスの中を覗きこんでいるだけだ。店の従業員がすっ飛んでくると鷹揚《おうよう》に手を振ってみせた。

な、な、言った通りだろ。すっかり出来あがった次長が得意げに叫んでいた。暴力団対策法ってのができただろ。あいつらカタギには手出しできねえんだよ。手出ししたら暴力的不法行為だ。すぐ捕まっちまうからな。

「河田さん、出ましょうか」

杉山がそう言い終わらないうちにまた、おしぼりが飛んできた。テーブルの上のアイスペールに飛びこんで水しぶきがあがり、カタギのサラリーマンに見えるように河田が着こんだスーツのスラックスを濡らした。今度は河田の眉根がきゅっとすぼまったが、ちらりと鋭い視線を奥のボックス席に投げかけただけで、無言のままハンカチを取り出してズボンを拭く。

杉山は空になっていたウーロン茶のグラスに縁までブランデーを注ぎ、一息に飲み干した。河田の目が丸くなる。アイスペールの中で泳いでいるおしぼりをつかんで席を立った。

「すいませ〜ん、酔ってまして」

男たちの中のまだ正気を保っているらしい何人かが頭を下げてくるが、次長は焦点の定まらない目で杉山が近づくのを見ながら、怪しくなった舌をまわし続ける。

「お、来たぞ。なんだチンピラのほうか。兄貴分はどうした」

また新しいおしぼりを握っている。隣の男がその手首をつかんで叫んでいた。

「次長、もうやめましょう。こらえてください」

ばかたれ、こらえているのはこっちだ。杉山はその言葉を呑みこんで、努めて冷静な声を出した。いつもよりさらに低い声になった。

「これ、返しに来ました」

「ほらな、おとなしいもんだろ」

杉山は、わめき散らしている次長とやらの頭の上に、水のしたたるおしぼりをかざす。そして思い切り絞り上げた。

ひぃっ。頭を押さえて次長が叫ぶ。その拍子に不自然なほど自然な七三の髪の分け目が耳のところまでズレた。杉山のすぐ脇に座っていた男が立ち上がる。スポーツ刈りのついこの間まで大学の運動部にいたような若い男だ。肘の上まで袖をまくり上げて太さを誇示した腕で杉山のジャケットをつかんでくる。酔って血走った眼の中に自信満々の薄笑いを浮かべていた。杉山も男の手首をつかみ返す。指がまわりきらないほど太かった。

「まぁまぁまぁ、店の中だ、おだやかにいきましょうや」

いつの間にか背後に河田が立っていた。ヤクザと顔に書きしるしたような河田の容貌を間近にして、酔いと人数にまかせて強気でいた男たちの目に怯えが走るのが見てとれた。

「上に事務所がありますんで、そこで話、つけましょか」

河田が杉山の顔を見て言った。

「まだ五、六人は残っとるやろ？」

杉山がチンピラ風に顎を突き出して頷くと、ジャケットの襟をつかんでいた男の手が緩んだ。酒で頭も目も濁ってしまっているらしい次長だけが、耳の上に分け目をずらしたまま騒ぎ立てている。

「暴力的不法行為だ。暴行罪だ。威力業務妨害だ。警察を呼べ。こいつら警察が怖いんだ！」

違う。河田は警察が怖いんじゃない。運動会に行けなくなることが怖いのだ。いつもいつもビデオを手に自分のガキを追いかけまわしているようなヤツらに、この気持ちがわかるものか。

「ダンナ、だいぶ、おくわしいようで」

河田が静かな口調で次長に呼びかけ、ずれたカツラに手をかけた。そっと元に戻してやるといった手つきだったが、ぐるっとさらに回転させて分け目を後頭部まで持っていく。後ろの生え際が坊ちゃん刈りのように男の黒縁眼鏡の上にかぶさった。

「だけど、ダンナ、忘れちゃいませんか?」河田の声の調子が変わった。「新法があろうがなかろうが、どうせ人一人刺しゃあ、懲役だよ」

男たちの背筋がぴしりと伸びる。それが伸びきらないうちに河田が咆哮した。

「懲役が怖くて、渡世が張れるかっ!」

ダークスーツから抜き出した河田の手先がぎらりと光った。短刀《ドス》だ。河田は赤鬼のような顔でそれをテーブルの上に突き立てた。

男たちは短い叫びを上げて一斉に飛びずさる。グラスが床の上で砕け散り、店の女たちの悲鳴がした。次長にどこまでもついていくはずの男たちが河田と杉山の半径二メートル以内から消え、テーブルの前にはカツラを逆さにかぶった次長だけが残った。眼鏡の縁を押さえて目の前に突き刺さった短刀を眺めてから、ようやく事態に気づいたらしい。椅子からずり落ち、四つんばいのまま逃げ去ろうとする。七三分けの髪は頭からすっかりはずれて眼鏡の縁に辛うじてひっかかっていた。

「やるのか、おらっ!」

ドスを抜いた河田がもう一度咆えると、男たちは出口へ殺到した。

「ほら、忘れもんだ」

河田が置き去りになった次長の尻を蹴る真似をする。杉山は本気で蹴り飛ばした。ひひっ。男が情けない声をあげる。その瞬間、杉山の背筋にぞわりと寒けが走った。それは快感の震えだった。

3

ごとり。自動販売機の下をごそごそ探って落ちてきたアルミ缶を取り出す。会社に向かう途中の道での毎朝の習慣だ。ただし今日はいつもの缶コーヒーではなくて、ポカリスエット。二日酔いにはトマトジュースよりもこれが効くと信じている。脈を打つたびに頭痛が押し寄せてきた。頭の中で小坊主が鐘を叩いているみたいだ。皮膚の下で無数の虫が這うように体がざわついている。午前十一時。杉山は会社への五分ほどの道を頭をあまり動かさないようにして、そろりそろりと歩いていった。

昨夜はあの後すぐ「ベルン」を出た。河田は店の人間に詫びの言葉をかけて勘定の何倍かの額の金を払い、杉山が取り出した財布を手を振ってしまわせた。そして、入り口に落ちていた次長のカツラを店のゴミ箱に放り投げようとしたが、何を思ったかポケットにつっこんだ。

二軒目まではっきり覚えている。カウンターだけの小さな店だ。杉山と河田は並んで止まり木に座り、お互いに目を合わせず正面の酒棚を見つめたままぽつりぽつりと話をした。もっとも喋ったのはほとんど河田一人だ。外見に似合わずよく喋る男だった。どくだみ茶を飲んでいても、やっぱり昨日から血尿が出てしまって便所に行くのが怖いこと。最近、肝臓の調子も悪いこと。それは刺青を入れた時に、慢性肝炎に感染したのが原因であること。健康保険に入っていないから、医者に行くたびに出費がかさむこと。三十年近く小鳩組にいて懲役も三回務めているのにまだ幹部になれないのは、自分の稼業《しのぎ》が思わしくなく、上へ納める会費が少ないせいであること。上納金のノルマがきつくて女房がパートに出ていること。せめて舎弟の一人は欲しいこと。

話すうちに、とってつけたようだった関東風のもの言いは消え、関西訛りが強くなっていく。同じ関西弁で喋るからだろうか、なんだかケーキを食いながら石井と喋っているみたいだった。二人は案外似たタイプの人間なのかもしれない。どこかでお互いの人生が逆になっていても不思議はないような気がした。出世の遅れた万年ヒラのヤクザと万年倒産寸前の広告会社の社長、どっちが幸せなのかはよくわからないが。

途中河田は思いつめた表情でトイレに立って、しばらく帰ってこなかった。杉山がオン・ザ・ロックを二杯空け、ストレートのダブルとチェイサーのビールを注文する頃に、ようやく戻ってきた。なんだか晴れやかな顔をしている。ほの暗い照明の中でも赤くなった顔がさらに紅潮しているのがわかった。

「血、出なかったんですか？」

「いやいや真っ赤よ、真っ赤」

河田が妙に浮かれた口調で言う。明らかにさっきより高揚していた。いったい何をしていたのだろう。例の気持ち良くなるクスリか？　鷺沢の言う「医薬品」を河田も常習しているのかもしれない。杉山は少し腰をずらして触れ合いそうなほど近くにある河田の幅広の肩から身を遠ざける。しかし、すぐにそうでないことがわかった。さっきまでカツラをねじこんで盛り上がっていた河田のスーツのポケットのふくらみが消え、そのかわりに胸の内ポケットあたりがぽっこりふくらんでいた。

二軒目を出た時には、最終電車がとっくに終わった時刻になっていたが、七海市の繁華街にはまだ喧騒が続いていた。歩いているのは誰も彼もが酔っぱらいで、客待ちのタクシーの運転手以外、素面《しらふ》の人間などどこを探してもいないように見えた。河田はすでに足をふらつかせていたが、杉山はようやく酔いが体を駆けめぐりはじめたところだった。思考が柔らかくとろりと融けてモッツァレラチーズのように心の穴を覆い隠し、全身に万能感があふれてくる。酒をうまいと思って飲むことは少ない。いつもこの束の間のトリップに身を任せるために飲んでいるのだ。そしてそのまま、何も考えず、何にも悩まされずに眠るために。

河田と並んで歩くと誰もが道を空けた。誰もが二人と目を合わせないようにする。正直言って気持ちよかった。三日やったらやめられなくなるかもしれない。俺もヤクザになってやろうか。アルコールに侵された脳味噌が、半ば本気でそう考えさせた。

三軒目のことは途中までしか覚えていない。年代物のカラオケと年代物のホステスを置いている、狭いフロアを安物のインテリアで飾りたてた店だった。覚えているのは、二十九歳だと言いながら東京オリンピックの思い出を語るホステスを口説いていたことと、河田が『兄弟仁義』を気味が悪いほどの美声で歌っていたことぐらいだ。途中で河田の髪がなぜかふさふさになったような気もするし、ホステスの一人が振り付けつきで歌っていた曲に合わせて、河田のスキンヘッドを箸で叩いていたような気もする。どこをどうやって帰ったのか、目が覚めたのは自分のマンションの玄関だった。

エレベーターを四階で降りてオフィスのドアを開け、疼《うず》く頭に冷たいポカリスエットの缶を押し当てたまま猪熊に手を振って挨拶をする。なぜか猪熊のほっぺたがぷくりとふくれていた。こういう時の猪熊には下手に声をかけないほうがいい。ふくらんだ頬の中にはたっぷりと文句がつまっているのだ。原因はすぐにわかった。昨日の今日だというのに、もう河田が来ていた。河田は応接テーブルで競馬新聞を広げ、テーブルの上に出された麦茶をおとなしくすすっている。

「昨日は、どうも」

杉山が頭を下げると、顎を突き出して応えはしたが、すぐに杉山の視線を避けるように新聞の中に顔を潜らせる。杉山はぼりぼりと頭を掻いた。また酔っぱらって何かやらかしたのだろうか。よく見ると競馬新聞の上から昇りかけの朝日のように突き出ている河田のスキンヘッドの隅にバンドエイドが貼ってあった。そういえば、昨日、河田の頭を叩いていたのは箸ではなくてフォークだった気もする。杉山は昨夜のことを思い出そうとしたが、二十九歳のホステスが成人式を迎えた息子の自慢話をしていたところで記憶はぷつりと途切れたままだった。

まぁ酒が原因で人間関係にヒビを入れるのは慣れっこだ。二度や三度じゃない。杉山はポカリスエットを二口で飲み干して、マックを立ち上げる。昨日の晩、河田と飲んでいて思いついたことがあった。さっそくそれをマックに打ちこんでみる。薄ぼんやりとした光で目を苛立たせるCRT画面を見つめ続けていると吐き気がしてくるから、キーボードだけ見ながら文字を叩きこんでいった。簡単な仕事だ。十五分ほどで一枚の表が完成した。杉山は河田を振り返る。

「河田さん、お願いがあるんですけど」

「あん？」

新聞の上に河田が顔を出す。怒ったような声だった。いったい昨日、俺は何をしたんだろう？

「アンケートをしようと思うんです」

「アァンケェ〜トォ？」河田が難しい横文字を使うなと言いたげな口調で言う。「アンケートって、あれか？　街でトロそうな若いのつかまえて、映画の券、売りつけるやつか？」

そういえば昔、街頭アンケートと称してクズ同然のレジャー割引券を売りつけるキャッチ・セールスがあったっけ。質問の何番目かに必ず「本日の所持金」という項目があって、売りつける割引券の値段はたいてい所持金ぎりぎりの金額なのだ。

「そうじゃなくて、組員の、いや、社員の方への簡単な意識調査なんですけど」

河田が毛をかきむしるように毛のない頭を掻く。

「やめとき、わしら、みんな、人に素性を訊かれるの嫌いやからな。なんぼも集まらんやろ」

河田がよそよそしいのは酔いにまかせて杉山の前で私生活をぺらぺら喋ったことを恥じているためだと気づいた。たぶん一度ぐらい一緒に酒を飲んだだけでなれなれしくするな、と言いたいのだ。

「そこをなんとかお願いしますよ、河田部長」

部長というところで語気を強めてみる。咳払いをひとつして河田部長が言った。

「ま、やってみんこともないけどな」

河田が来ていたのは、村崎からビデオカメラを受け取るためだった。いつの間に交渉が成立していたのか、村崎がビデオをぶら下げてやってくると、河田は受け取ったビデオをむき出しのまま肩にかけ、説明書を大切そうに内ポケットにしまいこんで、いそいそと帰っていった。村崎の話では、まだ運動会まで三週間もあるのに、いまから撮影の練習をするのだという。ちょっとかわいそうだから、料金の日割りはやめて月割りにしたよ。村崎が自分の善意にほとほと感心したという口ぶりで言う。ただし一カ月三万円だそうだ。

杉山はマックのパワースイッチを切り、この間からラフスケッチを書きためていたレイアウトペーパーの束を取り出す。その中の一枚を破りとって拡大コピーをし、「アイデアの壁」の前に立った。みんなをその気にさせるには、まず自分からアイデアを出さなくてはだめだ。だが、先客がいた。壁の下のほうに書道用の半紙が何枚か貼ってある。へたくそな筆文字でスローガンらしきものが書いてあった。

『岩よりかたい兄弟仁義』
『一寸の虫にもドス八寸』
『女房捨てても出入りに直行』
『しゃぶしゃぶうまいが、しゃぶはまずい』
『墨はしょっても借金しょうな』
『徴役三年しゃば八年』

徽役の徽の字が間違っている。杉山の視線に気づいて猪熊が言った。

「あ、それ、さっきあのツルハゲが貼ってたよ」

ふむ。河田に先を越されたか。そういえば昨日の晩、この「壁」のことも説明したんだっけ。杉山は手にした拡大コピーを河田のお習字用紙のすぐ上に貼った。

「お、いいじゃん、それ」

杉山が貼ったシンボルマークを見て村崎が声をかけてくる。ヤツが人をほめるのは珍しい。

杉山は小鼻をひくつかせながら謙遜してみせる。

「いやいや、なんのなんの南野陽子」

「杉山さんにしてはうまいな」ひと言多いヤツだ。しかし指摘は正しい。貼ったのは杉山が描《か》いたものじゃない。いつかの晩、早苗が落書きした鳩の絵だ。

「実は俺のじゃないんだ。娘が描いたんだよ」

杉山がそう言うと、猪熊が恐怖の叫びをあげるようにあんぐりと開けた口に両手をあてがう。

「うわ、やだっ！」信じられないというふうに目を見開いて、口にあてた指の間から声をもらした。「……親バカだぁ」

村崎も新種のカバでも発見したという目つきで杉山の顔を覗きこんでくる。

「いや、違うよ、ほら、みんながアイデアを出しやすいように……その、つまり……どんなものでもいいんだってことをだね……」

杉山は懸命に抗弁するが、猪熊と村崎は、わかっているから何も言うなといいたげなニヤニヤ笑いを浮かべて、二人並んでワイパーのように首を振る。やめておけばよかった。

酒が残っている午前中はまだよかった。二日酔いは午後になってからかえって酷くなり、その日はほとんど仕事にならないまま、早々にオフィスを出た。ようやく酒が抜けて、麻痺していた虚脱感と睡眠不足がのしかかってきた重い体を運びながら、杉山は自宅のある駅の改札を抜け、家路を急ぐ人々であふれかえった駅前通りを歩きはじめる。突然きりきりと胃袋が痛み出した。空腹の痛みだった。今日は昼過ぎにラーメンを汁だけすすったきり何も口にしていない。飯を食っていこうか。ちょうどすぐ目の前で、大きな赤提灯をさげた店が焼き物の煙を通りにまき散らしている。米の飯はまだ受けつけそうもないから、冷や奴と焼き魚かなにか、そしてついでに冷や酒を一杯、迎え酒を一杯だけ——。

杉山は誘惑を払いのけるようにかぶりを振り、足早に赤提灯をやり過ごす。やっぱり買い置きのカップ麺にしておこう。自慢じゃないが、一杯だけと決めて一杯だけで酒をやめたことは一度もない。

駅前通りを少し歩いて一筋脇道に入ると、すぐそこが杉山の住むマンションだ。どこの街でも必ず見かける何の変哲もない造りの、くすんだ化粧ブロックだけで家賃を高くしているような四階建て。たいていの部屋が杉山の住まいと同じ2DKで、新婚かまだ子供の小さい所帯が多い。杉山はきれいに灯が並んだ三階の、ひとつだけ穴が空いたように暗い窓を見上げた。自分の部屋だ。

ふむ。エントランスに入りかけた足が止まった。ビール一本とコップ酒を一杯か二杯、そのくらいなら構わないか。河田のように血尿が出るわけでも肝臓が悪いわけでもない。しかも明日は休みで、なんとも幸いなことに杉山には誰とどこへ出かける予定もない。素晴らしい人生じゃないか。杉山はくるりときびすを返して駅前に戻っていった。

「アイデアの壁」が埋まりはじめたのは、週の明けた月曜日になってからだ。まず杉山が壁の余白の半分ほどを埋めつくす。週末、他に何もすることのない杉山が、朝からビールの空き缶をこたつテーブルの上に積み上げながら、ヒマ潰しに考えたスローガン案とＣＩマークのラフスケッチだ。土曜も日曜もビールがウイスキーに替わり、ものを考えるのが面倒になるまで没頭したから、相当の量がある。

昼過ぎには、ユニバーサル広告社宛ての請求書の整理に飽きた猪熊が、デスクの上でこしょこしょ切り取っていた雑誌のスクラップを貼りはじめる。「壁」に向かって一人で満足げにうなずいて長い髪を揺らしている猪熊に、杉山はおそるおそる訊いてみた。

「あのさ、これは、そのぉ……どこが今回の仕事と関係があるんだろか……」

いくつかのスクラップのうちのひとつは海外旅行ガイドから切り取った風景写真。どんなアイデアも歓迎するとは言ったものの、何の意味があるのかさっぱりわからない。

「イタリアよ」

猪熊は、理解できないほうが悪いというふうにきっぱりと言う。

「いま、イタリアがトレンドなのよ。ローマじゃなくてミラノ辺り。素敵なのよ、ミラノ。行ったことはないけど」

そう言いながら猪熊は写真の端っこを指さす。そこには確かに鳩らしき鳥が写っていた。

「ふむ。じゃあ、これは？　『秋はショートヘアで素敵に変身』っていうやつ」

「ほら、この外巻きカール。このくるっとしたところが、鳩の羽根みたいでしょ」

「うん、そう言われれば、そうかも」しれなくもなくはないような気もするような。

「えーと、じゃあこれだけど……」

杉山は力なく派手なパンツルックのモデルが微笑んでいる写真を指さした。猪熊が少女漫画のように顔のまわりに花を咲かせた表情で答えた。

「あ、それ、可愛いでしょ。私に似合うかしら。どう思う？」

「あ、うん、いいかも」しれなくもなくはないような気もするような。

石井は今日も朝からオフィスにいない。このところいつもそうだ。常日頃、広告業を「ヤクザな仕事」と自称しているのに「ヤクザの仕事」を請け負ったショックから立ち直れないのだ。営業まわりや、と本人は言うが、おおかたケーキを出す喫茶店をはしごしているのだろう。屋上で秋を探しているのかもしれない。

村崎はマックを使わずに、日がな一日スケッチブックに何やら描いている。時おりスケッチブックを抱えたままぶらりとどこかへ消えて、何時間も帰ってこないこともあった。小鳩組へのプレゼンまであと三週間しかないが、この男の場合、下手に口出しせずに野放しにしておいたほうがいい結果が出るはずだ——と信じたかった。

夕刻過ぎに三田嶋がやってきた。夜型のヤツにとっては、これからが本格的な仕事の時間なのだ。ドラキュラみたいな黒いコートをなびかせながら三田嶋が言う。

「なんだ、タコ坊、今日も来てないの？」

今日は本当に残念そうな声を出す。三田嶋はアシスタントだという若い男を連れてきていた。

「どうした？　いつの間に社員を雇う余裕ができたんだ？」

「いや、パートで雇ってるんだよ。こいつ大学の後輩でさ、会社潰れていまプータローしてるっていうから」

大神林《おおかんばやし》という河田が聞いたら怒りだしそうな名前の三田嶋のアシスタントは、グラフィックデザイナーにしては珍しく頑強そうな体格をしていた。河田のスキンヘッドに張り合うような青光りするほどの坊主頭で、その穴埋めのように顔の下半分には伸ばし放題にした無精髭を生やしているから、両サイドのつり上がったキラー型のサングラスをかけたその顔は、普通の人間の顔を上下逆さまにしたようだった。

「大神林は奥多摩美大の空手部だったんだよ」

なんだか弱そうな空手部だが、ボディガードよろしく三田嶋の背後に突っ立った大神林は、両耳のピアスを見せびらかすように油断なく周囲を見まわしてからサングラスをはずした。黒目がちの可憐な二重まぶたの上で、長いまつ毛が重そうに揺れている。まるで髭の生えたキューピーだ。河田に対抗するために連れてきたのなら、サングラスは絶対はずさないほうがいいだろう。

三田嶋は、ＣＩマークの完璧なラフスケッチを束になるほど持ってきていた。いまの段階ではまだ完成形として仕上げる必要はないのに、ディテールまできちんとつくりこまれている。どこかで見たことのあるようなデザインもあるにはあるが、どれも出来は悪くない。三田嶋はちゃらけた風体に似合わず仕事は手堅い男だ。言動には信頼がおけないが、作るものは信用できる。

だいたいにおいて、いかにも業界っぽいファッションをした広告制作者が腕と才能があるかといえば、そんなことはない。むしろ逆の場合のほうが多いかもしれない。夜な夜な流行りのスポットに出没し、売れっ子クリエーターを自称して女を口説いているような連中もあまり信用できない。本当に売れているヤツに毎晩そんなところで遊んでいる暇などあるはずがないのだ。その中では三田嶋はかなりまともな部類だった。

大神林にラフスケッチを貼らせながら、三田嶋は一人で勝手に喋りはじめる。

「本当に腹立つよ、あのタコ。俺のジャグァーをメタメタにしやがって」

「まぁ、自分が先にこすったんだから、あんまりえらそうなこと、言えないだろ」

「なんだよ、杉山さん、タコの肩持つ気？　俺、あいつに絶対、修理代払わせるからね。ね、知ってる？　ボータイ法って」

「暴力団対策法だろ」

「そう、それ。いまあいつらには警察の取り締まりが厳しいんだよ。本当は立場弱いんだよ。あのタコ、一発殴ってやろうかな。きっと殴り返せないと思うよ」

九月になったとはいえ、夜気にはまだ夏のなごりの湿っぽい熱れ《いき》が満ちている。流行り物のコートを脱ごうとしない三田嶋は額に汗を浮かべ、口を尖らせながら喋り続ける。ヤクザなんてさ、結局はったりだけでしょ。こっちが強気に出ればさ、案外さ、しっぽ巻いて逃げちゃうと思うんだよ。あのタコも偉そうにしてるけど、顔青白いし、体ぶよぶよだし、口ほどにもないと思うんだ。杉山は全身がざわざわとあわだつような苛立ちを感じた。酒が飲みたくて体がじれているのだ。もう七時を過ぎている。こいつはいつまで喋り続けるつもりなんだ。いざとなったらさぁ、こいつが、大神林がさ、ガツンと回し蹴りでさぁ。鬱陶《うっとう》しく突っ立ったままの大神林がぽきぽきと指の関節を鳴らしている。杉山は下から突き上げるように三田嶋の顔を覗きこんで言った。

「そう思うなら、やってみろよ」

「いや、まぁ、今回はかんべんしてやるけどさ」

三田嶋は汗をぬぐいながら首をすくめ、めったに見せない真顔になる。

「杉山さん、なんだか目つきが悪いよ。タコ坊に影響されてんじゃないの？」

え？　杉山は思わず窓を向いて自分の顔を映した。夜の闇が窓を鏡に変え、ぼんやりと杉山の輪郭を映し出している。誰か知らない人間がこっちを覗いているように見えた。

4

制作を開始して十二日目の朝、村崎はいつになく早くオフィスにやってきて――といっても十時半だが――突然、壁に大量のレイアウトペーパーを貼り出した。壁に余地がなくなると、キャビネットやファイルケースの上にもぺたぺたと貼る。レイアウトペーパーに描かれているのは、全部、一筆書きで描いたようないびつな楕円形だ。

「なぁ、これ、何なんだ？」

「へちまだよ。どれがいいと思う」

村崎は一面のへちまの絵を、ひとつひとつ目を細め首を左右にかしげて検討し、並べ方に犯しがたい法則でもあるのか、時おり絵の位置を入れ替えたりしている。どれがいいもなにも、杉山にはみんな同じように見えた。

「なんで、へちまなんだ？」

「いや、なんとなく」

石井もアイデアを出してきた。何度も杉山が催促したからだ。スローガン案が三つ。

『前を見て　まっすぐ歩こう　未来まで』

『世の中に　ピースの心　ひろげよう』

『明日へと　翼広げる　鳩の群れ』

なんだか俳句みたいだった。広告制作会社の社長とはいえ、広告ブローカー上がりの石井には実制作の経験はない。素人が広告コピーを書こうとすると、交通標語の一般公募作品のように、どうしても七五調が多くなる。

「やっぱり、わし、良心が痛むわ。こんなんが世の中に出て、人様に迷惑かけると思うと」

自分のスローガンがもう採用されたような口ぶりで石井は嘆く。

「だいじょうぶですよ。心配しなくても」

杉山は慰めた。採用されるわけがない。

アイデアが出そろったところで三田嶋を呼んだ。三田嶋はまた新しいシンボルマーク案を束になるほど持ってくる。今日も、もれなく当たる景品のように大神林がついてきた。オフィス一面に貼りだしたアイデアの断片を、杉山、村崎、三田嶋の三人で眺めて絞りこみにかかる。使えそうなものだけ残して、不要なものを捨てていくのだ。こうした選考を何回か経て、最終的にプレゼンテーションする数案が決まる。広告の制作会議の初期段階では批判は禁物だが、ここからは逆だ。情け容赦なくボロクソにけなし合う。当の本人たちは珠玉のアイデアと信じて疑わない絵とデザインと写真と言葉のあらかたがごみ箱行きとなり、壁は心細いほど寂しくなった。

村崎のへちまには杉山も三田嶋も首をかしげるばかりだった。コメントのしようもない。アシスタントとはいえ、いちおうはグラフィックデザイナーの大神林に意見を聞いてみた。大神林は緊張した面持ちで直立不動し、しばらく無数のへちまを眺めてから言う。

「……自分は右から三列目、上から二番目のへちまが良いと思います」

村崎が「やっぱりな」という顔で大きく頷き、大神林を頼もしげに見つめる。なんだかよくわからないが、とりあえず右から三列目、上から二番目のへちまを残して村崎に注文を出した。

「へちま以外のものも考えてくれ。プレゼンまでに、あと二つか三つは欲しい」

「やってみるよ」

あまり自信なさそうに村崎が言った。

その週の半ばから始まった長雨は、週末まで続いた。朝から酒を飲むには絶好の日和だ。外が明るいとどうも気が引ける。久しぶりに飲酒を再開したためか、それとももう若くなくなったせいなのか、飲む量は昔と変わらないのに、杉山は毎日、二日酔いに悩まされ続けていた。ポカリスエットもさして効果がなさそうな朝は、ウイスキーをコップ一杯飲む。さすがに飲む時は吐き気がして辛いが、すぐに頭痛が治まり、体もラクになる。昼飯時にはビールが飲めるぐらいに回復した。代理店に勤めていた頃にもしばしば試していた究極の酔いどめのクスリだ。「これって、アル中よ」家中の酒瓶を隠してしまい、手作り野菜ジュースを飲ませようとする幸子とは何度も喧嘩をした。料理酒を飲んで会社に出かけたこともある。離婚届けを突きつけられたのは、酒瓶を隠されなくなり、アル中とののしられなくなってすぐのことだ。

医者にはアルコール依存症と診断されたことはない。医者に行かないからだ。生まれつき人より内臓が丈夫にできているのかもしれない、酒を飲み続けても体が不調を訴えることはなかった。だから幸子は間違っている。酒が原因で病院に担ぎこまれるか、自分から精神科へ出向いて酒癖を告白しないかぎり、人はアル中とは呼ばれないのだ。

酒の力だけで体を動かしているような毎日だったが、杉山は絶好調だった。その週のうちに村崎、三田嶋とシンボルマークやスローガンの二次選考、三次選考をする。細部のツメはまだだが、提出案はほぼ固まった。その合間に、ロクでもない半端仕事ではあったが、ようやくユニバーサル広告社に入りはじめた新しい仕事をこなす。墓所販売会社の広告だ。キャッチフレーズは『ぼちぼち墓地のこと』。村崎がデザインした「食卓を囲むゾンビの一家団欒」というビジュアルはボツになり、無難な霊園建築予定地の写真を使うことになっている。小鳩組の連中が読みたがるかどうかわからないが、CI企画書もつくりはじめた。俺は酒を飲んだほうが調子がいい体質なのかもしれない。雨に煙る窓の外の風景と同じようにアルコールで霞んだ頭の中で杉山はそう考えた。

週明けとともに雨雲が去ると、空には晴れ間が戻る。そのかわり風が冷たくなっていた。水洗いされ、タンスにしまいこまれるように、その年の夏が終わった。

しばらくぶりに河田がやってきたのは、水曜の夕方だ。打ち合わせに来ていた三田嶋が帰ってから一時間もたっていない。二人の因縁の対決はまたもお預けになった。

「あ、これ、差し入れ。プチドール七海のマロングラッセ」

河田は猪熊の顔色を窺いながら、小ジャレた小箱を差し出すが、猪熊が喜んだ様子もなく冷たい表情で受け取ると、少し悲しそうな顔をした。河田がヤクザであることはもう猪熊にもバレてしまっているが、猪熊は小鳩組はまともな建設会社だと信じこんでいて、河田を元ヤクザの社員だと思っている。ヤクザの直接的な暴力に怯える男に比べて、ハナから力で張り合う気などない女のほうが勇敢なのだろうか、猪熊は河田を格別怖がったりしない。ただし河田を見る目は、年頃の娘が洗濯機の中の父親のパンツを見るように冷たかった。

「おう、例のブツや」

杉山のデスクの前に来ると、河田はそっぽを向いたまま投げ捨てるように羊羹屋の紙袋を置く。猪熊への態度とはえらい違いだ。紙袋の中には、依頼していたアンケート用紙の束が入っていた。杉山が礼を言っても、いつもの怒ったような顔のままだったが、体は得意げにそっくり返っていた。

「社長さんは？」

河田が部屋を見まわして言う。石井は例によって外出中だ。

「ほな、待たしてもらうわ」

その言葉を聞いたとたんに猪熊が帰り支度を始めるのを見て、また河田が悲しそうな顔になった。

「石井に何の用ですか？」

杉山が尋ねても河田は答えようとせず、鼻唄で『傷だらけの人生』を唸りながら、ずろずろと部屋を徘徊しはじめる。

アンケートの束を数えてみると全部で三十七枚。服役中の人間を除くと小鳩組の構成員は八十人ほどだから回収率は半分にも満たないが、予想以上の成果だ。河田は時おり空咳をしたり、わざとらしくため息をついたりしている。誰かに話しかけて欲しいのかもしれない。知らんぷりをしていると、そのうち仕事場のあちこちをごそごそと物色する音が始まった。

アンケートを読むのに夢中になっていた杉山は、気にせずにほうっておくことにした。

「おおっ」

河田が聞こえよがしに驚きの声をあげる。

「なんや、そうやったのか、いやいやいやいや、こりゃ驚いた」

やっぱり気になるから振り返った。

「どうしたんです?」

河田は散らかりっぱなしの作業テーブルの中からパソコンのプリントアウト紙を取り出してながめていた。眉のない眉根を寄せて、顔から遠ざけるようにして文字を読んでいる。老眼が始まっているらしい。河田が見ているのは、ほぼ完成していたのにただの紙屑になってしまった鶴亀会館のカンプだった。

「泉田とは会《お》うた?」

河田の唐突な言葉の意味がわかるまで、少し時間がかかった。

「……泉田って、鶴亀の社長の?」

「そう、この間つかまったやろ、泉田」

河田は、知り合いのように慣れ慣れしく名前を呼び捨てにする。

「泉田さんを知っているんですか」

「ああ、ありゃ、カズ兄貴の組の筋の人間だからな」

「結婚式場の社長が!?」

驚いて問い返した。

「株買い占めてさ、筆頭株主になって送りこんだのよ。カズ兄貴のところは大手だからな、他にもそういう会社、いくつも持っとる。たぶんあんたらの知っとるような会社もあるぞ」

「じゃあ、L&B商事事件っていうのは……」

「いや、あれの絵を描いとるんは、もっと上、政治家ともツーカーの親分さんがおるところよ。カズ兄貴の組はそこの傍系《ながれ》だからな」

河田は杉山でも知っている有名な暴力団組織の名をあげた。杉山が驚いているのに気をよくしたのか、河田が一般常識に欠ける広告業者に業界事情を語る企業人のような口ぶりで言う。

「ま、わしらの業界もいろいろ大変よ。ドンパチで食っていけるわけやないからな。うちの組は、そんなに大きゅうないし可愛いもんよ。大手はいろいろ手広くやっとるわけだ。カタギの上のほうの人間ともつきあいはあるしな」

杉山は酔って頭を叩いたこの男が、急にまた初めて会った時と同じ得体の知れない生き物に思えてきた。なんだ、自分も石井もヤクザの仕事を請け負ったことを後悔する必要なんてない。鶴亀会館だって企業舎弟——間接的にはヤクザの会社だったのだ。いままでの得意先だってわかったものじゃない。杉山はこれまでユニバーサル広告社がかかわってきた会社を順に思い浮かべてみた。つい最近、半端仕事を依頼してきた霊園販売会社だって、怪しいと言えばじゅうぶんに怪しげだ。

「いま帰ったでぇ。杉ちゃん、村崎、差し入れや。苺のミルフィーユやでぇ〜」

呑気な声とともに帰ってきた石井が、河田の顔を見たとたん後ずさりする。河田が石井を壁際まで追いつめて、スーツの内ポケットに手を突っこむと、石井は震えてホールドアップした。河田は拳銃を抜き出すような手つきで携帯電話を取り出して、石井に目を据えたまま話しはじめた。

「ガラは押さえた。いまから行くと伝えてんか」

そして石井の肩を、ぽんと叩く。

「ほな、行こか」

「……行くって……どこへ」

「事業本部長が話があるそうだ」

「鷺沢さんが？……わしに」

石井は翁《おきな》の能面を張りつけたような泣き笑いの表情になった。怯えた視線が杉山にすがりついてくる。

「俺も行きましょうか」

立ち上がろうとする杉山を河田が制した。

「いや、社長さんとサシで話したいと言っとった。あんたはええよ。仕事があるやろ」

石井はこの世の見納めというふうな悲壮なまなざしで、何度も杉山たちを振り返りながら河田と一緒に出ていった。

「なんだろう？」

杉山は村崎と顔を見合わせる。

「もっと優しくしとけばよかったな」

村崎は、もう石井が帰ってこないとでもいうふうな口調で言って、石井の分のマロングラッセとミルフィーユに手を出そうとする。それを取り上げた杉山は、アンケートを集計しながら石井の帰りを待つことにした。


Q１．あなたは何をしたくてピースエンタープライズ（小鳩組）に入ったのですか？　組織入りの目的を教えてください。

『遊んで暮らすため』

『出世。ヤクザなら中卒でも出世できる』

『金』

『女にもてたかった』

『人をビビらすのが楽しい』

『けんかに勝つため』

『かっこいい男になる』

『金がもうかるとムショでさそわれたときに山下さんがそうゆっていたけど入ってみるとぜ

んぜんそんなことはなくて山下さんも金がほしかったらじぶんでかせげってゆうばっかりで
この間も（以下略）』

『つまんねえこと聞くんじゃねぇ』

『（おめこマーク）』

『ハジキを撃ってみたかった』

『クスリがただになるから』

『太く短く生きる』

河田は、皆、人に自分のことを話すのは嫌いだと言っていたが、結構きちんと答えが埋まっている。回答欄を大きくはみ出して綿々と綴られた文章もいくつかあった。直接顔の見えない人間には、話したいことがたくさんあるのかもしれない。

回答を大きく分けると、組織に入った目的の中で一番多かったのは、『かっこよく生きる』『他人にでかい面をする』『この世界で出世する』といった「ヤクザ人生への期待」だ。二番目の目的は『金』。『女』『遊んで暮らす』などの「享楽目的」がそれに続く。便所の落書きのように欲望剝き出しでストレートだが、考えてみれば就職学生が会社を選ぶ時の理由、たとえば『自分を生かせる』『社会的なステイタス』『高収入』『よりよい結婚』などと大差ない。言葉が何の粉飾もなく吐き出されているだけの話だ。

『親父さんのために命を張る』『○○兄貴に体を預けた』などという回答もめだったが、こういうヤツにかぎって無記名なのに名前を書いてきている。どこの世界も一緒だ。

Q２・あなたはどのような事情でピースエンタープライズ（小鳩組）に入ったのですか？

組織入りした年齢ときっかけを教えてください。

『族の先輩に誘われた（十九歳）』

『坪内さんにめんどうを見てもらったから（十七歳）』

『ムショでこないかと山下さんにゆわれた（三十二歳）』

一番多かったのが「誰かの勧誘」。暴走族、刑務所、少年院で知り合うケースが多いようだ。その他、こんな言葉が続く。

『年少から出たけどどこも雇ってくれない（二十歳）』

『就織（原文ママ）先の工場がつぶれたから（十八歳）』

『父親もヤクザ（二十一歳）』

『家出をして行くところがなかった（年齢不詳）』

『後藤の兄貴に借金を肩代わりしてもらった（二十五歳）』

『学校中退（十七歳）』

『クスリがただになる（二十歳）』

『母ちゃんが男と逃げた（十五歳）』

『きっかけって何？（年齢不詳）』

『つまらねえこと聞くんじゃねぇ（十九歳）』

『（おめこマーク）　百五十歳』

　不幸と怨嗟の羅列だ。まるで文字の間から恨みの声が立ちのぼってくるようだった。もちろん残りのすべてが、そうした回答ばかりというわけでもなく、『ある日、ふと思い立った』『ガキの頃から憧れていた』といった気軽な動機が書かれたものも多い。しかし、その言葉の裏にも幸福な事情があるとは思えなかった。

『親の離婚　中学中退　カズ兄貴の勧め』

　単語を並べたような回答がひとつ。壁に貼ってあるのと同じ河田の字だった。

Q５．では、現在のあなたの夢は？
『幹部に出世』（同様の回答多し）
『シノギをふやしたい』（同様の回答多し）
『いれずみを最後まで彫る』
『ヒモ。目標は女四人以上』
『休暇が欲しい』
『心の平和』
『月収百万』
『チンポにシリコン玉を入れる』
『ベンツＣ２２０を買う』（イラスト入り）

『家族と自分の健康』これはたぶん河田。

そうとも、誰にだって夢はある。誰だって幸せになりたい。彼らが小鳩組に入った年齢は、大半が十代後半から二十代の前半にかけて。人生のスタートラインを最初から人より後方に下げられてしまった人間が他人に勝とうとしたら、インテリたちが持っていない暴力で勝負するか、自分たちに不利な体制の裏をかいて一発逆転を狙うかが、一番手っとり早いだろう。しかもそれは痛快だ。ヤクザだけじゃない、誰もが映画やゲームや小説やドラマの中で、暴力と破壊と反社会を喜んでいるじゃないか。他人の苦痛は痛くも痒くもない。他人の不幸は自分の幸福の証だ。杉山は、河田と酒を飲んだ晩、サラリーマンの尻を蹴飛ばした時の背筋の震えを思い出した。

最後の質問はこれだ。

Q６．ピースエンタープライズの新しいシンボルマークにどんなものを望みますか？

杉山は何度もそこを読み返した。

十時近くになってようやく石井が帰ってきた。ダブルの背広を肩に羽織り、ポケットに手をつっこんで、いつもなら必ず履き替える健康サンダルを蹴散らしながら、荒い靴音を立てて部屋に入ってくる。

「石井さん」

杉山が声をかけると、口の端に爪楊枝《つまようじ》をくわえたまま、つっかかるような声を返してくる。

「おう、なんや」

顔が真っ赤だった。充血した目がとろんと半分閉じていて、体がゆらゆら揺れていた。

「……ひょっとして、酒、飲んでます？」

「おおよ。たまにはわしかて、酒ぐらい飲むわい。グイグイいってしもら」

グイグイといったって、どうせビールをコップ半分ぐらいだろうが、石井は泥のように酩酊していた。ろれつがまわっていない。

「何かあったんですか。何の話です？」

「ま、エグゼクティブ同士の情報交換ちゅうとこらね。案外、ええ人られ鷺沢さん。いろいろ教えてもろた。取引先が倒産した時の債権の取り立て方とかな。支払いが焦げついてるとこがあったら、いつでも言うてくれってな。ま、うちの場合、支払いを焦げつかせとるほうらけどな」

築地の料亭に行ったという。社長といっても零細企業だし酒も飲めないから、石井はそんな所で接待したこともされたこともないだろう。

「リムジンやで。わし、初めれ乗ったわ。リムジンで乗りつけるとな、若いのんが並んで挨拶しよるんら。お疲れさまです、って。見せたかったで。わし、なんだか小林旭みたいやったな」

「河田さんは」

「ありゃ、下っぱよ。鷺沢さんの前じゃおとなしいもんら。部屋に入れてもらえんで、襖《ふすま》の外でうろうろしとった」

「ヤクザはダニだったんじゃないんですか」

皮肉たっぷりの口調で言ったのだが、慣れない酒に浮かれた石井は気づきもしない。

「ま、どうせ今回かぎりや。いい人生経験したと思えばええんら。渡世の義理っちゅうもんじゃ。あちらさんの男も立てにゃぁいかんじゃろ、のう」

ヤクザは嫌いでも、ヤクザ映画は嫌いではないらしい。小林旭とは似ても似つかない顔で『仁義なき戦い』の小林旭みたいなセリフを吐く。

石井の機嫌がいいのは、酒とVIP扱いされた自分に酔っていただけではなかった。鷺沢から今回の仕事のギャラが提示されたためだ。小鳩組から支払われる金は、ユニバーサル広告社の社史に残るような破格の額で、しかも前払いだという。

「さすがヤーさんや、話は早いし、金払いもええ」

「なんだか話がうますぎるな」

「悪い癖やで、杉ちゃん。すぐ物事悪う考えるんやから。心配ないて、わしかてアホやない。金は払わん、なんて後から言われら困るやろ、だからそれとな〜く手付けをもらわんことには仕事はできん、と言うてやったんら。このへんは駆け引きやね。ほしたら、ポ〜ンと前払いときた。鷺沢さんもまだまだ青い。ま、わしのほうが一枚上手だったっちゅうことかいな。せや、今年の冬は社員旅行に行こうら」

「おお、バナナワニ園に行こう」

村崎の言葉に石井は肩をすくめてみせる。半開きの酔眼を村崎へ向け、ちっちっちっと爪楊枝を振った。

「けちくさいこと言いないな。海外や。ハワイでもホンコンでもええれ。なんならアフリカに本物のワニ、見に行こか？」

「おおっ」村崎が感動の叫びをあげる。

石井が下ぶくれの丸顔には似合わない、ウルトラマンみたいなサングラスを愛用しはじめたのは、その翌日からだ。

5

目が覚めると、そろりと頭を持ち上げて軽く左右に振り、頭痛がしないかどうか確かめる。このところの毎朝の習慣だ。だいじょうぶ、痛くない。眼球の底が軽く疼き、頭の奥で虫の羽音のような耳鳴りがするだけだ。

ブゥ〜〜〜ン。

酒の量は日に日に増え続けているが、二日酔いの症状はしだいに軽くなっている。この一カ月でアルコールへの耐性がだいぶ回復したようだ。いや、回復ではなくて悪化か。

時刻は六時半。前の日にかなりの酒を飲んでもなぜかこの時間に目が覚めてしまう。これも毎朝の恒例だ。たった五日間だったが早苗に叩き起こされた時間を、体が記憶してしまったのかもしれない。杉山は目を閉じて眠りを取り戻そうとした。今日は小鳩組へのプレゼンテーションの日、広告制作者の決戦の場だ。スポーツ選手のようにコンディションを整えておかなくては。

しかし開封してしまった封筒と同じで、一度開けた瞼はなかなか閉じようとはしない。気になりはじめると耳鳴りも、群がる虫の数が増えるように大きくなっていった。

ブゥ〜〜ンブゥゥ〜〜ン。

眠るのをあきらめてベッドから抜け出し、煙草をくわえる。湿った雑巾をくわえたような味しかしなかった。コーヒーを淹《い》れるための湯を沸かす間に、テーブルの上に散乱したワンカップ大関やウイスキーの空ボトルをゴミ袋に叩きこむ。今日は朝酒の世話になるほどのことはないし、プレゼンの日にそんなことをするほど馬鹿じゃない。ここが俺と本物のアル中との違いだ。

食欲はまったくなかった。胃の中に朝飯がわりのポカリスエットを一本、インクのように濃いブラックコーヒーを二杯流しこんでも、頭の中の小うるさい羽虫は消えようとしない。プレゼンは午後一。できれば、それまでに酒を抜いておきたかった。

そうだ。突然、杉山は思い立ち、着替えはじめる。着替えといっても寝巻用のスウェットの上下を、外出用のスウェットの上下に着替えるだけだ。首にタオルを巻き、玄関の何足もない靴の中からスニーカーを選びだして履く。体を動かしてみよう。昔、何かで読んだことがある。名プレーヤーだが大酒飲みのあるプロ野球選手の話だ。その男は朝まで浴びるほど飲んだ酒をいつも試合前に走りこんで抜くのだ。脱いだ帽子にゲロを吐くこともある。だから彼の汗は、いつも酒の臭いがした。そんな逸話だった。

窓の外はいい天気だ。九月最後の一日は、鬱陶しいほど晴れ渡っている。走ればたっぷり汗がかけるだろう。杉山は皮膚の裏側にこびりついた油汚れのようなアルコールを汗とともにすべて洗い流して、熱いシャワーを浴びる瞬間を想像した。それはなかなか魅力的な光景だった。

ドアを開けて外へ飛び出す。昇ったばかりの切っ先鋭い太陽の光に射られて、つぶった目の奥がずきりと痛んだ。マンションのエントランスを出て、路上へそろりと足を踏み出した。一キロほど先に大きな公園がある。そこまで走り、一周だけ回って戻ってくるつもりだった。

表通りに突き当たると、駅とは反対の左側へ折れる。まだ陽が昇ってまもない時刻なのに、舗道には駅へ向かう勤め人たちが急ぎ足で歩いていた。一瞬、膝に穴の空いたスウェットパンツを穿いてきたことを後悔したが、うとましげな視線を浴びながら、逆流をさかのぼるように低血圧気味の不機嫌な人々の間をすり抜けていくうちに、杉山は奇妙な爽快感に囚われてきた。いつか河田と一緒に七海の夜を歩いた時の感覚に似ていた。どいつもこいつもみんなカビゴンだ。都心近くに住んでいるのに朝六時半に出ていくカビゴンの素敵な仲間たちだ。俺とは人種が違う。ごくろうさん。この国を指図しているのが誰かは知らないが、この国を支えているのはあなたたちの勤勉さだ。俺に構わず、今日も一日ささやかな幸せをつかむためにがんばってくれたまえ。

模造煉瓦の舗道に一歩ずつ足を踏みこむたびに頭蓋骨がきしみ、膝頭が悲鳴をあげたが、我慢して足を動かしているうちに、しだいにやわらいでいった。耳鳴りもいくぶん静かになったようだ。杉山はストライドを少し大きくして、早足程度だったスピードをランニングペースにあげた。

陸上部に入っていたのは高校の時だ。とりわけスポーツが得意というわけでもなかったが、なぜか長距離だけは誰にも負けなかった。専門は五千メートル。インターハイの県予選では決勝まで残ったが、二年の途中でやめた。煙草を覚えてタイムが伸びなくなったからだ。その頃はトラックで先頭に立つことより、同級生たちが誰も知らない音楽を聴き、本を読み、映画を観る密かな優越感のほうが、はるかに上等だと信じていた。思い出すだけで身悶えするほど恥ずかしい時代の話だ。

一キロほど先の公園まであと少し。最近の運動らしい運動といえば、早苗とサッカーをするぐらいだが、そのわりには体がうまく動く。なんだ、俺もまだまだいけるじゃないか。本気で走れば高校時代と同じぐらいのタイムも夢じゃないかもしれない。長距離ランナーは案外に選手寿命が長い。瞬発力は若者だけの特権だが、持久力は衰えにくいのだ。

信号を待ちながら足踏みをして呼吸を乱さないようにする。横断舗道の向こうで腋の下に新聞を挟んだ紺スーツの中年男がこっちを見ていた。目をそらしたとたんに顔を忘れてしまいそうな平凡そのものの男だ。道を横切るクルマが途絶えたところで、杉山は青になるのを待たずに走り出す。律儀に信号が変わるのを待ち続けている紺スーツの肩を、通りすがりにぽんと叩いて言ってやった。

「お勤め、ごくろうさん」

目の隅に紺スーツのぽかんと惚けた顔が流れていった。いい気分だった。額には汗もにじんできた。杉山は口を大きく開けて、秋の涼気を深呼吸する。

そのとたんだった。突然、強烈な吐き気が襲ってきた。胃の中身が食道へ逆流を始め、たまらずに道端にしゃがみこむ。さっきまでコーヒーとポカリスエットだったものが、酸っぱい臭いとともに口からふき出してくる。頭の中の羽虫が一斉に飛び立ち、耳から抜け出た無数の羽虫が、皮膚の上をうぞうぞ這いずりまわっているような悪寒が走った。

ブゥ〜ンブゥ〜ンブゥゥ〜ン。

口を拭って顔をあげると、紺スーツがいまにも鼻をつまみそうな顔で、こっちを見ていた。

杉山は口を拭いながら残った胃液を絞り出すように言う。

「何、見てんだよ」

紺スーツはあわてて目をそらした。きっといまの杉山は、河田たちと同じ目つきをしていたに違いない。杉山は思った。このままじゃ駄目だ。俺は駄目になる。

眼前にそびえ立つ城壁のような白塀を仰ぎ見て、杉山、石井、村崎の三人は立ちすくんでいた。普通の家三軒分の間口がありそうな長く高い塀の上には鉄条網が張りめぐらせてあり、黒塗りの必要以上に大きな乗用車が外壁に沿ってずらりと並んで停まっている。獰猛な大型獣を思わせるそれぞれの車の脇には、ひと目でその筋とわかる男たちが張りつき、佇む三人に剣呑《けんのん》な視線を向けていた。

午前中に、プレゼンテーションの場所を変更するという連絡が入り、急遽ここに呼びつけられたのだ。小鳩源六の私邸だ。小鳩源六の体調が思わしくないためだという。駅前で拾ったタクシーのお喋りな運転手は、行き先を告げたとたんにひと言も喋らなくなり、三人をここに放り出すやいなや一目散に逃げ去った。

「どこから入ればいいんだろう」

杉山が呟く。壁のまん中あたりに三段ほどの石段があり、その先に瓦屋根を載せた大きな木戸があるのだが、石段の各段に二人ずつ、六人の男たちが神社の狛犬のように並んでいるのだ。裏口か通用門があるなら、ぜひともそちらを選びたかった。

「杉ちゃん、声が震えとるで」

「石井さんこそ」

「武者震いやがな」

石井は金縁眼鏡をはずし、かわりにスーツの内ポケットから取り出したサングラスをかけた。このところ愛用している、キツネ目型の度付きサングラスだ。サングラスを光らせて振り返った石井はなんだか変だった。ハの字型の眉を無理やりつり上げ、顔の片側だけで笑い、妙に落ち着き払った言葉を放つ。

「まぁ、ここはわしにまかせ。ユニバーサルの石井を知らんことはないじゃろ。なんせ本部長さんとは盃を交わした仲じゃからのぉ」

なんだか声まで変わっている。まるでビリー・ミリガンだ。小林旭の生霊が憑依《ひょうい》したのかもしれない。止める間もなく石井は二人の先に立ち、なで肩をゆらゆら揺らしながら門の前に歩き、ガードを固めた男たちに、「いよっ」と鷹揚に手をあげる。そのとたんに襟首をつかまれた。

「待たんかい！　誰だぁ貴様ら」

「ユ、ユニバーサルの石井や」

「ここをどこだと思っとる！　ＮＨＫなら払わんぞ」

門の向こうからパンチパーマの石井青年が飛んできて、三人はようやく中に入ることができた。外から見る以上に邸内は広い。左手はいくつもの築山が連なる日本庭園になっていて、石造りの橋がかかった大きな池にはマグロと見まがうばかりの巨鯉が群泳していた。右手は広い芝生だ。奥のほうにはゴルフ場そのままにピン・フラッグが立っている。

〝ふぎゃあっ〟

杉山の背後でけたたましい悲鳴がした。猫だ。

「うぎゃあっ」

動物が嫌いな村崎も悲鳴をあげる。踏んづけてしまったらしい。村崎の足もとから黒猫が不吉な毛色を光らせて駆け逃げていき、築山の向こうの紅い鶏頭の花群れの中へ消えていく。

よく見ると庭園のいたるところに夥《おびただ》しい数の猫が群れていた。どれもこれも血統書のついていそうな外国種。村崎が顔をしかめて、ひょろ長い背丈を縮めた。小鳩源六は見かけによらず動物好きのようだった。

『任俠不滅』と書かれた掛け額の飾ってある旅館並みの広さの玄関へあがり、パンチパーマ石井の後に従ってぎしぎしきしむ長い廊下を歩く。豪華な数寄屋造りの邸宅だった。内装もそこここに置かれた調度も、個人の住宅というより、まるで老舗の日本旅館だ。空調もないのに、邸内の空気はひんやり冷たい。中庭に面した回廊の途中でパンチパーマ石井が立ち止まり、ぴたりと閉じた襖の向こうに緊張気味の声を張りあげる。

「おすっ、お連れしましたっ」

「おう、入れ」

聞く者の背筋を伸ばす桜田の声が返ってきた。襖の中は五、六十畳ほどの大広間で、本部ビルの会議室同様、コの字型に座卓が並べられている。昼にもかかわらず仄暗い座敷の奥に小鳩組の幹部たちが魑魅魍魎《ちみもうりょう》のごとくうずくまり、鋭い目を光らせていた。どこへ座ればいいのかはすぐわかった。コの字と向かい合わせに、ぽつりとひとつだけ机が置かれている。正面の席の左手に、折り目正しく正座をした鷺沢。右手にはあぐらをかいていても鷺沢より座高の高い桜田。真ん中の小鳩の席は空いたままだ。一度入ったお化け屋敷のようなもので、二度目の小鳩組幹部会に怖《お》じけづくことはないだろう、そう考えながら杉山は出席メンバーを見渡した。

やっぱり怖かった。幹部たちの数が増えている。治まりかけていた二日酔いが一気にぶり返してきた。前回はいなかった何人かの新顔のうちでも一番凶悪そうな顔をした男と目が合ってしまう。生え際に深く剃りこみを入れ、額がアルファベットの「M」の字になっている三白眼の男だ。

「こ、こ、これはなんなの。ここここいつらなんなのよ？　説明してちょう。俺、ふ、ふ、府中から出てきたばっかで、よおわからんでよぉ」

「Mの字」が吃音気味の巻き舌で言い、杉山たちを三白眼で睨んでくる。鷺沢が細面の面立ちをMの字に向け、事務的な声で言った。

「さきほどご説明したと思いますが、黒崎常務」

「だから、そ、そ、その常務って何？　俺、若頭補佐《ほさ》だろがぁ」

鷺沢が冷静に説明を始めた。後の連中は例によって張り合うように沈黙したままだ。今日はコの字型の末席に河田が座っていた。幹部たちの前で緊張しているらしく、背筋がしゃきりと伸びてやけに姿勢がいい。ユニバーサルの応接用ソファーに、骨なしクラゲのようにへばりついている姿とはまるで別人だ。

石井も前回とは別人だった。危ういほど堂々として見えた。部屋に入ってもサングラスをはずそうとせず、丈の短い体を伸ばして部屋を睥睨《へいげい》し、鷺沢の顔を捉えると、いよっ、と片手を上げて親しげに挨拶をする。だが、その様子に眉をひそめた桜田にひと睨みされると、下を向いてこそこそとサングラスを金縁眼鏡にかけかえた。やっぱりまだ怖いらしい。

突然、奥の襖が開いた。

「やぁやぁやぁ遅くなったの」

小鳩組長だった。座椅子に座ったままだ。二人のブラックスーツに座椅子ごと抱えられて入ってきた。

「親父さんっ！」

「ご無事で!?」

幹部全員、いきなり正座になった。杉山たちは顔を見合わせながら彼らにならって座を正す。小鳩源六は輿《こし》に乗った貴人のごとく一同に手を振り、笑顔を振りまき、ブラックスーツたちは尊いご本尊を安置するような、うやうやしく慎重な動作で小鳩を乗せた座椅子を所定の位置に据えた。本当の仏像みたいなアルカイック・スマイルをたたえた小鳩は、血色がよく、体調が悪いようには見えない。あぐらの上にモヘヤのひざ掛けに見える大きなペルシャ猫を載せていた。

「具合はいかがです、親父さん」

桜田が悲痛な顔つきで尋ねる。

「心配かけてすまんの。まぁ大事はない。今朝な、鯉に餌をやっとったら、猫が一匹かじりついてきよって、たまげた拍子に腰をぎっくりとやってしもうてな」

小鳩はペルシャ猫の和毛《にこげ》をなでながらのんびりと言う。本当にたいしたことはなさそうだ。

「ど、どの猫っすか、親父さん。お、俺がけじめつけさします」

黒崎がMの字の額を紅潮させて叫んだ。

「黒くて、喉の下だけ白い毛があるやつ」

　唇を尖らせ、甘えっ子じみた口調で小鳩が言う。冗談だと思ったのだが、黒崎は本当に部屋から飛び出していく。ほどなく庭から高く乾いた破裂音が響いてきた。

パァ〜ン。

ユニバーサルの三人の背筋が同時に伸びた。杉山の全身に再び悪寒が這う。村崎は目を閉じて机の下で合掌していた。

「どちらさんも、よろしゅうございますか。よろしゅうございますね。ほな、いかしてもらいまっさ」

石井の妙な挨拶でプレゼンテーションが始まった。今日の石井は後は座っていればいいのだから気楽なものだ。プレゼンで喋るのはいつも杉山の役まわりだった。三人の真ん中に座った杉山が立て膝になって身を乗り出すと、指名手配ポスターのようにずらりと並んだ凶相が、一斉に鋭利な視線を投げつけてきた。小鳩組長の猫までこっちを睨んでいる。杉山は咳払いをするふりをして、てのひらに書いた「人」という字を呑みこむ。この業界に入ったばかりの駆け出しの頃によく使っていた手だ。意外に効きめがある。目の前に並ぶ人間たちをカボチャ畑だと自分に言い聞かせれば、さらに効果的だ。杉山は大きく息を吸い、吐き出してから口を開いた。

「では、始めます」

まずＣＩ企画書を配る。二十ページの労作だったが、予想通りほとんどの連中が中を見もせず、ウチワがわりに使い出した。まぁプレゼンではよくあることで、気にするほどのこともない。企画書は内容より厚さを見せるものだ。

すぐにスローガン案の説明に入った。用意してきたプレゼンボードを取り出す。パソコンからプリントアウトした文字を貼りつけた厚紙だ。テレビ番組で使われるフリップを想像してもらえばいい。全部で十枚、一枚につきスローガンはひとつずつ、遠くからでも読める大きな文字で、それぞれに凝った書体で色も変えてある。小さな文字で打てばペーパー一枚に収まるような内容だったが、広告のプレゼンテーションは一種のショータイムだ。そんな馬鹿なことはしない。演出しだいで同じ言葉が金科玉条の名文句にも、つまらない駄文にも見えてしまう。だが小鳩組に関していえば、そんな小細工は無用だったようだ。

「ススローガンって何よ？　説明してちょう」

「ほれ、あれさね、黒ちゃん、防犯標語みたいなもんだ。『人間やめますか、シャブやめますか』つーやつよ」

「ヤヤヤクザが、ぼぼ防犯ポスターつくってどうすんの！　みんなが本気にしたら困るじゃにゃあの」

鷺沢が説明を引きつぎ、杉山は一枚ずつボードを見せて解説を加えたが、どれもこれも反応はもうひとつだった。

『日本の暮らしを裏から支える』

「ようわからん」

「裏っちゅうのは、ビデオのことか？」

「その言葉の後にな、任侠不滅つう言葉を入れたらどうじゃろう」

『いつもあなたの心の中にいます』

「あなたちゅうのはなんじゃ。女じゃあるまいし。気色悪い」

「任侠不滅つう言葉を入れたらどうじゃ」

「もっとびしっとストレートに行かんかい！」

ストレートに言えないから苦労しているのだ。十枚目の説明が終わるのを待っていたように、突然、鷺沢が立ち上がる。

「こちらでも、ひとつ考えました。あわせてご検討ください」

手に軸付きの巻物を握っていた。全員を見まわしてから、腕を高くさしあげると、緞帳《どんちょう》のようにするすると巻物が開く。掛け軸だった。豪華な縮緬《ちりめん》和紙に素人臭い墨文字がしたためてある。

『鳩のごと　ピースの願い　空高く』


なんだ、これは？　幹部たちも杉山と同じことを思ったらしい。ひとりが言う。

「なんじゃ、そりゃ。ガキの習字か？」

裁判所の前で勝訴と書いた紙を見せる男のような晴れがましい表情で鷺沢が答えた。

「社長がお考えになったものです」

「おおっ」

場内の冷笑めいたざわめきが一瞬にして感動のどよめきに変わる。ガキの習字よばわりした男は口から泡を吹いていた。スローガン案は満場一致で組長案に決まり、杉山は大きなため息をついてプレゼンボードを伏せる。一カ月間の苦労が一瞬のうちに水の泡だ。自分の言葉がヤクザのスローガンに使われるのには抵抗があったが、拒否されればやはり腹が立つ。残り少ない歯磨きのチューブを絞るように気力を奮い立たせて、杉山は再び口を開いた。

「続きましてシンボルマークをご提案いたします」

スローガンと同様、これもひとつずつ拡大してプレゼンボードに貼ってある。広告のプレゼンテーションの場ではほとんどの場合、複数の案が提案される――ちなみに最も面白いアイデアが日の目を見る確率は低く、世に出るのは一番無難なものであることが多い――のだが、この出す順番が結構難しい。言ってみればピッチャーの配球のようなものだ。どこで決め球を投げるか、どれを見せ球にするか、その組み立てがプレゼンの成否を少なからず左右する。杉山はいきなり直球ストレートでいくことにした。村崎の『へちま』だ。

「一案目はこれです」

青い長方形の中に、真ん中がへこんだ緑色の楕円形が横たわっていた。青と緑が微妙な色合いを見せている。奇妙なデザインだったが、完成したものを見ると確かに悪くはない。悪くはないが、何だかよくわからない。

「そいつは、いったい何なんだ?」

幹部の一人から声があがる。いい質問だ。いったい、これは何なのだろう?

「無限大を表す記号を図案化したものとでも申しましょうか」杉山はもっともらしい顔で言った。「新しい時代を覗く双眼鏡のイメージとお考えいただいても構いません」

せっかく杉山がこじつけの解説を加えているのに、横から村崎が口を挟んできた。

「へちまだよ」

「次、お願いします」

鷺沢が切り捨てるように言う。初球はボール。しかも大きくはずしてしまった。

二案目は三田嶋案。村崎が球は速いがどこへ投げるかわからない剛速球タイプのデザイナーだとすると、三田嶋は軟投型だ。パワーは足りないが、的はあまりはずさない。

「月並みじゃのう」

河田が言う。こいつに言われる筋合いはない。

「なんかこう、ガツンと来るもんがない。コンパクトが足りないっつうの?」

河田はいいかげんな横文字を使って得意げに胸をそり返らせ、幹部たちの顔を窺う。

「さすがじゃ、河田。わしもそう思うとった」

向こう傷の老人、藤村顧問が賛同すると、河田の胸がますますそっくり返る。どうやらユニバーサル広告社に出入りしているというだけの理由で、河田は小鳩組の中では広告宣伝のエキスパートということになっているらしい。二球目もボール。

もうひとつ三田嶋案。翼を広げた鳩のシルエット。図形の中は雲の浮かんだ青空になっている。目をすがめてボードを覗きこんでいた桜田が唸り声をあげた。

「それはマグリットだろう」

驚いた。確かにこれはルネ・マグリットの絵画のパクリだ。しかし、なぜ桜田が知っている？ 杉山も気づいてはいたが、小鳩組の連中は知りもしないだろうとタカをくっていたのだ。思わず情緒のかけらも窺えない、ネアンデルタール人にダブルのスーツを着せたような桜田を見つめ返した。よく見るとネクタイの柄はキース・ヘリングだ。これでノースリー。

四案目は村崎案。二匹の龍が絡み合う刺青のような色と図柄だ。

「おお、いいじゃないの」

何人かが称賛の声をあげる。すかさず石井が言った。

「こらちの親分さんが辰年のお生まれと聞いちょります。それでうちのデザイナーが気ぃきかせたんですわ。なんでもかでも右下がりのご時勢でっさかい、昇り龍は縁起もええ」

ナイス・フォロー。今日の石井は、舌の下にもうひとつ舌があると評判の、いつもの石井に戻っている。当の村崎は、きょとんとした顔で何か言いたげに口をもごもごさせていたから、余計なことを言い出さないうちにボードで顔を隠した。しかし、ようやく摑みかけた成功の細い糸を鷺沢のひと言がぷつりと断ち切ってしまう。

「これでは、まともな企業に見えないでしょう」

まともな会社じゃないだろう、そう言いたいのを我慢して、杉山は言葉の意味がわかりかねるというふうに愛想笑いを浮かべて首をかしげてみせた。鷺沢は容赦なく言葉を続ける。

「第一、汎用性がないですね。デザインが複雑すぎます。この大きさではデザインとして成立していても、実際に使われる、もっと縮小されたサイズではどうでしょう。これが名刺用のマークやバッジになりますか？」

残念ながら正論だった。返す言葉もなく杉山は掲げたボードを倒す。これでボールフォア。

五案目の三田嶋案を差し出したとたん、プレゼンテーションより猫のノミ取りに心を奪われていた様子の小鳩組長が「おおう」と声をあげた。全員が振り返る。三田嶋のデザインに感動したわけではないようだ。小鳩は口元から笑みを消し、結んだ唇の下に梅干しをつくっている。仏顔がほんの一瞬、仁王像に見えた。片手を振りながら、もう一方の手で猫の首をつかみあげている。どうやら構いすぎて引っ掻かれたらしい。

「ああっと、これ、もうええわ」

部屋の隅で正座していたブラックスーツのひとりに放り出すように猫を渡す。男はぎゃおぎゃお鳴く猫を抱えて部屋を出ていった。ほどなく中庭の方角から破裂音が響いた。

パァ～ン。

猫の鳴き声がぱたりとやみ、ユニバーサルの三人はひきつった顔を見合わせた。もし、すべての案が否定されたらどうなるのだろう。杉山は考えはじめたが、すぐにやめた。あまり心楽しくない想像だった。

五案目、六案目の三田嶋案もあっさり却下され、いよいよ後がなくなってきた。杉山はここで決め球を出すことにする。ただし、とんでもない変化球だ。

「これはどうでしょう。おすすめです」

胸の内の渦を巻く不安を隠した自信満々の表情で、七枚目のボードを取り出す。一か八かの賭けだったが、杉山には確信めいた予感があった。決まるとしたらこれだ。職業上の勘とキャリアがそう囁いている――。

プレゼンテーションを成功させる秘訣は、相手の想像を裏切ることだと杉山は思っている。誰もが予想していたようなアイデアでは、人の心を動かすことはできない。今回の場合でいえば、まず相手がヤクザだという先入観は捨てること。むしろヤクザだからこそ、非ヤクザ的なものを提案する必要があるのだ。そう考えた。殺伐とした日々を送っている彼らは、心の中できっとこういう純粋で罪のないものを求めているに違いない。

裏を向けていたボードをゆっくり表に返す。小鳩組幹部全員が目を見開き、言葉を失った。時計の針の音まで聞こえそうな沈黙が続いたのちに、桜田が興奮した声をあげる。

「おい、こいつは……」

こいつは、ピーちゃん。いつかの晩、早苗がレイアウトペーパーに落書きした鳩のピーちゃんを、村崎に頼みこんでアレンジし直したものだ。馬鹿げた思いこみと言ってしまえばそれまでだが、ここに並ぶヤクザたちも人の子、この絵に心を動かされる気がしてならなかった。涙さえするかもしれない。自分と同じように。

「……これ、バッチにするんか？」

桜田の問いに杉山はにこやかに答えた。

「ええ、名刺や看板にも」

桜田のゴルフ焼けした頬が、赤黒く上気しているように見えた。こういう直情型の男ほど、ピーちゃんには弱いに違いない。サービスでオリジナルネクタイをつくってやってもいいな。

杉山がそう考えはじめたとたん、桜田が爆発した。

「ふざけんじゃねぇ！　こんなもんつけて、街歩けるか！」

その声を合図にしたように、幹部たちが一斉に騒ぎ出した。いままでのどの案よりも辛辣な意見が、よりストレートに言えば罵詈雑言が、飛んでくる。言わんこっちゃない、と言いたげに杉山の隣で村崎が首を振る。やっぱり、馬鹿だったか。俺はただの親馬鹿だ。

「ジョークですよね」

鷺沢がにこりともせずに言う。

「誰よ、こいつら、呼んだの」

幹部の一人が吐き捨てるように言うと、前回の会合で帝国エージェンシーの光岡を子分呼ばわりしていた男が凶悪な目つきで杉山を睨めつけた。

「まさか、これで終わりじゃあるまいな」

石井も「まさか」というこわばった顔で杉山を振り仰ぐ。さっきまで度付きサングラスで隠していた怯えた目がすっかり丸見えになっていた。もちろん、これで終わりじゃない。この次で終わりだ。

「最後の案です。とっておきの自信作です」

あまり自信はなかった。万が一に備えてつくっておいたものだった。これも賭け。しかも反則技。ビーンボールすれすれだ。一歩間違えれば、ピーちゃん以上に彼らを怒らす結果になる。杉山はひとつ息を吐いて、ポーカーの切り札をオープンするようにボードを表に返す。

今度は間髪を入れず鷺沢から冷たい声が飛んだ。

「お話ししたはずだ。こんなものをお願いした覚えはない」

裁判官が判決の木槌を叩くようにボールペンでテーブルを叩く。却下というわけだ。そして早く仕舞えというふうにボールペンを振る。何か反論しなくては。何でもいい、とにかく反論だ。杉山は頭の中の言葉の引き出しを必死で探ったが、ただのひと言も出てこない。口をぱくぱくさせているうちに、藤村老人が重い空気を断ち割る鋭い声を出した。

「鷺沢、こんなものとはなんじゃ。これは……これは……」

喉に痰をつまらせてしまった老人の後を継ぐように、ボクサー鼻が言う。

「代紋だ、黄金瓢箪《こがねびょうたん》だ」

そう、代紋だ。「黄金瓢箪」という名前までは知らなかったが。正確に言うと小鳩組が数年前まで掲げ、現在は組員に使用を禁じている代紋を、グラフィック・アート風にアレンジしたものだ。真円形のフレームの中にひょうたんのシルエット。色は金色にも見える「特色・DIC124」。河田から受け取ったアンケートの答えを見て、急遽つけ加えたものだ。獰猛な面構えの幹部たちが夢みる少女のような瞳でボードに描かれたマークに見入っている。

アンケートの最後の質問『あなたはどんなシンボルマークを望みますか？』に対する答えは、こうだった。

いらない……………………十一人
昔の代紋を使いたい…………九人
昔の代紋のようなマーク………七人
その他・無回答………………十人

降ろしているはずの代紋が、小鳩組のあちこちに残っていることには、最初に本部ビルを訪れた時から気づいていた。ドアノブに彫りこんであったし、テーブルのシガレットボックスや創立三十周年記念という銘の入った置き時計にも飾られていた。この大広間の床の間に置いてある兜の紋にも。村崎がうわ言のように、へちまと唱え続けていたのも、たぶんそのイメージがニワトリ頭のどこかに残っていたからだろう。ヤツはものを知らないから、瓢箪をへちまと誤解し続けていたのだ。

「やっぱり、これじゃ。これしかないわ」

「おう、黄金瓢箪に代わりはいらん」

幹部たちが興奮した口調で喋りはじめると、鷺沢の切れ長の目がすっと刃物の切り口のように細くなった。

「何のつもりです？　これでは意味がない。旧来のイメージの脱却が、今回のＣＩ戦略の目的だったはずです」

その通りだ。でもみんなが喜んでいるんだからいいじゃないか。戦略なんかじゃ人の心は動かせはしない。杉山の代わりに藤村顧問が鷺沢を叱ってくれた。

「鷺沢、お前、何年うちにおる。わしはこの代紋の下で、四十年働いておるんじゃ。お前に何がわかる。この黄金瓢箪を抱いて何人、笑って死んでいったか、知っとるのか。シャバに出てまっすぐ組に戻って、黄金瓢箪の看板を見上げて涙したことがお前にあるのか。わしら古くからいるもんは、皆この代紋背負って一緒に泣いて笑ってきたんじゃ、のう桜田」

桜田は二度三度大きく頷き、凶悪な金壺眼《かなつぼまなこ》の縁に浮かんでいるものを、目ヤニをとるふりをして拭っている。

こぽり。

小鳩が自分の存在を誇示するように小さく咳払いをすると、幹部たちの背筋が一斉に伸びた。

「親父さん！」

「社長」

鷺沢と桜田が息の合った社交ダンスのペアのように同時に小鳩源六のほうに顔を振り向けた。

「ご決断を」鷺沢が言う。

「親父さんの腹は？」桜田も言う。

自分に向けられた全員の視線を満足そうに見まわしながら、小鳩は好々爺めいた笑顔を見せて答えた。

「まぁ、ええんでないの。皆がええと言うもので」

鷺沢を除く全員がその言葉に大きく頷く。杉山は何くわぬ顔で正面を見つめたまま、机の下で両側の村崎と石井に両手を差し出した。村崎と手のひらを叩き合わせる。何を思ったか石井は汗ばんだ手で握り返してきた。机に並べた八枚のボードの真ん中に黄金瓢箪案を置き、赤のサインペンでマル印をつけた。クライアントの気が変わらないうちに、既成事実にしてしまうプレゼンテーションの小技のひとつだ。

河田がカシワ手を打つような拍手を送って寄こしてきたが、幹部たちの冷やかな視線に気づくと、すぐに蚊を叩く真似をしはじめた。鷺沢は何事もなかったような涼しい表情で、書類に何か書きつけをしている。小鳩組長はいなくなった猫の毛の代わりに座布団の房をむしっていた。どうでもいいといったその口ぶり通り、決定したシンボルマークにあまり興味がないように見える。杉山は小鳩の視線が机の上に並べられた別のものに向けられていることに気づいた。

「それだけどな」小鳩はプレゼンボードのひとつを顎でしゃくった。

「これでっか」

河田が正座したまま船を漕ぐように杉山たちの机に近づき、ボードをうやうやしく掲げて見せるが、小鳩は大儀そうに首を振り、また顎を突き出す。

「ほれ、そこの」

小鳩の顎の先に、鳩のピーちゃんがいた。杉山が手にとってボードを立たせると、小鳩が小首をかしげて尋ねてきた。

「それ、名前、なんちゅうの？」

「……あ、ピーちゃんです」杉山は答えた。

「それも使おか」小鳩が真顔で言う。

「親父さん……」

桜田が悲しげな声を出した。

「マークは黄金瓢簞でええ。で、これをあれにしよ、ほれ、野球場で踊ったりしとる何とか人形ちゅうのがあるじゃろ。何ちゅうたかの」

「マスカットでっか？」

河田が言う。それよそれ、と小鳩に頷かれて、またまたふんぞり返った。というわけで、どういうわけか組長に気に入られた早苗のピーちゃんもマスコットとして採用されることになった。

よしっ、終わりだ。これで小鳩組ともおさらばだ。本格的なCIの場合、ベーシックデザインの決定後も、デザイン・バリエーションや応用マニュアルをつくったりする煩雑な作業が残っているのだが、そんなことは知ったこっちゃない。印刷の版下にそのまま使える清刷りだけつくって郵送しよう。長居は無用だ。帰り支度を始めた杉山たちに鷺沢が言葉をかけてきた。

「ごくろうさまでした」

さきほどの確執などなかったような平静そのものの声だ。

「さっそくですが、次の依頼です」

「……え？」

杉山は耳を疑った。ようやく耳鳴りが静まったと思ったら、今度は幻聴だろうか。しかし聞き違いでも幻聴でもなかった。鷺沢は確かにこう言った。

「新しい仕事のお話をしましょう」

プレゼンテーションの余韻で気分の高まっていた今回は、杉山の口からすんなりと断りの言葉が出る。

「申しわけない。あいにく、いま仕事のスケジュールが大変な状態で……お受けすることはできないと思います」

本当はスケジュールが何もなくて大変なのだが、杉山が売れっ子クリエーターを気どって肩をすくめてみせると、鷺沢はわかっているというふうに頷いた。お前の嘘はわかっている、と言いたげな頷き方だった。鷺沢は借りものにしか見えない困惑の表情を浮かべながら言う。

「困りましたね。もう料金はお支払いしてあるのに」

「何ですって？」

「あなたがたとは年間契約を結んだはずです。そうですよね、石井社長」

石井が目を剝いた。

「我々はチャリティーをしているわけではないのですよ。いくらなんでも今回の仕事程度で、あの金額をお支払いするわけがない。契約書も取り交わしました。お忘れのはずはありませんよね、石井社長」

石井は目を丸くしたまま首を横に振る。お忘れになっている首の振り方だった。杉山はまたもパニックに陥ってしまった石井に代わって言う。

「何かの行き違いでしょう。今回の制作費以外の金はお返ししますよ」

「それだけでは困ります」鷺沢は表情を微塵も動かさずに言う。「我々はあなたがたとの関係の継続を前提に少なくない額の先行投資をしています。すでに新しいセクションを設け、人材と設備も用意しました。その損害分はどうしていただけます？　なんでしたら債務不履行で訴訟を起こしても構いませんよ」

ヤクザが訴訟だと？　人材だと？　先行投資だと？　河田とマロングラッセのことか？　嘘に決まってる。

「じゃあ、全額お返しします」

杉山が思わず激した声を返すと、鷺沢の代わりに幹部たちの何人かが、凶悪な視線を投げてきた。示し合わせているのかいないのか一人が脅すような声を出した。

「なんじゃあ、こいつら。仕事、途中でほかすっちゅうんか！」

石井が消え入りそうな声で耳元で囁いてきた。あかん。金はもう手をつけてしもた。言葉を失ってしまった杉山に、口の端に微笑みらしきものを浮かべた鷺沢が言う。

「新しい仕事は、今回決まったＣＩのお披露目を兼ねた四十周年記念イベント、そしてテレビＣＭの制作です」

舌なめずりをする蛇のような目が、ねっとりと杉山にからみついてきた。

四．さぁ、スタートしよう

1

世田谷通り沿いにあるその店は、ブティックのショーウィンドゥがひと足早い冬物の服を飾りはじめているビルの二階にあった。螺旋階段を昇った先のドアに、素焼きの板に手書き文字で書かれた「自然食レストラン　チロップ」という小さな看板が、店の存在を知られることを恐れるような慎ましさで下がっている。飾り気のない外国の田舎家を思わせる店内。幸子好みの店だ。

幸子と早苗はもう奥のテーブルで待っていた。しばらくぶりに見る幸子は髪がいくぶん短くなっていて、少し痩せたように見えた。

「なんだ、元気そうじゃないか。また太ったか？」

杉山がそう言うと、幸子は唇だけで小さく笑った。早苗は白い皿に入ったお子様ランチ風の料理を、犬みたいな勢いで平らげていて、杉山が声をかけても、「ううっ」と喉をつまらせたような声を返してくるだけだ。

幸子から電話があったのは昨日の晩、プレゼンテーションが終わり、家に帰った直後だ。昨日あの後、石井と杉山と村崎の三人は会社へ戻らず、石井の知っているというケーキ＆ワインの店に行った。石井は「知らん」「わからん」を繰り返し、食欲がないと言いながら五つのケーキを平らげ、杉山は石井をののしりながらワインを飲み、村崎はほとんど喋らず石井と同じ数のケーキを肴に、杉山と同じぐらいのワインを飲んだ。ワインはそれほど好きではないから、その夜はさほど酔ってはいなかった。だから聞き間違いではないはずだ。電話の向こうで幸子は言った。もう一度、早苗を預かって欲しいの。私、ちょっとの間、入院することになっちゃって。くわしいことは明日話すわ。

「ごめんね、トシちゃん。勝手ばっかり言ってることは、わかっているんだけど、他に誰にも頼めなくて」

結婚していた頃と同じ呼び方で杉山に語りかけてきた。幸子は小さい頃に父親を、大学三年の年に母親をなくしている。たった一人の肉親である兄は商社マンで家族とともに海外赴任中だ。

「早苗は相変わらずでね。どうしても高橋とは駄目なのよ。高橋の実家に預かってもらおうと思ったんだけど、それも嫌だって。さんざん叱ったんだけど」

高橋って誰だっけ？　少しの間考えてカビゴンの本名だったことを思い出した。

「どこが悪いんだ」

幸子は黙って人差し指を立て、左胸を指す。杉山は動揺を抑えて脳天気な声を出した。

「つき指か?」

「相変わらずね、早苗はあなたに似たのね」隣の早苗にちらりと目を走らせてから声をひそめた。「乳ガンよ。手術してとることになった」

何か喋ろうと杉山は思った。幸子を笑わせるような軽口を。だが言葉がうまく出てこない。オーダーしたたんぽぽコーヒーを口に含んだが、あまりのまずさに思わず、うえっと舌を出してしまった。母親が子供に向けるような笑顔を見せて幸子が言葉を続けた。

「たいしたことはないのよ。平気平気。手術しちゃえば、命までなくすほどじゃないの」

口で言うほど平気なようには見えなかった。父親も母親も病気でなくしているためか、一緒に暮らしている頃の幸子は、不健康と思えるほど健康に過敏だった。早苗が少し咳をしただけで小児科へ駆けこみ、料理には味もそっけもない自然食品を使いたがり、杉山の飲酒と喫煙にはことのほか嫌な顔をした。食い物は合成着色料が入っているからうまいんだ、などと杉山が言うたびに喧嘩になったものだ。

「いつなんだ、手術は」

杉山も早苗の存在を気づかって声を落とす。今日の早苗はいつになくおとなしい。口にものがつまっているからだ。たぶんこれがチロップランチだろう、目の前の皿に無我夢中の早苗には二人の会話がまったく耳に入っていない様子だった。

「来月の終わりぐらいに入院して、何日か検査があって……十二月になるかな」

「十二月？」

今日は十月の一日だ。

「なんでそんなにかかるんだ。すぐに手術しなくちゃ病気が進んじゃうじゃないか」

「急にってわけにはいかないのよ。染物教室のこともあるし、まだ手術する病院も決まってないし。ちょうどいいの、私も早苗の七五三が終わってからって思ってたから」

「七五三なんていつだってできるだろうが。七五三と自分の体とどっちが大事なんだ」

「七五三」

幸子はきっぱりと微笑んだ。笑うと目尻に少し皺ができた。昔はなかったはずの、きれいな皺だった。早苗を預かって欲しいのは、入院の前日から退院の日まで。最低でも三週間ぐらいかかるらしいが、なんとかもっと早く退院させてもらうようにする。その日までに早苗には電車の乗り方を教えて、杉山の家から学校へ一人で通えるようにしておく。幸子はてきぱきと、考え抜いて決めたことの了解を得るといった口ぶりで話を進めていく。なんだか昔より強くなっている気がした。俺が成長していないだけだろうか。こっちのことは気にするなよ、落ち着くまでずっと預かるから。杉山は言った。そう、一カ月でも二カ月でも構わない。もっともっとそれ以上でも。

「そうもいかないでしょ。高橋もとっても申しわけながっているし」

高橋という名が杉山をいきなり現実に引き戻す。

「そういうわけで、ほんとうにすいません。よろしくお願いします」

幸子が他人行儀に頭を下げると、チロップランチのケチャップを口のまわりにつけた早苗も真似をして、母親とよく似た髪形の頭を振りおろした。

「ふつつかものですが、どうぞよろしく」

店を出た三人は右と左に別れる。駅とは逆の方向へ歩きはじめた幸子と早苗の後ろ姿に、杉山は声をかけた。

「なぁ」

二人が同時に振り返った。早苗は自分に似ているとばかり思っていたが、こうして見ると幸子にもよく似ていた。

「俺思うんだけど」

「なに？」

五メートルほど先の歩道で幸子が耳に手をあてて首をかしげた。

「だいじょうぶだよ、胸なんかなくたってさ」

街の雑踏に負けまいとして杉山は声を張りあげた。

「俺が保証する。おっぱいなんかなくたって、お前はいいヤツだよ。尻がなくたって顔がなくたって、いい女だ」

すぐ目の前にいたら言えないセリフだ。離れた距離が言わせる言葉だ。

スーパーの袋を下げた主婦が杉山に無遠慮な視線を投げつけて通り過ぎていく。構うもんか。幸子がまた目尻に小皺をつくって、両手をメガホンのように口にあてて叫び返してきた。

「ばかもの！　別れた女房を口説いてどうする」

杉山は二人の後ろ姿を見送り続けた。豆粒ほどに小さくなった早苗がゲームセンターの前で足を止める。幸子がそこから早苗を引きはがそうと足を踏ん張っている。何か言葉をかけているのか幸子が腰をかがめると、早苗は幸子のまわりをぐるぐるまわりながらスキップを始め、そのまま脇道を曲がっていった。曲がり角の向こうから、またひょっこり早苗が顔を出すかもしれない。ありもしないそんなことを考えて、杉山は二人が消えた路上にしばらく立ち続けた。

「本当や、そんな約束をした覚えはない」

「でも何か契約書を書かせられたんでしょ」

「うーん、書いたような、書かなんだような」

「正直に答えてください」

「………書いた」

杉山と石井はラチもなく、昨日から何度も繰り返している話をまたむし返していた。どんな書類だったかまるで覚えていないという。おだてられて慣れない酒など飲むからだ。

「な、杉ちゃん、怒らんで約束してくれる？」

しかも石井の話には続きがあった。

「手形を振り出したぁ!?」

杉山が思わず叫ぶと、石井は頭を抱えて机に突っ伏してしまう。

「まさか、まさか、こんなことになるとは思わなかったんや。金が入った翌日に電話があったんや。ちゃんと金は振り込まれとったから、わし、疑いもせんかった。仕事が終わるまでのただの担保やって言われて、それで……」

石井の話によると、今回のＣＩ制作料金――鷺沢に言わせれば年間契約料――一千万円が前払いされた翌日、取り立てにはまわさないという約束で、仕事完了までの担保がわりとして支払われた金と同額の手形を切ったという。鷺沢の舌先にどう丸めこまれたのか知らないが、ヤクザに空手形を振り出せば、ロクなことにならないことぐらい石井以上に金勘定にうとい杉山にもわかる。年間契約に従わなければ、鷺沢は手形を落とすつもりだろう。つまりユニバーサル広告社は、石井が支払いに使ってしまった二百七十六万四千四百四十四円を小鳩組に借金していることになる。倒産寸前の零細広告制作会社にとっては大金だ。

「そんな怒らんといてぇな」

「怒ってませんよ、あきれてるんです」

「目が怖いがな」

「関係ないですよ。俺、ただの従業員だから。会社をやめればすむことだ」

突き放すように言った杉山の顔を、石井は飼い主を探す小犬の目になって見上げてきた。

自宅のある駅の近くで、悪くない店を見つけた。カウンターだけの小さなバーだ。一人で店を切り盛りしている無口なマスターが、こちらから声をかけないかぎり話しかけてこないのがいい。いつ行っても客が少なく、流行りの音楽をかけないところがいい。料理らしい料理はなかったが、杉山は飲んでる時には何も食わないから関係ない。店のあちこちに置いてある、バリ島だかネパールだかの妙な民芸品が目ざわりと言えば目ざわりだが、酒の味は同じだ。

その夜はいくら飲んでも酔えず、しかも珍しく店内が混みはじめてきたから、杉山はいつもより早く店を出た。頭の中はぐしゃぐしゃだった。脳味噌の中の干からびたボロ雑巾が、洗濯機の中に入れられてぐるぐる回っているみたいだ。いろいろなことがありすぎる。幸子のことを思った。死ぬはずはない。あんなに元気なのだから。死ぬわけがないじゃないか。なぜなら幸子はまだ三十五歳で、娘はまだ小学二年で、人生はまだこれからなのだから。生き続ける理由はたくさんあるが、死ななければならない理由なんてひとつもない。一緒に暮らしていた頃、夕食をつくって待っている幸子を、休日に出かける約束をして支度を整えていた幸子を、酒や仕事ですっぽかしてばかりいたことを思い出した。もっと家で飯を食えばよかった。幸子の料理がどんなにうまいか、もっとほめてやればよかった。二人でもっといろんな所に出かければよかった。俺はいつもそうだ。終わってからじゃないと、何も気づかない。用のなくなった時になってから、ようやく探し物を見つけるのだ。早苗の顔が頭に浮かんだ。早苗もほとんどどこへも連れていってやれなかった。一緒に暮らしていた時も、一カ月前に杉山の家に来た時も。今度こそもっと一緒にいよう。もっともっとあちこちに連れていってやろう。遊園地にもサッカーの試合にもゲームセンターにも。本当に会社をやめてやろうか。そうすれば時間はたっぷりできる。石井の情けない小犬みたいな目が頭に浮かんだ。たぶん石井は今頃、何事もなかったように家族に土産のケーキを差し出し、何事もなかったようなくだらないオヤジギャグで家族にうとまれながら、生きた心地もなく今日何個目かのケーキを食っているに違いない。まったく、いい齢をして世話の焼けるおっさんだ。石井に腹を立て終わると、今度は顔も知らないカビゴンこと高橋に腹を立てた。なぜ気づかない。一緒に暮らしていて、ちゃんと抱いたりもしているんだろ。なぜ自分の女房の異変がわからないんだ。俺ならどんなに酔っぱらっていたって、きっと気づいたはずだ。杉山は唐突に幸子の乳房を思い出した。少女のように小さな乳房の形と感触が記憶の中から蘇った。幸子は死よりも乳房を失うことを恐れているように見えた。乳房がなくなるということは女にとってどれほどのショックなのだろうか？　キンタマがなくなるのと同じ気分か？　男の杉山にはわからなかった。

秋の冷やかな夜風が頬をなぜ、薄っぺらなジャケットの裾をはためかせるたびに中途半端な酔いが醒めていく。飲み直しだ。時刻は十一時の手前。未成年保護条例とやらで急がないと酒の自動販売機が停止してしまう。

帰り道の途中にある酒屋の自動販売機にはひと通りの酒が揃っていた。７２０ミリリットルのウイスキーボトルだって買える。千円札を突っこむと販売機のランプが一斉に点灯した。暗闇の中で選択ボタンの赤い灯が杉山を誘う。さぁ、今夜もたっぷりやれよ。どれにする？

現実から逃げ出して、気持ちよくなれるクスリがよりどりみどりだ。早くしないとタイムオーバーになるぞ。ビールなら効き目は一瞬。日本酒か？　最近は日本酒でも酔えなくなってきている。効果は一合当たりせいぜい一時間。やっぱり今夜一晩、すべてを忘れさせてくれるウイスキーか？　朝になって人生が怖くなったら、また朝から飲めばいい。いまなら、まだ間に合う。そうとも、まだ間に合う。

「プルップ〜」

ひと声鳴いて、杉山は自動販売機のボタンを押す。ごとりと音を立てて出てきたウーロン茶の缶を手に取った。

Tシャツ一枚だけの上半身を、十月初めの朝の冷気がぴりりと刺す。しかし風を冷たく感じていたのは、走りはじめのわずかばかりの間だけで、信号を三つ越える頃には、体の内側に火が灯り、一昨日、嘔吐した場所を越える頃には額に汗がにじんできた。午前六時四十五分。緩やかな下り坂の向こうに公園の木立が見えたところで杉山はペースをあげる。入り口を走り抜け、緑色のトンネルのように頭上まで深い木々の茂りに覆われた公園のジョギングコースに入ると、さらに加速した。

今日は耳鳴りはしない。そのかわり、ちくちくと肺が痛む。昔は足か脇腹から痛み出したものなのに。二十年近い喫煙生活の代償だ。エアコンのフィルターを掃除するように、肺の中も洗い流せれば、どんなに気持ちいいだろう。

競技場と体育館を縫って延びる全長二キロ余りのアスファルトコースの半分もいかないうちに息が上がり、全身の力が萎えてきた。立ち止まれ、足を止めろ、もう限界だ、楽になろうぜと、頭が命令している。しかし体がそれを拒否して足を動かし続ける。

すう、すう、はっ、はっ。すう、すう、はっ、はっ。鼻で息を吸う。もう一度吸う。口から吐く。もう一度吐く。高校時代に陸上部顧問の体育教師から教えられた呼吸法だ。体の奥で記憶していた感覚がしだいに蘇ってくる。腕は脇を締め、上腕で振る。着地は柔らかく、そして力強く蹴る。蹴る。蹴る。もっと大股で。足の長さを生かせ。顎を引け、前を向け、まだだ、止まるな、馬鹿野郎、気合い入れてけ！

体育教師は、大学ラグビーのスタンド・オフで鳴らした男で、ラグビー部がない杉山の高校に赴任したことにいつも愚痴をこぼしながら、陸上部の誰かを全国大会に送りこむことを自分の存在理由だと思いこんでいた。根性だけで世の中のすべてが解決すると信じている、いけすかないヤツだったが、幸か不幸か教えられたことは体が覚えてしまっている。

一周が終わり、立ち止まりたくなる誘惑を振り切って二周目に入る。不思議だった。あれほど病気に怯え、強迫観念と思えるほど健康に過敏だった幸子が病院へ行き、自分の体に何の興味もない不健康そのものの生活をしている自分が、足をもつれさせながらとはいえ、こうして走り続けている。きっと人の命は平等なんかじゃなくて、ただのくじ引きに違いない。

すう、すう、はっ、はっ。腕を振れ。柔らかく踏め。思い切り蹴れ。自分の体を前に進むためだけの道具にする。頭の中の雑多な思考がちりぢりに千切れて、風景と一緒に飛んでいく。空っぽになった酸欠気味の脳味噌の中に残ったシンプルな言葉だけが、ジングルのように頭を駆けめぐる。まだだ、まだだ、止まるな、止まるな、振り向くな、前を向け、走れ、走れ、走れ、気合い入れてけ。

「なぁ、杉ちゃん、村崎、話があるんや」

朝の公園を走り、汗をかき、シャワーを浴びて、すっかり酒を抜いた後の爽快さがどんなに素晴らしいかと、杉山は想像していたのだが、実際には体が重く気だるいばかりだった。しかも眠い。ちょっとオーバーペースだったかもしれない。だから石井の言葉も危うく右から左へそのまま抜けてしまうところだった。

「わし、昨日一晩寝ずに考えたんやけど、もしアレやったら、やめてもええで、会社」

いっぺんに目が覚めた。本気で言っているのだろうか？　石井の目を覗きこもうとすると、石井はあわててサングラスをかける。

「それが一番ええやろ。嫁はんに泣きついて貯金はたいて二百七十なんぼを返したろかとも思うたけど、それで話がすむとも思えんし。このままずるずるつき合《お》うてたら、一生あいつらにつきまとわれる。杉ちゃんや村崎がやめれば、広告はな〜んもつくれん。ヤツらもあきらめるやろ。わし、決めたわ。もう何も言うな、何も言わんでええ」

その言葉通り杉山と村崎が何も言わないでいたら、石井は少し不服そうな顔をして言葉を足した。

「これがわしの男のけじめじゃ。つらい別れになるのぉ」

そう言って石井は二人の視線を避け、ぐるりと大きく首を振って、新国劇ばりの見得を切る。近頃凝っているらしいヤクザ映画をビデオで見ながら出した結論かもしれないが、どうやら本気らしかった。杉山は目ヤニを指で払いながら言った。

「悪いけど、やめない」

正直に言って、石井からやめないでくれと頼まれたら、逆のことを言ったかもしれない。しかし、わがままでヤマっけばかり強くて根は小心者の、親戚の中に一人はいる困った叔父さんのような石井にここまで言われて、はいと言えるわけがない。自慢じゃないがへそ曲がりはガキの頃からの筋金入りだ。どちらにしても断れはしなかっただろうが、最初に仕事をやろうと言い出したのは自分だし、第一、村崎と猪熊が入ってくるまでは、石井と二人で綱渡りを続けて奇跡的に存在させてきた会社だ。いまさらヤクザに脅されたぐらいで尻尾を巻いて逃げ出したくはない。

「す、杉ちゃん。ええんか」

本当は自分の言い出した言葉が怖かったようだ。石井は何度も確かめるように同じセリフをくり返す。

「ほんまやな。ほんまにええんやな」

杉山は言った。

「まだ、ボーナスをもらってない。今年の夏も去年の冬も。金が入ったらちゃんと払うって約束でしたよね」

「おっ、おお、約束する。だから今年の冬だけは勘弁してくれ」

確か去年も同じことを言っていたような気がする。石井は村崎の顔をおそるおそる探るように見た。

「俺もだ。やめない」村崎が言う。

「おおおぅっ、村崎まで」

石井は感極まった声をあげた。サングラスの奥の目は涙に濡れているかもしれない。村崎がぼそりと言う。

「早起きは駄目なんだ」

村崎は真剣だった。確かにヤツにとっては切実な問題だろう。いくら広告プロダクションでも、ユニバーサルのように、毎日昼まで出てこない社員を快く雇う会社はそう多くない。

「しようもない奴らや、ほな、わしと一緒に心中や。地獄の果てまでつき合うてくれるか」

それも嫌だった。杉山は言った。

「あきらめるのはまだ早いですよ。やつらの言いなりになることはない」

「ほなら、どないする？ やっぱりサツに首を差し出すかの」『仁義なき戦い』の小林旭ばりのサングラスを拭きながら石井が言う。「ここは一番、警察に泣きつく一手やな」

ずいぶん情けない小林旭だ。

「無駄でしょう。鷺沢があれだけ自信満々なのは、おそらく法律上の問題がないからですよ。

暴力沙汰にならないかぎり警察が手を出してこない確信があるからだ。民事不介入ってやつだな」

「ほな、弁護士を雇うか？　杉ちゃん、誰か知り合いにおるか？」

首を振った杉山のかわりに村崎が答えた。

「俺の知り合いでよければ、何人かいるよ」

嘘だろう、という顔で石井と杉山は、上空にそびえる村崎の顔を振り仰ぐ。

「アウトローヤーズってバンド。メンバー全員、法律事務所に勤めてるんだよ。セックスピストルズのコピー専門で、ド下手だけど、生ゴミの入った風呂敷づつみを客席に投げこむので有名なんだ」

あまり頼りになりそうもない。それに弁護士を雇うという方法にも問題はある。

「小鳩組にもきっと顧問弁護士がいるはずだ。訴訟を起こすなんてハッタリだろうけど、もし裁判沙汰になったとしても、やつらには争い続ける金も時間もある。俺たちには金も時間もない」

「じゃあ、どうするんや？」

杉山は朝、公園を走りながら考えた、途切れ途切れの想念の断片をジグソーパズルのように組み合わせてみた。酸欠の脳味噌がかいま見た幻想でなければいいのだが。

「もう一回、仕事をするんだ。もう一度だけ」

「いややん」

「いややんじゃないでしょう!」

「へえ」

「鷺沢の言い分にも一理はある。そのことは認めなくちゃ。確かに今回のCIは、本物のCIと呼べる代物じゃない。結果的にはただシンボルマークをつくっただけで、あれで一千万も取ったら普通の会社でも怒りますよ。あいつはきっと、広告業界のおおよその相場を調べ上げているはずだ。それなのにホイホイ金を使ってしまったこっちにも非はある」

「ふむふむ、そらそうや」

こっちというのは、この場合、おもに石井のことなのだが、石井は他人事のように頷く。

「まず正式に請求書を出しましょう。いつもの常識的な額で。それから向こうに先行投資したという金額の正確な数字を書面で出させる。おそらくたいした額じゃないはずだ。さしひきでいくらになるかわからないけれど、次の仕事の請求額は、その残額ぴったりにする。それ以上の金はもう受けとらない。それでチャラだ。こっちのまっとうな請求に因縁をふっかけてきたり、向こうの言う先行投資額が常識はずれなものだったら、その時こそローヤーズにご登場願えばいい」

「年間契約っちゅうのはどうする?」

「そんなもの無視だ。あれはハッタリだ。正式に判を押したわけでもなんでもないんでしょ、石井さん」

石井は自信なさそうに天井を見つめ、少し考えてから言った。

「うん、ハンコなんか持って歩かんしな」

「よし、じゃあ、あと一回だけ。次の仕事で最後だ」

杉山は選手宣誓をするように言う。

「ヤクザとはすっぱり縁を切ってユニバーサルは再スタートだ。がんばって来年は海外へ社員旅行だ」

「おうっ！」

村崎がこぶしを突き上げる。

「熱海でもええ？」

盛り上がった士気に、この期《ご》におよんで石井が水を差す。


この間の小鳩邸での幹部会の時には、もちろん新しい依頼は拒否した。

「我々は制作会社だ、ＣＦをつくることはできても、テレビ局に仲介する代理店がいなくては話にならない。その話は僕らではなく、どこかの広告代理店に持っていってください」

杉山の言葉に鷺沢はこう答えた。

「代理店との交渉もそちらでお願いします。帝国エージェンシーの光岡さんに話は通ってますから。そうですね、恩田理事」

この間、光岡を子分呼ばわりしていた男が、メリケンサックみたいな金の指輪を光らせて頷いた。

「おうとも」

帝国エージェンシーがヤクザのCMを? 信じられない。世も末だ。代理店には別途それなりの媒体料金を用意し、ユニバーサルにも内容に応じて年間契約料の追加を支払うと鷺沢は言う。しかしまた勝手に妙な金を振り込まれたら、後が怖い。

「イベントの企画や制作には専門の会社がいくらでもある。我々にはあまりノウハウがない。適任じゃないですよ」

できるかぎり理性的に杉山は説得を試みようとしたのだが、桜田の野性的なひと言で、幹部会が打ち切られてしまった。

「親父さんは、忙しいんじゃ、解散!」

小鳩組から受け取ってしまった一千万だけでやりくりするとなると、実際のところ、予算は相当きつい。すでに二百七十六万は石井が使ってしまった。鷺沢の言う先行投資がいくらかはわからないが、腹は立つにしても五、六十万ならまぁ素直に払ってやるとして、残りは七百万円。できることはそう多くない。利益を出すのはあきらめるとしても、赤字を出せば、ユニバーサルなどすぐ倒産だ。

テレビCFは、タレントはもちろんモデルも使わずロケもせず、杉山の知っているかぎりで最も値段の叩けるCF制作会社と組めば、制作費は三、四百万ぐらいに抑えられるかもしれない。小鳩組だって大企業というわけじゃない。低予算でもそれなりのものをつくれば納得はするだろう。たぶん。

イベントは鷺沢が手まわしよく企画書をつくってきていた。創立四十周年を記念して、任侠道の由緒正しさと正当性をアピールする催しにしたいと言う。開催日は十一月の最後の日曜日。会場は小鳩組の本部ビル。イベントタイトルは、『任侠展』（笑）。ようするにバブルの頃に流行った地方博の小型版だ。そんな身勝手なイベントに来る人間などいるのかどうかわからないが、まぁ地域イベントなんて、たいていがそういうものだ。問題は内容より、残りの三百万ほどの金で、果たしてまともなイベントが打てるかどうかだ。学生の文化祭だってもっと金があるだろう。

とりあえず最初にできることは光岡をつかまえることだった。いつまでも居留守を使われてはたまらない。

「光岡さん、お願いします。あ、小林と申します」

石井が偽名を使って電話をかけている。電話口でしばらく何か話し、それから杉山を振り返った。

「……あかん、逃げられたわ」

「また居留守ですか？　話は通ってるって、言ってたけどな」

「いや、ほんまに消えた」

「へ？」

そこでようやく、石井が現実逃避を始めた時のニワトリの目になっていることに気づいた。

「……会社辞めたって……一週間前から無断欠勤しとって、郵送で辞表送ってきたんやて……」

翌日、杉山が霊園販売会社との打ち合わせから戻ると、猪熊が少女漫画の主人公のような瞳をして声をかけてきた。

「あ、杉山さん、ピースエンタープライズの鷺沢さんって、知ってます？」

「え、ああ」

少し驚いて猪熊に答える。

「さっき、電話があったんですよ。なんか素敵ぃ〜、渋い声で。知的な感じで。ジェントルマンつーやつ？　うちのほかのお得意さんとは、ぜ〜んぜん違う。どんな人かなぁと思って」

話が長くなりそうだったので、先を促した。

「それで、何だって？」

「あ、伝言でいいって言うから、机にメモを置いといたけど」

村崎が眉間に皺をつくり、頬の肉をすぼめて、猪熊に鷺沢の顔マネをしてやっている。机の上の紙片に、言動に似合わず達筆な猪熊の字で、鷺沢からの伝言が乗っていた。

ご依頼

帝国エージェンシーに代わる代理店を

貴社の責任においてご紹介ください

ご依頼というより、まるで命令だ。

「あ、それから」村崎の顔マネに、それじゃわからんよ、と怒っていた猪熊が杉山を振りかえる。「社長と杉山さんの自宅の住所が知りたいって、だから教えておいたけど」

命令ではなかった。脅迫だ。

アドレス帳のいちばん末尾にある電話番号をプッシュする。一度つながった電話は保留され、どこかに転送された。テレビ媒体を扱える広告代理店は大手に限られる。杉山の空白だらけのアドレス帳には、そう何社も載っていない。渡辺で四人目。そして最後の一人だ。電話は転送先でまた保留になり、しばらく待たされてから、ようやく渡辺が出た。杉山が用件を切り出すと、案の定、渡辺が訝しげな声を出した。

――おたくがＣＭを？　で、うちの扱いに？

広告の仕事の依頼は、普通、代理店から制作会社へ来るものであって、逆のケースはあまりない。

――ピースエンタープライズ？　どんな会社です？　業種は？

せわしなく質問を連発する渡辺に、杉山は言葉を濁した。

「えーと、いろいろ多角的にやってる。なんて言えばいいか、トータルライフサービスってとこかな」

——まぁ、このご時世ですからね。もちろん新しいクライアントは喉から手が出ちゃいますよ。

ようやく話に乗ってきたと思ったとたん、渡辺はさらりと言った。

——まず社内審査にかけてみますから、もう少しくわしくその会社のことを教えてください。なに、簡単な信用調査ですよ。それからうちの営業が先方とお会いして……。

やっぱりそう来たか。今日、何度も聞いたセリフだ。適当に話を打ち切って杉山は受話器を置いた。考えてみれば、どだい無理な話なのだ。いい加減そうに見えて、その実、広告業界は自主規制の王国だ。なにしろ視聴者のクレーム電話一本で億単位の金をかけたCMがふっとんでしまうことだってある。万人の眼に触れるテレビCMや新聞広告の広告主は、とくに慎重に選ぶ。どんなに上手にごまかしたところで、本物の指定暴力団のテレビコマーシャルなど、どこの代理店も受けつけるはずがないのだ。

光岡が蒸発したのも、借金のカタにできもしない約束をさせられたからだ。小鳩組の催促に怖くなって逃げ出したに違いない。

夕刻近く、もう会うこともないと思っていた河田が、またもやユニバーサル広告社に現れた。

「あ、これ、差し入れ。ちゃびん堂の水ようかん。七海じゃ有名な店なんやけど」

河田が猪熊におずおずと紙袋を差し出す。猪熊は相変わらずの無愛想で迎えたが、河田の後ろから入ってきたもうひとりの男を見た瞬間、表情が一変した。

短髪でほっそりした体つきの若い男だ。齢は二十歳になるかならないかだろう。ぺかぺか光る黒地に白のピンストライプスーツ、その襟元に白シャツの長いカラーを飛び出させたヤクザファッションが、まだ借り物みたいだった。河田は嬉しさを隠しきれない様子で男を紹介する。

「あ、これ、今度わしの下につくことになった西脇。おう、勝也、挨拶せんかい」

勝也と呼ばれたチンピラは、油断なく目を前方に向けたまま、申しわけ程度に首を縮めた。いそいそと茶を運び、金ネックレスが光る勝也のはだけた胸もとにまぶしげな視線を投げかけている猪熊にかわって、杉山が河田に仏頂面を向けた。

「河田さん、どういうことです」

「へ？　何」

「このあいだのことですよ。いったい何がどうなっているのか、説明して欲しい」

「ああ、おかげさんでうちのガキ、三等賞やった」

「そうじゃないでしょう。年間契約の話ですよ」

「ああ、あれな」

口を開こうとした河田が、うおっと叫んで胸を押さえる。携帯電話のバイブコールを受けたらしい。

「わしや。おう、サオリか」

河田はちょっと待ってくれというふうに、手相の見本みたいに手のひらをこちらへ見せながら携帯に向かって喋り出し、応接コーナーにどかりと座りこむ。

「だから、今日はマンションには行けんよ、言ったろう………夜？　パパは夜もお仕事だ………あ？　急に来たりせんかって？　無理だね………ほんとだって、絶対に行かんよ、行かんて………ひっこいやっちゃな、寂しいやろうけど、今夜は一人で寝ぇ」

杉山が苛立って顔を覗くと、河田は二枚目ぶった顔で、困ったもんだというふうに首を振ってみせる。勝也は河田の横に番犬よろしく突っ立ってこちらを睨みつけていた。猪熊が水ようかんをすすめても見向きもしない。

河田が喋りながら立ち上がる。そして喋りながら杉山に手を振り、そのまま出ていった。勝也はその後に従い、鋭い視線で部屋を点検するように見まわしてからドアを閉める。いったい何をしに来たんだ。舎弟ができたのを自慢しに来たのだろうか。


夜になって三田嶋から電話が入った。ごたごた続きで、プレゼンの結果を話すのをすっかり忘れていた。手短に経緯と結果、そしてまた新しい仕事をすることになったことだけを説明する。いつもの人生を甘く見ているような三田嶋の軽い口調に、なんだか張りがない。ジャガーを下取りに出して新しいクルマを買うと言う。

「保険はおりたんだろ」

——それがさぁ、さんざんだよ。調査員とかいうスットコドッコイがさ、新しい塗装をしたくって自分でキズをつけたんじゃないか、なんて言うんだよ。そういうの仕事にしてらっしゃる方もいますから、なんてぬかしやがって。俺のことヤー公だと思ったらしいんだ。頭に来たから叩き売ったよ。あ、こんどのはさ、RVだよ。ランドローバー。凄いよ、はっきり言って。ジャグァーなんて、もうイモだね。

懲りないやつだ。三田嶋は電話の向こうで杉山には興味のないクルマのスペックをしばらく並べ立ててから、突然言った。

——ねえ、そのイベントっていうの、俺に仕切らせてくれないかな。

「新しいクルマのローンか？　今回はあんまり金を払えないんだ」

杉山がそう言うと三田嶋は心外そうな声を出す。

——金なんかいくらでもいいよ。タダじゃ困るけどさ。

おそらく三田嶋は何十も出した自分のシンボルマークが採用されず、デザイナーではない杉山が考え、自分よりキャリアが下の村崎が片手間仕事でつくった案に決まったことで傷ついているのだ。大馬鹿野郎だが、馬鹿には馬鹿のプライドがある。

——俺、映画の美術をやったことがあるから、立体ものは得意なんだよ。

電話の向こうで三田嶋は鼻息を荒くする。

「初耳だな。なんていう映画？」

——『ロリータ未亡人エプロンの後ろから』って知らない？

「……いや」

——主演女優は、ほら、濡村桃実《ぬれむらももみ》。知らないかなぁ。雑誌のグラビアにも出たんだけど。俺も脇役で出演してたんだ。パンスト被ってたから顔はわからないだろうけど。

「……悪いけど、観てないと思う」

——あとさ、CMが無理ならさ、プロモーションビデオをつくろうよ。それをイベント会場で流すっていうのはどう？　俺、ちょっとヤバいAV制作会社を知ってるからさ。あ、ヤバいって言っても、ヤバい筋じゃないよ。会社が潰れそうでヤバいって意味だからね。そこのスタッフ集めてさ……。

受話器を握ったまま杉山は天井を見上げた。ふむ、悪くない。それで小鳩組が納得するかどうかはわからないが、やってみる価値はある。うまくいけば、三田嶋に新車のタイヤ代ぐらいは出してやれるかもしれない。

2

走りはじめて四日目。重かった体がいくぶん軽くなってきた気がする。デジタル時計でタイムを計ってみる。公園のジョギングコースのアスファルトにはジョガーのために距離表示がペイントしてあるのだ。一周約二・五キロのタイムは八分十二秒。高校時代とは比べるべくもないが、まずまずだ。だが、そのまま続けて二周目を走りはじめると、途中で息があがりペースが落ちる。二周五キロでは十七分三十四秒。ショックだった。最後は完全に息があがってしまった。筋肉というより心肺能力が衰えているらしい。

やっぱり煙草のせいだろうか。シャワーを浴び服を着替えて、ぼんやりとそう考えながら、杉山は煙草をくゆらせる。


先週の電話から一週間もたたないうちに三田嶋が大神林を連れてユニバーサル広告社にやってきた。プロモーションビデオの絵コンテが完成したという。

「ね、いいでしょ。なかなか。プロモーションビデオは前にもやったことがあるんだ」

CMスクリプト用紙にコマ漫画風のカット割りの絵を描き、ト書きやナレーションまで自分で書いていた。

「組長のインタビューばっかりじゃないか」

「こういうのが喜ばれるんだよ。叩き上げの中小企業の社長っていうのは、みんな経営哲学とか人生哲学を喋りたがるんだ。権力と財力を手に入れたら、後は名誉欲に走るんだな。社員には迷惑だろうけどね」

「そんなもんかな」

「うん、そんなもん。あ、もうひとつ、いいアイデアがあるんだ。いま見せたのは一般向けの会社案内用でさ、それとは別に社員研修用ビデオってのも考えたんだ。凄いよ、こっちは」

三田嶋が別の紙束を取り出す。刺青の入った背中にプロジェクターで『ピースエンタープライズ』という文字を映し出すという、どこかの映画で見たようなタイトルバックで始まるその絵コンテは、確かに凄い内容だ。『正しい盃の交わし方』『上手なドスの使用法』『指詰め初級講座』といったサブタイトルが並んでいる。

「本気か？」

あきれて三田嶋の顔を見る。目が本気だった。

「ラストを見てよ。『中途退社を希望した場合の処遇』っていうところ。ここは再現ドラマ風にするんだ。予算がないって言ってたでしょ、だから出演者は内輪の人間を使う。組を抜けようとするチンピラ役が河田で、リンチをする幹部が俺と大神林。ここは思い切りリアルにやるよ。血糊《ちのり》なし。ほんものの血しぶきを飛ばす」

三田嶋の頭の中ではもうそのシーンのカメラワークまででき上がっているらしい。昏《くら》い情熱にとり憑《つ》かれた表情でうっとりと自分のアイデアを語り続け、時おり憑き物がついたように、ヒヒヒと不気味な含み笑いをする。頭の中身がここことは違う別の世界をさまよっているふうに見えた。

「ああいうところって、抜けるのは案外、簡単らしいぞ。リンチなんてないって話だ」

杉山がそう言って、顔の前でパンと手を叩くと、やっとこっちの世界へ戻ってきた。不服そうに言う。

「え？　そうなの？　困るなぁそういうことじゃ。そのへん、しっかりしてくれないと」

三田嶋たちが帰ろうとして玄関口に立った時、ドアが開いた。その向こうに河田と勝也がいた。

「どうも、三田さん」

屈託のない声で挨拶をする河田を、三田嶋は恩讐の炎を燃えたぎらせた目で睨み返す。

「この間、俺のクルマにイタズラしたヤツがいてさ。ちょうどあんたと会った日だ」

「はぁ、それは災難で。三田さんのクルマってどんなヤツでっか？　軽四輪？」

三田嶋のサングラスの上の眉がつり上がる。

「犯人は関西の人間だよ、あんたと同じね。ボンネットに『おめこ』って書きやがって」

「わぁ、やらしいわぁ」

かたわらに用心棒の大神林が突っ立っているから、今日の三田嶋は強気だ。

「紹介しとこうか。これ、うちの社員の大神林。オ、オ、カ、ン、バ、ヤ、シ」

そう言って笑いをかみ殺しながら河田の反応を窺う。

「あ、どうもオオカンバヤシさん」

河田が顔色ひとつ変えずに長い名前をすらすら言うと、三田嶋の眉はますますつり上がった。噛みつくような顔で河田に眼《ガン》を飛ばす。その隣で大神林と勝也も顔がくっつくほどの近さで睨み合っている。大神林は格闘家が相手に接近したときにそうするように、両足を内股にし、股間をガードする体勢をとっていた。杉山は席を立つ。会社の中でもめ事はごめんだ。

「うちの大神林は気が短いんだ。空手の黒帯で、しかもちょっとここを患っててね。首の上の病気なんだ。だから暴れると手がつけられないんだよ。相手がヤクザでもお構いなしさ」

三田嶋は河田から目を離さずに、手の甲で大神林の分厚い胸板を叩く。だが、その頼みの大神林の様子がなんだか変だった。頰を真っ赤に染めて勝也の顔から目をそらし、下を向いたかと思うと、恥じらう少女のような上目づかいで、また眩しげに勝也の顔を見る。

「お、おい……大神林……」

三田嶋が驚愕の表情を浮かべる。気やすげに大神林の胸を叩いていた手を、はじかれたように引っこめた。勝也も気色悪そうに一歩後ずさる。三田嶋は自分の負けを悟ったのか、サングラスをはずして勝也に向けて長いまつ毛をパチパチさせている大神林をせき立て、捨てぜりふを残して帰っていった。

「月夜の晩だけじゃないぞ」

どっちがヤクザだかわからない。


夜のまだ浅い時間だったが、「ベルン」は空いていた。杉山は河田と同じ水割りを頼む。杉山のほうから会社近くの店に誘ったのだが、河田はどうしてもここがいいという。縄張以外で飲んでも酔えないのだそうだ。勝也は少し離れた席に一人で座り、テーブルの上のオレンジジュースを睨みつけていた。

河田はファッショングラスをはずしておしぼりで顔を拭き、ううっと気持ち良さそうに唸る。先に言葉を発したのは杉山だ。つい詰問口調になる。

「どういうことなんです、年間契約っていうのは？　この間の晩、うちの石井にいったい何をしたんだ」

「うちと仕事するの嫌？」

質問には答えず、おしぼりの上から目だけ出して河田が訊いてくる。そういえば河田の目をじかに見るのは初めてだ。大きな顔に不釣り合いなインド象みたいな小さい目だった。

「ええ、悪いけど」正直に言った。

「どうして？」

河田が、どうしてか本当にわからないといった子供じみた声で訊いてくる。なぜなんだろう？　ヤクザだからだろうか？　なぜヤクザだと嫌なんだろう？　杉山が答える前に河田が口を開いた。答えを聞きたくなかったのかもしれない。

「この間、何があったのかはワシにはようわからん。上のやっとることだからな。なにしろワシ、舎弟がひとりしかおらん中間管理職ってやつやから」

この間まで一人もいなかったくせに、舎弟が一人しかいないことを嘆くように言い、蛍光灯の笠でも磨くようにおしぼりで毛のない頭をぬぐう。杉山は髪をぼりぼりと掻きむしりながら首をひねった。

「わからないな。なぜ小鳩組はユニバーサルなんかとつきあいたがるんだろ。掃きだめみたいな会社でしょ、うちは」

杉山が髪を掻くのを羨ましそうに見つめながら河田も首をひねる。

「ほんま、そうやなぁ」

「テレビコマーシャルも、何のためにやるんだろう。正直言って小鳩組がCMをつくったところでテレビに流すのは無理だ。万一、流せたとしても何のメリットもないでしょう？　金の無駄だ。それとも何か特別な狙いでもあるのかな」

河田は中空を見つめたまま黙りこむ。肉の盛り上がった首筋を片手で叩き、言おうか言うまいか、しばらくためらった様子を見せてから口を開いた。

「メリットって何？」

杉山は説明した。

「ま、ようするにうちの親父のわがままよ。コマーシャルっちゅうのを気に入ってしもうたんや。ときどきテレビのコマーシャルで社長が自分で出てくるのがあるやろ、ああいうのがやりたいんやないかな。どんな親でも、親は親。わしらにとっちゃ親父の命令は天の声や。大金をドブに捨ててるとわかっていても、さからうことはでけへん」

そんな理由で俺たちは振りまわされているのか？　杉山は水割りに口をつけた。いつもウイスキーはストレートで飲んでいるから、水を飲んでいるみたいだった。河田に訊いた。

「断ったら、どうなります？」

河田は答えない。ゆっくりと首を横に振っただけで、今度こそ本当に黙りこんでしまった。

「まさか、東京湾に沈められるとか？」

沈黙に耐えきれずに冗談めかして言うと、河田はよくわかったなという顔でグラスを舐める。

「本当に？　冗談で言ったつもりだったんだけど」杉山はごくりと唾を呑みこんだ。「本当に東京湾？」

「ま、近いし確実やからな東京湾は。この辺やと後は赤城山か青木ヶ原あたりかいな」

観光スポットの穴場を教える調子で河田が言った。杉山の体は水割りのグラスを持ったまま固まってしまった。

「まぁ、カタギさんにそんなことはせえへんよ」河田が慰めるように言う。「普通はな」

最後の言葉が気になった。

「………普通は？………俺たちの場合は？」

「さぁ」

本当にわからないといった顔で河田が答える。

「なにしろ、うちの親父さんは普通やないからな。ああ見えてもその昔は、十人斬りの鬼六と恐れられたお人や。歩く凶器準備集合罪ってな。抜き身のドスが着流し羽織って歩いとるようなお人やった」

杉山はいつぞやの猫をつかみ上げた時の小鳩の表情を思い出した。しかし、水子地蔵に服を着せたような普段の小鳩からは、凶悪だという素顔はどこにも窺えない。杉山の困惑が顔に出たのだろうか。河田が言葉を続けた。

「変わっちまったのよ、親父さんは。年とって人に好かれたくなったんや。鬼やなくて仏と呼ばれたいんやないかのぉ。己が怖くなったんやろ。聞いた話やと、親父さんが昔、殺《い》てもうた人間が毎晩全員で枕元に立つっちゅう話や。最近じゃ写経を始めたっちゅうし、ほんま信じられんよ」

そこまで話すと河田はぶるりと体を震わせて、水割りで舌を湿らせる。

「でも人間の性《しょう》ちゅうもんは、そんな簡単に変わるもんやない。えべっさんみたいにあないに日がな一日笑うとるばかりになってからやって、わしの聞いとるだけで、四人は東京湾に沈めさしとる。何も変わっとらん。自分で手ぇかけなくなっただけや」

杉山は昔スキューバダイビングで溺れかけた時のことを思い出して身震いする。このことは石井と村崎には黙っていることに決めた。

「つまり俺たちも河田さんたちも、みんなで小鳩組長の道楽につきあわされているわけか……」

全身にどろんとした疲労感がのしかかるのを感じた。吐く息まで重い。まるで小鳩源六が背中におぶさってきたみたいだ。それでなくても毎朝のジョギングで、酒を飲むとすぐ眠くなってしまうというのに。

「ま、親父さん一人の責任でもない。たぶんアレの差し金あってのことやろ。いまの親父さんはアレの言いなりだからな」

「アレって？……鷺沢さんですか？」

「ふん」河田は鼻先でその名前を吹き飛ばす。「ヤツはただの茶坊主よ。涼しい顔で親父さんのわがままを聞いて、親父さんの喜びそうなことばかり耳に入れよる。組を会社にしたんだってそうよ。親父さんが社長の会社じゃ指定からは逃れられんことぐらい、わしでも知っとる。カズ兄貴がそう言ってたからな。当然ヤツにはハナからわかっとったことだ」

「じゃ、組長の裏に誰か黒幕がいると……」

河田は答えない。杉山から目をそらすように天井を仰ぎ、煙草のけむりを吐き出した。質問を変えてみた。

「鷺沢さんはどういう人なんです？」

「鷺沢？　そんなこと訊いてどうする」

河田は名前を口にするのも不快そうだった。

「いや、なんとなく」

「ありゃマルカクよ」

「マルカク？」

「ほら、ヘルメット被ってデモなんかする学生がおったやろ」

「革マルですか？」

「そう、そのマルカク。あいつはマルカクで爆弾をつくっとったんよ。昔、まだウチがよそとドンパチしとった頃や。トラックで事務所に突っこむより、一発ドカンとやったろうちゅう話になった時にな、発破投げるより時限爆弾のほうがカタギさんの迷惑にならんやろっちゅうて、藤村の叔父貴がひっぱってきたのよ。結局、爆弾はつくらんかったけど、あいつはうちに残った。法律にゃくわしいし、経済っちゅうのもわかる。うちにはその手の人間がおらんかったから、重宝がられてな、とんとん拍子で出世よ。中学中退で三十年務めとるわしより、大学出のほうが出世するなんて、世も末や」

杉山は一流企業のエリート社員のような風貌の鷺沢が、どこかのボロアパートのアジトで汗まみれになって爆弾をつくっている光景を思い浮かべてみたが、うまく想像することができなかった。

ちびちび飲んでいた水割りが空になった。追加を注文するかわりにグラスの氷をひとつ、口の中に放りこんで、さりげなくもう一度訊いた。

「誰なんです、黒幕は？」

河田は勝也のほうにちらりと目を走らせ、少し迷うふうを見せてから、身を乗り出して耳を借せという具合に指先を動かした。言われた通りにする。杉山の耳もとで河田は言った。

「黒幕って何？」

杉山は根気よく説明する。ようやく納得顔になった河田が呟く。

「若よ」

「若頭？」

「ちゃう。若頭はカシラ。若は若だ」

どうも彼らの業界用語にはまだ慣れることができない。

「親父さんのぼっちゃんや。四番目の姐さんとの間にできた子よ。まだ小学生だ」

舌の上で転がしていた氷を思わず呑みこんでしまって、あわてて胸を叩いた。

「組を会社組織にしたのも、若を私立に入れるためだったちゅうもっぱらの噂だ。親の職業欄にヤクザって書くわけにもいかんやろ。組長付きの若いのに聞いた話やけどな、ある日、若が親父さんに言ったそうじゃ、パパの会社にはマクドナルドみたいなマークはないの？ってな。パパやぞパパ、あの親父さんがやぞ。今度のシーアイの話が持ち上がったんはそれからすぐよ。コマーシャルの話だって、おおかた若が何か言ったんやろ、パパの会社はコマーシャルせえへんの、とかなんとかな」

喉に止まっていた氷が融けて、ようやく言葉が出た。

「じゃあ、俺たち……小学生に」

「おうよ、あんたらも俺たちも、ガキのお遊びのおつきあいしとるのよ。親父さんも人の子、いや人の親や、あないなわがままなお人やけど、自分より可愛いもんのひとつはあるっちゅうこっちゃ。ほれ、自分の子供のことになると、周りが見えなくなるアホがようけおるやろ。あれと同じや」

杉山と河田は、自分たちのことを棚にあげて、嘆かわしいという表情で頷き合う。

「正直、みんな困っとる。いまうちはそれどころやないんや」

そう言って河田はダークスーツの胸を叩いた。

「今日日《きょうび》は、金に困ってヤクザの組長が強盗働く時代や。ま、うちはバルブん時も地道にやってきたからな、よそに比べりゃ稼業《しのぎ》はまだマシなほうやけど、これからはそうはいかん。

おママゴトにつきおうとる場合やない」

また河田が胸を叩く。肉厚の体に窮屈そうに着こんだスーツがパンパンに張っていて、内ポケットがもっこりふくらんでいることに気づいた。七三分けのカツラではなさそうだ。もっと硬いものだ。杉山がそのふくらみに視線を向けると、河田は左右に目を走らせながら声をひそめる。

「あ、これ、やっぱし気になるか？　でもあかん、こればっかしは見せられん」

見せたくてたまらない様子で言う。

「いや、別に気になりませんけど」

「そこまで言うならしゃあない」

河田がスーツの襟元をめくって見せた。驚いた。内ポケットから金属製の把手が突き出ている。拳銃だ。

「ト、カ、レ、フ」杉山の耳もとに顔を近づけて囁くように言う。業界用語の横文字は間違えたりしないらしい。「中国流れのパチモンとちゃうで。ロシア軍から正規のルートで横流しされたもんや」

杉山が言葉を失ってトカレフに見入っているのを確認してから、河田は満足そうに襟元を伏せた。

「いま、うちら関西ともめとるんよ。うちの縄張《シマ》内《うち》に事務所を開きよったヤツらがおってな。新法このかたどこも苦しいんやろ。よその縄張には手を出さんのが関東《こっち》のきまりなんやけど、関西のヤツらはお構いなしや。今回ばかしはほんとに戦争になるかもしれん」

河田はなんだか嬉しそうだ。どんどん無口になっていく杉山に、小さな目を輝かせながら言う。トカレフ、まだ試し撃ちしてないんや。なんだったら一発ぐらい撃たしたってもええよ。遠慮しときますよ、杉山は答えた。

「もう一軒行こか？　カラオケでもどや」そう言ってから河田はちょっと警戒する口調になった。「あ、ひとつ言うとく。人の頭をマイクで叩くのはやめてんか」

マイクだったか。杉山はゆっくり首を振った。

「いや、今日はやめときましょう。最近、朝が早いもので」

河田は、ほんまかいな、という顔をする。

「それに今日はアイスピックを使うかもしれない」

その言葉を聞くと河田は首をすくめて財布を取り出した。金は割り勘にした。


天蓋のように頭上を覆う公園の木々はまだ青いが、早朝の風は紅葉の季節が近いことを教えてくれる。杉山はトレーニング用のスウェットスーツを買い、靴も新調した。ナイキ・エア・ストリーク・ベイパー。超軽量。まるで裸足で走っているようだ。ランニングを開始して一週間目からデジタル時計でタイムを計りはじめた。ジョギングコース二周、五キロのタイムトライアルだ。最初はどうしても十七分を切れなかったが、ある日を境に急速にタイムが伸び出した。呼吸法を変えてみたのだ。

「吸って吸って吐く吐く」昔教えられた二拍子のリズムが苦しくなって「吸って吐く吸って吐く」に変えたとたんに走りが楽になった。元ラグビー選手だった根性至上主義の体育教師は、昔ながらの教則本から得た知識をそのまま杉山たちに教えこんでいたに違いない。

この何週間か、杉山は幸子の家に電話しようとして何度も受話器を取りかけた。実際に何回かは番号もプッシュしたが、結局、相手が出ないうちに受話器を置いた。高橋カビゴン一家にとって、自分はもう存在しない人間なのだ。よけいなことをすれば事態が混乱するだけだ。

順調といえるのかどうか、小鳩組の二回目のプレゼンテーションの準備は着々と進んでいた。イベントは三田嶋がプランナーになり、村崎がそれをサポートするカタチで進んでいる。テレビCMのほうは無駄を承知で、あの後も細いツテを頼りに二、三の代理店に話を持ちかけたが、代理店内の得意先チェックを心配するまでもない、零細広告プロダクションのユニバーサル広告社が話を持ちかけること自体、すでに警戒されて、どこも話には乗ってこない。やはり三田嶋が言ったプロモーションビデオでお茶を濁すしかなさそうだった。

小鳩組の仕事を三田嶋と村崎に任せてしまうと、杉山にはさしてやることがない。他の仕事を一手に引き受けることにした。小鳩組から金を受け取ったとはいえ、実質的には借金をしているのと同じ状態だし、万が一——いや万が五千ぐらいか——石井が振り出した手形をまわされてしまう場合を考えたら、とにかく稼ぎまくるしかない。しかし、あいかわらず思い出したようにぽつりぽつりと焼け石に水の半端仕事が来るだけだ。杉山は会社の中でぼんやりしていることが多くなった。空いた時間には本を読んだ。本屋で『乳ガン』という文字を見かけると手当たり次第に買ってページをめくった。

この二週間ほどで杉山はずいぶん乳ガンのことに詳しくなった。幸子の進行度はⅡ期。もうこの段階になると、しこりは手で触ればわかるほどの大きさだ。なぜ幸子が気づかなかったのか最初は不思議だった。そして、いま頃になってようやく気づいた。考えてみれば一緒にいた頃、幸子が偏執的ともいえるほど口やかましかったのは、早苗と杉山の体のことばかりだった。幸子が怖がっていたのは自分が病気になることではなくて、家族を、父親や母親のように病気に奪われてしまうことだったのだ。いつもアルコール漬けの腐れ頭には、そんなこともわからなかった。杉山がいくら本を読んだところで、病気が治るわけでもない。しかし、いまさらもう遅いが、幸子に対してできる唯一のことは、幸子のことを考えることだけだった。

Ⅱ期の場合、転移さえなければ、五年生存率は高いと言う。だが、この五年生存率とは何なのだ。五年たった後はどうしてくれる。本によってはⅡ期なら乳房を残す温存手術も可能と書かれている。幸子の場合はなぜ駄目なんだ。乳ガンは誤診が多いという。信じられない話だが、手術をして切除してしまってから乳ガンではなかったことがわかることもあるらしい。担当医は信用できる人間なんだろうか。人の体を魚の切り身やステーキ肉のようにしか思わないヤツじゃないのか？　考えはじめると、心配でたまらない。

その日もいつものように会社を抜け出して本屋へ行き、何冊かの本と雑誌を手に入れてきた。『乳ガンにならないためのブラジャー選び』などという本まで買ってページをめくったが、「乳ガンには赤いブラジャーが効く」ということ以外、目新しい記述は何ひとつない。すべてを読み尽くしてデスクに積み上げると、ついでに買ったジョギング専門誌を手にとった。

こんな便利な雑誌があるなんて知らなかった。初心者向けのトレーニング講座からランナーの疑問に答えるQ＆A、シューズやウエアの最新情報まで、「オレンジページ」の献立メニューのようにいたれりつくせりの記事が満載されている。巻末にはこの雑誌のメインコーナーらしい、全国各地で開催される様々なマラソンレースのスケジュール表がそこだけ地に色を敷いた誌面で数ページにわたって掲載されていた。

レースに出てみようか。ふと杉山は思った。フルマラソンやハーフはまだ無理だから、とりあえず五キロか十キロ。スケジュール一覧に載っているのもむしろそういう距離のレースのほうが多い。煙草を吸いながら読む雑誌ではないが、ぼんやり煙を吐き出しながら杉山はページを繰っていった。相手は何年もジョギング歴がある連中ばかりだろうが、なにしろこっちは元陸上部だ。今年は無理でも、来年になれば結構、いいレースができそうな気がする。靴だけでなくウエアもちゃんと揃えよう。杉山はアマチュアランナーたちの先頭を颯爽と走っている自分の姿を夢想した。沿道には幸子と早苗がいて杉山に手を振っている。杉山も笑って手を振り返す。想像の中の幸子は健康そのもののこぼれそうな笑顔で、早苗は顔中を口にして何か叫んで跳びはねている——。

たぶん薄笑いを浮かべた間抜け面をしていたに違いない、勝也がじっとこちらを見ていた。少し前に河田と一緒に来たのだが、河田は携帯へ連絡を受けてすぐに消え、一人でここで待ちぼうけをくらっているのだ。

河田は週に二回ほど巡回点検サービスのようにユニバーサル広告社へ顔を出すが、たいていは応接コーナーでふんぞり返って携帯電話で何やら長話を続け、すぐにいなくなってしまう。サオリともめているわけでも、忙しいふりをしているわけでもなさそうだ。例の抗争の影響かもしれない。このところの河田はなんだかぴりぴりと緊張して、そして水を得たタコのように生き生きしている。

勝也の視線が自分の惚けた顔ではなく、開いていた雑誌に注がれていることに気づいて、杉山は声をかけた。

「見るかい？」

今日はユニバーサルの他の連中も出払っているから、話し相手は勝也しかいなかった。勝也は答えるかわりにそっぽを向いた。何度もユニバーサルに来ているのに、杉山はこの男と喋ったことがない。まともに声を聞いたこともなかった。猪熊にあれこれと話しかけられて困ったように、うんとかすんとか言うのを耳の隅で聞いたことがあるぐらいだ。

勝也が居心地悪そうに座っている応接コーナーのテーブルの上に雑誌を置く。雑巾を見るような目でそれを眺めていたが、杉山が目を離した隙に手に取ってめくりはじめた。

「走るのに興味があるのか？」

ぱたり。杉山が話しかけるとあわてて雑誌を閉じる。今日も一張羅らしいてかてか光るピンストライプの妙なスーツを着ていたが、その足には年季の入ったアシックスのランニングシューズを履いていた。

「陸上、やってた？」

返事を期待せずにまた声をかけると、今度は答えが返ってきた。

「昔、高一の頃」

初めて声を聞いた。まだ子供っぽさの抜けない声を無理やり低くしている感じだった。昔といっても何年も前ではないだろう。

「専門は？」

「長距離。駅伝もやってたな」

杉山の高校の陸上部は部員全部を合わせても、駅伝のメンバーに足りなかった。本格的に駅伝に取り組めるのは、陸上の名門校だけだ。

「ベストタイムはどのくらい？」

「十四分十七秒八」

空で暗記している口ぶりで答える。

「三マイルで？」

「五千に決まってるだろ」

驚いた。十数年前、杉山が陸上部にいた頃なら高校新記録だ。一年生でそれだけのタイムを出していたのなら、続けていれば実業団でもトップレベルの選手になっていただろう。

「なんでやめちゃったんだ」

それには答えずに雑誌を投げ返してきた。これ以上、よけいなことを訊くな、と言いたいらしい。

その瞬間、杉山の頭の中で何かが囁いた。そうか。ジョギング専門誌「ランナーマガジン」を再びめくり、見開き二ページを使った派手な広告の所で手をとめる。

これだ。杉山は心の中で叫んで、にんまり笑って勝也を振り返った。そして大神林のような熱い視線を送る。勝也は薄気味悪そうな顔をしてそっぽを向いた。

3

プレゼンテーション当日、村崎が買ってきたインスタントの味噌汁を全員で飲む。縁起担ぎだ。具はアサリ。去年から今年にかけて、ユニバーサル広告社の競合プレゼンの戦績は、十社以上が参加した大きなものから弱小同士の一対一の対決までを含めて、二勝十一敗。そのたった二回の勝利の日の朝には、アサリの味噌汁を飲んだと村崎が言うのだ。しかしヤツは毎日の朝飯に味噌汁をかかさないし、選ぶ具も三種類しかない。アサリで負けたこともあるだろう。杉山の問いに、村崎は「信じることさ」としか答えなかった。

「ほな、ユニバーサル広告社と三田嶋デザイン研究所の勝利を願って」

石井がそう言って発泡スチロールのカップを片手で差し上げた。まるで水盃だ。魚介類が嫌いだという三田嶋が顔をしかめる。今回は本人の希望で、三田嶋もプレゼンに参加する。最後の打ち合わせをするために、いましがた大神林を連れてやってきたばかりだった。妄執の鬼と化した三田嶋はまだ本気で河田主演のリンチシーンを撮るつもりなのだ。面倒臭いから、もう杉山もあえて止めない。杉山の個人的な見地だけで言えば、今日は幸先がいい。今朝は五キロを十六分三十二秒で走った。またまた記録更新だ。

午前十一時五十分。五人で三田嶋の新車ランドローバー・ディフェンダーに乗りこむ。真っ黒でやたらとでかい装甲車のようなクルマだった。猪熊も一緒に行きたがったが、もちろん止めた。猪熊はいまだに小鳩組がただの建設会社だと思いこんでいる。しかも万一、ヤツらが事を荒立ててきたら、杉山はこう言うつもりだった。

「会社にひとり残している。我々が何時間たっても帰ってこなければ、出るところに出ることになっている」と。猪熊は五人の大切な保険なのだ。

平日の昼時とあって道は渋滞していた。俺のカーナビはモノが違うから、三田嶋はそう豪語して抜け道を選んで走ったが、やっぱり混んでいた。

「なんだか、殴り込みみたいだね。燃えちゃうなぁ、俺」

ハンドルを握る三田嶋がいつもの軽い調子で言う。だが心なしか声が震えていた。

後部座席は左右向かい合わせになっている。昔観た戦争映画の軍用ジープのようだ。確かその映画では、ラストシーンでジープ兵たちが全滅するのだ。

「なぁ、お前たち、わしにもしものことがあったら家族をよろしくな。美穂子に再婚してもええでって伝えてくれ」

隣に座った石井が両手の拳を固く握りしめながら言う。美穂子というのは、「美女と野獣」と誰もが陰口を叩く石井の齢の離れた妻の名だ。

「そんなおおげさな。命まで取られるわけじゃなし」

杉山は石井の胸を拳でつついて笑ったが、確信があるわけでもなかった。この間の河田の話が本当なら、社員旅行は予定より早く東京湾になるかもしれない。不安を振り払うように言った。

「何があっても、みんな一緒だ。俺たちはユニバーサル組だ」

「プレゼンこけたら、指詰めかなぁ」反対側のシートを一人で占領して、長すぎる手足を窮屈そうに折り曲げた村崎が、珍しく気弱げに呟く。「左の小指は困るな。コードが押さえられなくなる」

助手席でごつい体を縮めている大神林が、重苦しい車内の雰囲気を破るように大声を張りあげた。

「自分、歌います」

大神林が歌いはじめる。奥多摩美術大学の応援歌だそうだ。ひどい音痴だった。一番を歌い終わる頃には、誰もの体から抜けすぎてしまうぐらい、すっかり力が抜け落ちていた。二番も歌おうとする大神林に三田嶋が言った。

「いいよ、もう」

大神林は残念そうに言う。

「そうすか。でもそのセリフは二番を聴いてから言って欲しいっす」

大神林が二番を歌い出すと、村崎がハモりはじめた。バンドのボーカルのくせに、村崎もたいして上手くない。メジャーデビューが最終目標だというが、たぶん無理だろう。三番はやけくそになって全員で歌った。

「あっ！」

七海市の手前の高速インターを降りる頃になって突然、三田嶋が叫ぶ。

「大神林、お前、パースは？」

「え？　三田嶋さんがクルマに積まれたんじゃなかったんですか？」

「なんで俺？　俺、所長だよ。お前の仕事だろうが」

「忘れただぁ!?」

杉山は思わず大声を出してしまった。パース・イラストはイベント会場のレイアウトや設備を詳細に描いた見取り図だ。イベント企画のプレゼンはこれがないと話にならないし、素人が喜ぶプレゼンの華でもある。だから予算がないというのに、わざわざこれだけは専門のイラストレーターに仕事を発注し、二週間もかけて描かせたのだ。テレビCMは不可能、今後は仕事を受けない。それでなくても今日のプレゼンは、小鳩組の連中の怒りの炎に注ぐ油が売るほどある。唯一まともなイベント提案を円満に成功させて、彼らを少しでも懐柔するつもりだったのだが、逆に火に注ぐ油がひとつ増えてしまった。

「ユニバーサルにはちゃんと持ってきたんだよな。ねぇ、さっき見せたよね」

「そのまんまテーブルに置きっぱなしっすね」

三田嶋も大神林も他人事のように言う。約束の時間まであと三十分もない。おまけに道は混んでいる。取りに戻る時間はなかった。石井が猪熊に携帯をかけて、小鳩組本部ビルの場所を教える。猪熊が届けに来るまでの間、どうやって時間を稼げばいいんだろう。しかもこれで、万一の時の猪熊保険もなくなってしまった。

ぎっしりと車間をつめたタクシーとトラックが、苛立って足踏みをするように徐行と停止を繰り返す高速のフェンスの向こうに、使い古したダクトを思わせる煤けた街並みが見えてきた。

七海市だ。

二カ月ぶりに見る小鳩組本部ビルは、この間とは様相が変わっていた。ビルの正面入り口を塞ぐように黒塗りのベンツが何台も停められていて、若い組員たちが磨く必要などどこにもなさそうなボディを洗車するふうを装いながら、周囲に鋭い視線を走らせている。三田嶋のランドローバーが近寄って、路肩に停まろうとすると、全員がわらわらと駆け寄ってきた。

「お前ら、なんの用だ」

一人が語尾をあ〜んと引き伸ばして誰何《すいか》し、歯医者に見せるように前歯の抜けた大口をぽかりと開けて、ランドローバーを蹴り上げてくる。ついさっきトラックと衝突しても楽勝の頑強ボディだよ、と威張っていた三田嶋が悲痛な叫びをあげた。

「ち、ちょっとぉ、やめてよぉ」

杉山が顔見知りの組員の姿を見つけて声をかけると、男たちはようやく散り、もとの警備態勢に戻った。

ビルの中の空気も張りつめていた。五人は同じ人数の男たちに取り囲まれてエレベーターホールへ歩き、エレベーターを降りたところでボディチェックをされた。大神林がジャケットに忍ばせていた髭のお手入れ用のヘアコームまで取り上げられる。廊下はすべての窓が鉄板で覆われていて薄暗く、天井灯の間のびした光が五人の行く先を陰気に照らしている。ビルの造りが大仰なわりには廊下が狭く、入り組んでいるのが前から不思議だったのだが、その理由がわかった。たぶん外部からの襲撃に備えて、わざとそういう設計にしてあるのだ。いつもは遅れて来るくせに、今日にかぎって小鳩組長は、すでに会議室で待っているという。杉山は、午前中には体中を駆けめぐっていたはずのアドレナリンが、ここにたどりつくだけでもう残り少なくなっているのを感じた。

「遅い。親父さんがお怒りじゃ」

ドアを開けて五人が部屋に入るなり、桜田が吠えかかってきた。もう小鳩組は全員が顔を揃えている。壁にはいままでは一人か二人だったボディガードが四人、四隅に支柱のように突っ立っていた。

「いったい何分待たせる気だ！」

何分と言ったって、まだ一時五分。世間とは時計の針の進み方が違う広告業界時間では、ほめられてもいいぐらいの正確さだったが、桜田は本気で怒っていた。そして、小鳩組長も。目を閉じて椅子の上であぐらをかいている小鳩源六にはいつもの笑みがなく、くしゃみをする寸前のような渋面を浮かべていた。人を平気で待たすヤツにかぎってこうだ。人に待たされるのは嫌いなのだ。

「申しわけありません」

杉山はぺこりと頭を下げる。こういう時は素直に謝るのがいちばんだ。いつものようにコの字型に囲まれたユニバーサル用のデスクに、三つしか椅子が置かれていないのを見て杉山は言った。

「今回は五人でまいりました。デスクがひとつだけでは、パース・イラストのプレゼンテーションにも、ブレーンストーミングとフリーディスカッションにも何かとさしつかえがあるかと思います。お待たせついでに机を並べ替えたいのですが、よろしいでしょうか。どうもどうも恐縮です」

自分でも何を言っているのかよくわからない広告用語で煙《けむ》に巻き、返事も聞かず机に手をかける。幹部たちの何人かが毒づいてきたが、耳に入らないふりをした。ひとつは時間稼ぎのため。もうひとつは彼らともっと顔を近づけて話をするためだ。この間から思っていた。

広い部屋をわざわざ狭く使ういつものテーブルのレイアウトは、巧妙な計算なのか、それとも彼らが本能的にそうしているのか、呼びこんだ人間を精神的に威圧する効果を持っている。まずその魔力を消してしまうつもりだった。彼らをこちらのペースに巻きこむのだ。

村崎や三田嶋たちにも手伝わせ、部屋を勝手に模様替えする。桜田に苛立った声で命令されたボディガードたちも手伝いはじめた。「コ」の字に並んだ机を向かい合わせの「I」字型にして、五人対十三人が顔を突き合わせるカタチにする。鉄板の隙間から逆光が差しこむ窓を背にした側を自分たちの席にした。こうすれば、杉山たちの表情は読み取りにくくなり、彼らの顔色はライトアップしたように一目瞭然になる。まだギックリ腰が治っていないのか、小鳩組長はボディガードたちに椅子ごと担がれて、向かい側中央の定位置についた。

「お手間をとらせました。ではさっそく始めたいと思います。まず、イベント企画案から。会場の見取り図を描いたパース・イラストを用意してまいりましたが、それは最後のお楽しみということで……退屈とは思いますが、まず言葉で説明させてください」

杉山の口からは、自分でも意外なほどすらすらと言葉が出た。合計で前科百犯以上になりそうな、向かい側の悪相の見本市もさして気にならない。さっきまで思い思いに自慢の威嚇ポーズをつくって満を持していた幹部たちは、急遽変わってしまった自分たちの縄張気勢を削がれて、居心地の悪そうな顔をしていた。よしよし、先制の軽いジャブぐらいにはなったかもしれない。向かいのテーブルの隅にいる河田を睨みつけていた三田嶋が、説明を始めようとした杉山のジャケットの袖を引っぱって耳打ちしてきた。

「俺がやるよ」

小鳩組の幹部たちを目の当《ま》たりにして顔は恐怖に引きつっていたが、目は異様なほど強く光っている。河田への復讐の灯火《ともしび》だ。

「では具体的なプランを、今回、特別にプレゼンに参加していただいた、映像クリエイターにして空間アーチストでもある三田嶋末吉さんに説明していただきます。映画制作にお忙しい中、本日は無理にお願いして来ていただきました。お願いします、三田嶋さん」

杉山の紹介に、石井も村崎も、大神林まであきれた顔で振り返る。まぁ、まるっきり嘘というわけでもない。ただ一人、杉山の言葉に満足げに頷いた三田嶋がゆっくりと立ち上がり、模様替えをして広々と空いた部屋の片側へ歩いていく。そしてそのままドアを開けて部屋を出ていった。

小鳩組の幹部たちは呆気にとられて三田嶋が出ていったドアを見つめた。杉山たちもだ。逃げた？　嘘だろ？　幹部の一人がうがいをしているような唸り声をあげる。

「おう、貴様ら、わしらをなめとるんか」

だがその声が終わらないうちにドアが開き、ドアの隙間から三田嶋が顔を出す。

「では、行きまっす。3Dシミュレーションでイベント会場の模様をバーチャル体験だ」

口上じみた声を張りあげて、三田嶋は再び部屋に戻ってくる。先刻、初めて入ってきた時のように部屋を見まわし、右手の壁に首を振る。

「まずドアを開けるとすぐ目の前に、おおっと、これはプロモーションビデオだ。五十インチ大画面に心誘われる映像が流れている。椅子も三十席ほど用意されている。これは見逃すわけにはいかない」

三田嶋はイベント会場にやって来た客の演技を始めた。椅子もないのに中腰の姿勢を保ち、顎に手をあててのんびり腰をおろした姿を演じてみせる。見事なものだ。こんな特技があるとは知らなかった。

「おっ、これは……社員研修用ビデオかぁ。なになに中途退社を希望したら……？」

三田嶋は見えない椅子に座ったまま、空白の壁を眺めながら、そこに本当に映像が映っているみたいに独り言を装って解説を加える。

「なるほどなぁ。組織を抜けるのはいけないことなのであるな。このハゲ坊主、血まみれだよ。あ、頭をすりおろし器ですられてる。迫真の映像が終わったところで、次へ行く。と、ここには説明用のパネル。いろいろ書いてある。ははぁ、なるほど……」

声はかすれ、若干震えてはいたが、なかなかの演技力だ。助演とはいえAV男優をしていただけのことはある。小鳩組の幹部たちは渋面とあきれ顔が半々だったが、目は三田嶋の動きに引きこまれている。イベント会場を感心した様子で歩きまわる演技を続けていた三田嶋が突然動きを止めて言った。

「このイベントは女性や子供にも、たとえば買い物帰りの主婦や子供連れの家族なんかにも、気楽に立ち寄れるものにしたいと思うんですよ。そのための工夫もいろいろ。おい、大神林」

三田嶋が声をかけると、大神林も席を立ち、ドアの向こうに消えた。そして、今度こそ逃げたかと誰もが疑いはじめるほどの間が空いた後に、ドアが開く。

大神林は坊主頭にスカーフのようにバンダナを巻いて出てきた。内股でなよなよ腰を振って部屋の中ほどに歩いてくる。突然立ち止まり、買い物袋を下げたおばちゃんのつもりか、折った片手を胸にあてながら「んまっ」という表情をする。上手かった。三田嶋以上かもしれない。演技というより、まるで日頃から身についた動作のように見える。これでもかというふうに大神林がでかい尻を何度も振ると、小鳩組の幹部たちの間から小さな笑いがもれた。腕を組んだまま瞑想を続けていた小鳩組長は、気づかれない程度にそっと薄目を開けていた。桜田は口をへの字にして肩を震わせている。怒っているのかと思ったが、一人だけニコリともしない鷺沢が「もういいでしょう」と声をあげると、がっかりしたように肩を落とした。

「もう結構です。そろそろパース画を見せていただけますか」

鷺沢が融けかけた場を凍りつかせる声を出した。杉山はゆっくりと立ち上がり、間髪を入れず赤べこ人形のように頭を下げる。素直がいちばんだ。

「申しわけありません。実は、若干完成が遅れてしまいました。少々仕上げに念を入れすぎまして。あ、でもご心配なく。さっき仕上がったという連絡が入ったところです。今ちょうど使いの者が、小脇に抱えてこちらに向かっている最中でして、もう駅前の角を曲がっている頃だと思うのですが……もう少しお待ちいただければ……」

杉山の長広舌を鷺沢がさえぎる。

「ではCMの話をしましょう」

「え、もう?」

「はい」

「でも、たぶんもう、そこの角あたりまで来ていると……」

「お願いします」

杉山はあきらめて天井を仰ぎ、ひとつ深呼吸をした。やるしかない。いよいよヤクザと喧嘩だ。腕力では勝てなくても、口喧嘩なら負けない。どうせやるなら、まず先に怒らせてしまおう。バッドニュース&グッドニュースの法則だ。先に悪いニュースを知らせておいたほうが、後の話の好印象が強くなる。顔から笑顔が消えないように注意して、杉山は声を出した。

「CFに関してはいいお知らせと、悪いお知らせがあります」

そう言って、悲しげに首を振ってみせる。

「悪いお知らせからです……テレビCMは不可能です。制作はできてもオンエアは……放送することはできません」

一瞬の沈黙の後、向かいのテーブルから横殴りの雨さながらの勢いで怒号が飛んできた。

「な、な、なめとんのか、お、おみゃあ」

「わしゃ聞いとらんぞ」

「寝ぼけてんじゃゃねえ!」

首をすくめて罵声の嵐が収まるのを待ってから言葉を続けた。

「広告代理店の社内審査にひっかかるのです。仮に代理店は通せたとしても、テレビ局にも放送倫理規定がある。残念ながら御社の場合、表現の内容にかかわらず会社の信用調査の段階ではねられてしまう」

「ヤクザはコマーシャルをやっちゃいけねえっていうのか」

「まぁ、そういうことになるかと……」

再び罵詈雑言の雨あられ。言葉が体に突き刺さって痛いほどだ。

「なぜ最初からそう言ってくれなかったんです」

鷺沢がいかにも心外そうに、しらじらしく首を振ってみせるが、その口調には、そのくらい最初から計算のうちだという響きがあった。実際にこの男はこうなることを予想していたに違いない。きっと組長の心証を悪くしないために、俺の口から言わせたかっただけだ。杉山は縮めていた首をようやく元に戻して言った。

「はい、本来の意味でのテレビコマーシャルは無理ですが、新しいＣＩマークをテレビに流す方法はあるのではないか、そう考えたからです」

今度は鷺沢が本当に意外そうな顔をした。よし、いくぞ。杉山は声のトーンを変えた。痛ましいニュースを伝えていたアナウンサーが明るい街の話題に移るように。

「それでは、よいほうのお知らせをお伝えします。もし仮にＣＭのオンエアが可能だったとしても、たぶん今回お考えの予算では、深夜の十五秒スポットのみ、つまり誰も見ていないような時間帯に最小限の回数だけ流すことしかできません。しかし、我々は熟慮を重ねた結果、新しいマークをきわめて低予算で、休日の真っ昼間からテレビに映し続ける画期的なアイデアに思いいたりました。これをご覧ください」

用意してきたパネルを大型封筒から取り出して掲げてみせる。例のジョギング専門誌「ランナーマガジン」の見開き広告ページを拡大コピーしたものだ。四色カラーの派手な誌面の中にこんな文字が躍っていた。

『七海マラソン三十周年記念大会』
『タマラスカヤと走ろう』
『完全実況生中継――テレビ放映決定！』

藤村老人が老眼鏡をずり下げてパネルの文字を読み、それから声をあげた。

「なんじゃって？　わしゃ聞いとらんぞ」

「七海マラソン」は長くアマチュアランナーに親しまれてきた、日本の代表的な市民マラソンのひとつだ。しかしレースが争われるのが三十キロという中途半端な距離であるために、これまでに有名選手が出場することはなかったし、杉山の知るかぎりテレビ中継されたという話も聞かない。

最近のジョギングブームで、新設の市民マラソン大会が全国各地で増えている。人気があるのは、オリンピック種目と同じ四十二・一九五キロのフルマラソンだ。主催者たちが少々影が薄くなってきた七海マラソンのテコ入れをはかったらしい。今年の七海マラソンはビール会社がスポンサーについて冠大会になり、距離もフルマラソンに変更された。そしてそのレースはテレビで中継される——。

「シ、シ、シーエムの話と、それがなぁあんの関係があるんよ。た、た、たわけたことこくんじゃにゃあぞ！」

黒崎がMの字の額の隅に血管を浮き立たせてからんでくる。本気で怒っていた。小鳩だけではなく、案外組員たちもテレビコマーシャルを楽しみにしていたのかもしれない。

「いまからそれをご説明します」

そう言いながら杉山はジャケットを脱ぎ、ネクタイをほどいた。組員たちの間に緊張が走る。何人かが内ポケットに手を突っこみ、壁際のボディガードたちが一歩前に足を踏み出した。杉山はワイシャツのボタンもはずし、クラーク・ケントがスーパーマンに変身する時のように、両手で胸元を広げて見せた。

「七海マラソンに参加するんです。これを着てね」

ワイシャツの下にはマラソンレース用の長袖シャツを着ていた。ワイシャツも脱ぎ捨てて、すべてを見せる。胸の上のほうに決定したばかりのシンボルマークがデザインされていて、その上にカタカナで大きく「コバト」の文字が入っている。市販のウエアに村崎がシルクスクリーンで印刷したものだ。

「シンボルマークと、コバトの名前の入ったユニフォームを着て、マラソン大会を走るんです。そうすればテレビに映る。今年の七海マラソンはテレビで生中継されるんです」

横を向き、そして後ろを向いて、肩口と背中にもマークが入っているのを見せた。長袖の腕の部分に沿ってKOBATOというローマ字もあしらってある。ピースエンタープライズではなく、あえて小鳩の名前を使ったのは、小鳩源六の人一倍強そうな自己顕示欲を刺激するためだ。

「スタートは日曜の正午です。視聴率など限りなくゼロに近い深夜にCFを流すより、はるかに広告効果があるはずです」

幹部たちの誰もが、杉山の喋る言葉の意味がわからずに、外国語のスピーチでも聞かされている表情になった。杉山は彼らの頭が追いついてくるよりも早く、早口でまくし立てた。

「このデザインをご覧ください。マークはシャツの上のほうにレイアウトしました。マラソンレースの参加者にはゼッケンの着用が義務づけられますが、このデザインならだいじょうぶ、この通りです」

今度は用意してきたゼッケンをつけて見せる。ひょっとして自分だけがこの男の妙な言葉を理解していないのではないか、幹部たちの誰もがそんなふうに周囲を窺い、怒るに怒れずにいた。例外は一人だけ。鷺沢だ。

「お話の意味がよくわかりませんが。まず第一に、誰が走るというんです。第二、マラソン大会に参加したからといって、テレビに映る保証がどこにあるんです」

杉山はまず第二の質問にだけ答えることにする。

「そう、問題はそこです。そこでタマラスカヤだ。タマラスカヤ選手は、ご存じですよね」

藤村老人をのぞく誰もが知ってるに決まってる、という顔をした。そりゃあそうだろう、あのタマラスカヤだ。子供だって知っている。今年のアムステルダムマラソンでファツマ・ロバを破って優勝し、女子の世界新記録を大幅に更新したウクライナのカモシカ。走るスーパーモデルと呼ばれるその美貌は、世界中の雑誌の表紙やグラビアページを飾った。最近は、日本の化粧品会社のＣＦにも出ているし、どこかの出版社が億単位の契約金でヘアヌード写真集の出版権を買ったという噂まである。

「タマラスカヤはこの大会の目玉だ。テレビ中継があるのも彼女が出場するからです。彼女以外には男子も女子も名のある選手は出場しない。テレビカメラは、先頭を行く二流の男子選手より彼女を捉えようとするはずだ。そこで……」

杉山はいったん言葉を切り、一同を見まわしてから一気に言った。

「タマラスカヤと一緒に走るんです。このシンボルマーク入りのシャツを着て隣を走る。テレビカメラに映るようにね」

「ははぁ、なるほど」

誰かが心底、感嘆したという声を出した。すぐ脇からだ。石井だった。事前にちゃんと説明したのに、よく理解していなかったらしい。だが口裏を合わせて言っているとは思えないその言葉につられて小鳩組の面々も頷いた。しかしすぐに、杉山の話が空論であることに気づいた一人が怒り声をあげる。

「そんなこと、できるはずねえだろ。いったい誰が走るっていうんだ。女つったたって世界記録を持ってるんだろが、一緒に走れるわけねえじゃねえか」

そう、普通は走れない。しかし、走れる。杉山は断言した。

「走れます。確かにゴールまでは無理だ。でも五キロぐらいまでなら可能だ。陸上競技の五千メートルで十五分台のタイムを出せる人間だったらついていける」

その言葉が幹部たちの頭にしみこむのを待ってから言った。

「私が走ります。私の五千のベストタイムは、十五分四十六秒。タマラスカヤが世界記録を出した時の五キロまでの通過タイムは十六分十三秒だ」

事実だった。五キロまでと距離を限定して全力疾走すれば、二流の長距離ランナーだった杉山でも、世界一の女性マラソンランナーより速く走れる。ただし高校時代のベストタイムに近い数字が出せればの話だ。

「いや、十キロまで行けるかもしれない。私には無理だが、それが可能かもしれない人間がいる」

「誰だ？　そこの坊主頭か？」

大神林がぷるぷると首を振った。杉山は言う。

「こちらの西脇君です」

「西脇？　誰じゃ？　わしゃ知らんぞ」

「黒崎のとこの若いのですよ。いま河田の下につけてる」

藤村老人の問いにボクサー鼻が答える。河田には舎弟ができたわけではなく、Ｍの字に借りていただけらしい。河田はちらりと杉山の顔を見て下を向いてしまった。杉山は今の言葉が聞こえなかったふりをして話を続けた。

「西脇君は、高校時代に長距離をやっていた。そのまま続けていればオリンピック強化選手になれたかもしれない逸材です」

杉山の言葉に河田が心配そうな顔をする。

「あんた、吹かし入れられたんやないの？　勝也は吹かしが多いぞ」

「う、う、うちの勝也ぁ？　ありゃ、駄目だがや。シンナーで体ボロボロだ。百メートルだって走れねえに、きき決まってる」

黒崎もあきれ声を出す。

「おう、誰か西脇を呼んでこい」

桜田の言葉に河田がすっ飛んでいった。

幹部が集まった場に居合わせることなどないのだろう。西脇勝也の目からは、杉山たちの前で見せるいつもの挑戦的な光が消え、上目づかいで不安げに周囲を見まわしていた。桜田が尋問する調子で言う。

「西脇、この広告屋の言ってることは本当か？　マラソンやってたって」

「おす」

「は、は、走れるわけねえだろう。おみゃあはシンナー漬けだろうが」

「いまはやってません。昔っす、昔、ほんの少しだけ」

その言葉に嘘はないはずだ。勝也の歯並びはきれいにそろっている。シンナーを常用していた杉山の高校時代の仲間の一人は、半分以上歯をなくして二十歳前に死んだ。

「おおう勝也、吹かしこいて、俺に恥かかすんじゃにゃあぞ。い、い、いまなら許したるで、やめときゃあ」

黒崎が一喝すると、勝也は目を伏せてしまった。

「まあ、本人に自信がないと言うならあきらめます。私一人で走りますが」

杉山が挑発する口調でそう言うと、勝也は顔をうつむかせたまま鋭い一瞥を投げて寄こした。杉山は片手の拳の上に親指を突き出す。やろうぜ、と言ったつもりだった。勝也は牙を剝くような表情をして、杉山の顔を見返してくる。そして、ぼそりと言った。

「おすっ……自分、走ります」

その言葉は幹部たちの俠気を少なからず揺り動かしたようだった。黒崎は目を剝いて勝也の顔を見つめ、幹部たちの何人かが「おうっ」と感嘆の声をもらした。

小蝿を追うしぐさで勝也に出ていくように命じてから、鷺沢が言った。

「そううまく事が運ぶでしょうか。どうも私にはあなたが詭弁を弄しているとしか思えないのですが。我々はテレビコマーシャルをお願いしたのです。いくらなんでも話が違いすぎる」

「しかし予算は大幅に削減できます。必要なのはシャツの制作費だけだ。市販のものにプリントするだけでじゅうぶん使える」

彼らを説得できるとしたら、この一点だ。不況と暴対法による締めつけで、ヤクザ組織の多くは厳しい財政難にある。一見、羽振りが良さそうな小鳩組にしたって、それほど楽ではないはずだった。表向きは会社組織でも、彼ら一人一人は独立採算で金を稼いでいる。のうのうと贅沢三昧の生活をしていられるのは、強固な上納金システムをつくりあげ、その頂点に立つ小鳩組長だけだ。

「テレビ局に支払う媒体料金が、いったいどのくらいかご存じですか？　深夜スポット一回で三十万円、ゴールデンタイムなら百万以上だ。十五秒間のCMたった一回だけでですよ」

実際にはセット契約になるから、もっと安くはなる。しかし事実は事実だ。杉山が思っていた以上にこの言葉は効いたようだった。幹部たちがざわめき、お互いの顔を見合わせはじめた。

「百万……」女房をパートに出している河田が天を仰いで呟いた。「ぼったくりやがな」

幹部の一人が組長の顔色を窺いながら、独り言めかして言う。

「そうさな……この先、戦争になりゃ金はいるわな」

「しかし、映るといってもたいした時間じゃないでしょう？」

少し考えるふうをして鷺沢が言った。頭の中で電卓を叩いているに違いない。

「スポーツ用品メーカーが高い契約金を払って、なぜプロスポーツ選手と専属契約を結ぶかはご存じでしょう？　ほんの一瞬、テレビに映るだけで絶大な効果があることを知っているからだ。ナイキがタマラスカヤに支払っている金は確か一億円。私と西脇君ならタダだ。ギャラをいただけるなら、別に拒みはしませんけれど」

せいいっぱいの余裕を見せてジョークをかましたが、誰も笑わない。誰もが真剣な顔つきになっている。彼らが考えこむと、もともと怖い顔がさらに怖くなった。

桜田がいつもの、何を言っても怒鳴っているように聞こえる声で言った。

「鷺沢、シーエム料つうのに、いくら使うつもりだ」

鷺沢が手もとから書類を出し、桜田の顔を見ずにテーブルを滑らせる。桜田の張り出した額の下の目が丸くなった。

藤村老人が向こう傷をなでながら、しわぶきをする。

「なんちゅうか、ま、確かに新法からこっち、うちもそう楽じゃない。組の金をつまらんことに使うのはもうやめたほうがいいかもしらん。なぁ、源さん、若い衆の中にゃ女房に体売らせて上に金を納めとる者もおる。申しわけがたたんじゃろ」

老人はげほげほと苦しげに咳きこみながら、諭すように言った。

「カタギさんの後ろに立つのがヤクザじゃろ、カタギさんの前に立ってどうするんじゃ」

鷺沢は自分には関係ないといったふうに下を向いてメモ書きをしている。椅子にこけし人形を置いたように身じろぎせず瞑想を続けていた小鳩組長が下唇を突き出した。まるで叱られた子供の顔だった。杉山はたたみかけた。

「もうひとつ提案があります。みなさんも一緒に走りませんか？　小鳩組のシャツをたくさん用意しますよ。七海マラソンには沿道に大勢の観衆がつめかけます。小鳩組のみなさんに参加していただければ、こちらはこちらで絶大なパブリシティ効果が期待できる。地域とともに歩む健全な侠客集団であることを市民にアピールする絶好のチャンスだ」

「はん、わしらがマラソンだとぉ」

幹部の一人が鼻先でせせら笑う。杉山はぐるりと幹部たちを見まわした。誰もが嘲けるような表情を見せていたが、一人だけまんざらでもなさそうに体を揺すりはじめた男がいた。日本のジョギング人口は一千万人を超える。小鳩組の幹部の中にも一人ぐらい隠れた愛好者がいるかもしれない。そんな期待を抱いて言ってみたのだが——やっぱりいた。桜田だ。

「……マラソン」

桜田は中空を見つめて気のない呟きをもらすが、首と上半身は準備体操でもするようにコキコキと動いている。その反対に鷺沢は怜悧な顔に珍しくあらわな嫌悪を剝き出しにしていた。

「いま我々は組織間の問題で緊張状態にあるのです。冗談にもほどがある。第一、あなたのテレビＣＭの代替案に関してまだ社長のご意見を伺っていない」

指でこめかみを押さえて、不機嫌そうな視線を杉山に向けてくる。こころなしかその表情からは、さきほどまで嫌《いや》みなほど満ち溢れていた自信が薄らいだように見えた。杉山はすかさずあげ足をとる。流れはこっちだ。

「どういう事情か知りませんが、それほどの緊張状態にあるなら、テレビCMもイベントも中止なさったらどうでしょう。キャンセル料さえいただけるのなら、こちらはいっこうに構いませんが」

鷺沢の目にすうっと爬虫類じみた皮膜が張った。

「マラソンねぇ……まぁ、それまでにドンパチが片づきゃあ、悪かぁない。ねぇ、親父さん」

無関心を装ってはいるが、すっかり乗り気になっている桜田が割って入ると、小鳩組長は閉じていた目をかっと見開き、天井を睨み上げた。

「ええなぁ……タマラスカヤ」ぽちりと呟いて好色そうな笑みを浮かべる。「わしも出ようかな」

その場の全員が驚いて小鳩の顔を見る。鷺沢は二本の指で両方のこめかみを押さえた。

4

プレゼンテーション開始から一時間あまりが経過したが、猪熊はまだ現れなかった。小鳩組のテレビCMを、七海マラソン参加に変更することにはどうやら成功したようだが、まだプレゼンが終わったわけではない。小鳩組幹部会は始まった時と同じ暗鬱な沈黙に包まれていた。広告業界のプレゼンテーションでは、クライアントが顔を揃えているのに、肝心のプレゼンボードが到着しないことや、出席者の誰かが遅刻する──営業マンであることはまずない。遅刻するのは九分九厘、制作担当者だ──ことはよくある。杉山にも何度も経験があるが、普通の会社のクライアントが相手でも胃が痛くなる局面だ。まして相手は普通じゃないときている。「あの話」をするなら、いまが潮時なのだが、杉山はなかなか切り出せないでいた。

煙草のけむりに霞む部屋の調度を眺めるふりをして、杉山は幹部たちひとりひとりを窺う。もうすっかり見慣れた顔だ。こわもてポーズを取り続けるのに疲れて、誰もが惚けたように物思いにふけっている。黒崎は剃りこみに失敗したのか、額のMの字が不揃いになっていて「N」に見える。靴下の臭そうな脂ぎった顔のボクサー鼻の潰れた鼻から、鼻毛が伸びていた。いままで気づかなかったが、桜田の左の手には小指が残っていて、薬指にはきちんと結婚指輪がはまっている。案外、恐妻家なのかもしれない。席を近づけて距離を縮めた分だけ、彼らの生活臭を嗅ぐことができた。何を恐れることがある。同じ人間じゃないか。飯も食えばクソもする同じ人間だ。鷺沢を見た。この男だけはこんな時でさえ隙を見せない。アンドロイドのように感情の欠落した表情を崩さず書きつけを続けている。果たしてこいつはウンコをするのだろうか。杉山は組員たちの一番情けない姿を空想してみた。カミさんにスリッパでひっぱたかれている桜田。自分の靴下の臭いを嗅ぐボクサー鼻。女の腹の上で射精した瞬間の間抜け面の黒崎。はげ頭にカツラを載せて鏡の前でポーズをとる河田。便秘に悩んで便所で力んでいる鷺沢。想像するとけっこうおかしい。知らず知らずのうちに頬がゆるんでくる。

「なぁに笑ってる！」

桜田が怒鳴りつけてきた。カミさんに叱られた鬱憤をここで晴らしているのかもしれない。

杉山の口からつるりと言葉が出た。

「お話があるのですが」

組員たちが一斉に身を乗り出して、思い思いのこわもてポーズをつくり直す。ボクサー鼻が口を歪めて睨《ね》めつけてきた。鼻毛を伸ばしたままそんなことをしても駄目だ。杉山は体中のありったけのアドレナリンを駆使して椅子から立ち上がる。そして言葉を続けた。

「私たちの仕事は今回かぎり、これで終わりにしたいと思います」

鷺沢が妙なことを言う、という顔になる。

「その件は前回お話しした通りですが？　お渡しした前渡金に相当する仕事はまだしていただいていないはずですし、われわれはまだ先行投資分を回収していない。今回依頼した件のお支払いは、広告効果を測定したのちに不足があれば別途用意します」

そうやってずっとユニバーサルを使い続けるつもりだろうが、そうはいかない。

「金はもういらない。この間の一千万ですべて賄います。実費込みでね。だから手形をこっちに戻してもらいましょう」

「我々が投資した額はどうなります？」

「お支払いしますよ、妥当な額ならね。明細書をください。場合によっては、こちらもいままでにかかった必要経費は請求しますよ。そちらの宣伝担当の方がお使いになった、うちの撮影機材のリース料。お連れになった女性にもご用意した特製のコーヒー代もね」

鷺沢が河田を睨みつける。驚いて杉山の顔を見返してきた河田に心の中で詫びて、そっぽを向いた。河田には悪いが、目には目を、歯には歯を、だ。鷺沢の眼鏡の奥で、両眼がナイフのようにすぼまった。

「何がご不満ですか。我々はちゃんと金を払うと言っているのですよ。相場以上の金額を用意するつもりだ。なぜそうまで我々を拒否するんでしょう。ヤクザと仕事をするのは嫌ですか？」

鷺沢が自分からヤクザという言葉を口にしたのは初めてだろう。視線の刃先を杉山の顔に突きつけてくる。

「はい」

杉山は答えた。素直がいちばんだ。幹部たちの誰かの舌打ちが聞こえた。しかし覚悟していたほど場が紛糾することはなかった。皆、ふてくされて杉山から目をそむけるか、憎々しげに睨みつけるかするだけだ。聞き飽きているセリフなのかもしれない。

「そちらの会社の経営状態は知っていますよ。仕事をえり好みするほど良好だとは思えませんが」鷺沢が如才ないセールスマンのような口調で言う。「杉山さんでしたっけ、いい所にお住まいのようだから、ローンも大変でしょう。確か駅からすぐ近くですよね？」

何が言いたいんだ。少し前までの杉山なら、別に気にとめはしなかっただろうが、いまは心が揺れた。もうすぐ早苗が家にやってくるのだ。だが、もう後へは引けない。直接手をくださず恐怖心で相手を操ろうとする、やつらの手口にはまるのは、もうたくさんだ。杉山はへらず口を叩き返した。

「そうでもないんです。隣の家の人間が口うるさくてね。何しろ警察署長だ」

税務署の係長だったかもしれない。こめかみを指で押さえて鷺沢が小首をかしげた。

「なぜです？　なぜ、それほどかたくなになる必要があるんでしょう？　法律が怖いんですか？　法律なんて体制が変われば白から黒へだって変わる、単なる権力の愚民操作の道具に過ぎない。そんなものを後生大事に守って何になるんです。第一、我々は法案をつくる側の人間とも通じているのですよ。それとも、まさかモラル？　善良な一市民としての？」

議論をしかけてくるように鷺沢が言う。いや、たぶん違う、杉山はそう言おうと思ったが、鷺沢は口をはさむ余裕を与えずに言葉を続けた。議論ではなく演説のようだ。

「なぜ我々が存在するのかわかりますか？　あなた方善良な市民が我々を必要とするからだ。言ってみれば私たちはあなた方の影のようなものなんです。振り返れば誰にだって影があるでしょう。あなたはご存じないかもしれないが、日の当たる場所に立つ人間ほど、後ろには濃い影があるんですよ」

素敵な演説だ。少なくともいままでの心の内がまるで見えない言葉よりましだ。芝居がかった脅しだと思って聞いていたのだが、違っていた。いつも通りの抑揚のない口調だったが、鷺沢の目の中にはこれまではけっして見せなかった感情のかけらが浮かんでいた。苛立ちと怒りと諦観。きっとこの男は心の中でいままでも、世間に投げつける爆弾をつくり続けているに違いない。

「あなた方だって、そうそうきれいなことばかりやっているわけじゃないでしょう？」

鷺沢が片頬をつり上げ、仲間同士じゃないかと言いたげな親密さをこめて笑いかけてくる。

そうだ、仲間だ。俺たちだって汚い。どうすればもっとトクをするか、どうすれば人よりいい目を見られるか、どうすればもっと快楽を得られるか、そんなことばかり考えている。すぐ嘘をつく。すぐ裏切る。人の不幸を喜ぶ。弱い人間を力でねじ伏せようとする。想像の中では、誰かを殴っている。誰かを犯してる。頭の中だけなら、何人も人間を殺している。こいつらと同じだ。実行しないだけだ。だが、もしそれが人間の本性だったとしても、それを認めてどうする。それを恥じずにどうする。たとえ人生が人間同士の順序を争う競争だったとしても、ズル入りはだめだ。

杉山はようやく言葉を絞り出した。

「だけど、ズルはいけない。みんなとのお約束は守らなくちゃ。子供の時に教わりませんでしたか？」

退屈そうにやりとりを聞いていた幹部たちの中から失笑がもれた。鷺沢は、お前は馬鹿か、という顔で杉山を見返して、分別臭く首を振る。

「あなたとは大人の話ができると思っていましたが、どうやら見こみ違いだったようですね」

もっちロンドンパリ！　プルップ〜。

鷺沢の目から、かいま見えた感情の光が消え、再び冷たい氷が張った。いつもの無表情に戻って、幹部たちに語りかける。

「みなさん、彼らは我々と仕事をするのが嫌だそうです。我々のような人間のクズは嫌いだそうだ」

そこまでは言っていないが、鷺沢の言葉は何人かの単細胞を刺激した。アジテーションはヤツの十八番に違いない。

「なんだとぅおぅ〜、カタギだと思って甘い顔してりゃ、つけあがりやがって」

杉山の真向かいにいたボクサー鼻が、椅子を蹴り倒して立ち上がった。黒崎がそれに続く。

二人で狭いテーブルの向こうから、杉山の顔へねじこむように首を折り曲げて威嚇してくる。ボクサー鼻が口臭が鼻につくほど顔を近づけてきた。

ごとっ。杉山の隣の席にいる村崎がイヤホンをはずして机に叩きつけた。ぐしゃぐしゃガムを嚙みながら、のそりと立ち上がる。案山子《かかし》のように痩せてはいるが、その薄気味悪いほどの背丈に二人は一瞬たじろいだ。

「お、お、おみゃあら、いっぺん、し、し、死んでみるか」

黒崎が背伸びをして村崎に眼《ガン》を飛ばす。杉山の左手でさらに二人の幹部が立ち上がると、左手にいた三田嶋と大神林も立ち上がった。いつの間にか眼鏡をサングラスにかけかえた石井もおずおずと中腰になる。これで五対四だ。

睨み合う広告業者とヤクザの両方を蔑む目でながめて、鷺沢が薄く笑う。

「しかたありません、会社をいただきましょうか」

「なんだって!?」

あらかじめ決められた儀式であるように鷺沢が小鳩の顔を窺うと、小鳩組長は玩具をねだる子供じみた動作でこくこくと頷いた。

「年間契約に署名をしていただいた時に、これもお願いしましたよね、石井社長」

鷺沢がアタッシュケースの中から一枚の書類を取り出し、片手でつまんでみせる。

「忘れたとは言わせません。営業譲渡契約書だ」

石井が目を剝き、口から唾を飛ばして叫んだ。

「し、知らん、そんなん知らん」

「知らんことねえだろう！」

鷺沢がそれまでのビジネスマン口調を、がらりと変えて石井を恫喝する。

「そんなもの無効だ。判も押してないはずだ」

杉山が叫び返すと、けろりと普段の口調に戻った鷺沢が言う。

「契約書には署名さえあれば押印はいらないのですよ。商法のイロハです。ご存じない？」

そんなこと知るわけがない。

「まぁ、裁判の時にもめる材料になりかねませんから、こちらで用意した判を押しておきましたけれどね。助かりました。小切手に押してあった印章は、三文判のようにシンプルでしたから」

文書偽造だ。録音テープを用意しておけばよかった。いや、どちらにしろボディチェックの時に取り上げられていただろう。鷺沢は余裕たっぷりの手つきで書類を机の上に広げてみせる。「営業譲渡契約書」と書かれたその書類には、譲渡人としてユニバーサル広告社と石井の名前が、そして譲受人には、㈱M&Eネットワークという初めて見る社名と、代表取締役の鷺沢の名前が入っている。会社ごっこのようなピースエンタープライズではなく実質的に機能する会社に違いない。

「いま我々が計画中の新しい投資ネットワークビジネスには、広告活動が不可欠なんですよ。そして腕のいい広告屋さんがね。それも情報漏れの懸念のない専属広告会社《ハウス・エージェンシー》が望ましい。会員を集めるには、マスコミに広告を流して信用させるのが一番だ。テレビCMは誰も見なくてもよかったんです。流していたという事実さえあればじゅうぶん客引きになったんですが、まぁ、しかたありません。代理店の窓口は私の会社にしましょうか」

この男はただの茶坊主じゃない。組長のご機嫌を伺いながら、同時にネズミ講かマルチ商法か知らないが、妙な商売にユニバーサルを利用するつもりだったのだ。藤村老人か桜田が何か言うかもしれない、そう思って二人の顔を見たが、二人とも管轄外だとでもいったふうに素知らぬ顔をしていた。そうだった、ここは「組」なのだ。杉山はヤクザを甘く見すぎていたことに気づきはじめていた。

「譲渡していただくのは、賃貸している部屋、設備、および人材。できれば、あなたがたにはそのまま残って仕事をしていただきたいのですが、こちらのクリエイティブ・ディレクターの方は、どうやら我々をお好きではないようだ」

知っているくせにわざとらしく杉山の名を呼ばずに鷺沢は言う。

「そちらのお若い方、あなたはどうです？　投資の対象は販売商品の広告費になる予定ですからパンフレットやDMは豪華なものにしようと思っています。昇給も考えますが」

村崎はパンクスの伝統的な礼儀作法にのっとって固い辞意を表明した。中指を上に突き立てて、鷺沢に向かって舌を出したのだ。

「石井社長、あなたには残っていただけそうだ。なんでしたらそのまま社長の肩書で在籍していただいても構いませんよ」

石井が消え入りそうな声で何か言った。

「はい？」鷺沢が聞き返す。

「………それ、ちょっと見せてくれまっか。わし、思い出しまっさかい」

営業譲渡契約書を指さして言う。鷺沢が二本の指で書類の端をつまみ石井の鼻先にひらつかせたとたん、石井が叫んだ。

「渡すかい、ボケッ！　わしと美穂子の会社じゃ！」

石井はいきなり短い腕を伸ばして契約書をわしづかみにし、くしゃくしゃに丸めて口の中にほうりこむ。

「なにすんじゃ、貴様！」

ボクサー鼻が石井の首根っこをつかもうとテーブルの向こうから腕を突き出してきた。杉山は手を伸ばして、阻止しようとした。しかしそれより早く杉山の体の向こうから村崎が長い腕を差し出し、ボクサー鼻の手首をつかみあげた。「な、な、なめんじゃねえぞ。素人がぁ」手首まで刺青の入った黒崎の腕が伸びてきた。杉山はそれを振り払った。背後の壁に突っ立っていた図体のでかいボディガードたちが一斉に駆け寄ってきた。突然ドアが開いたのはその時だ。

猪熊だ。一階に預けて帰ればいいものを、たぶん好奇心にかられて部屋まで届けに来たのだ。争っていた全員が静止画像のように動きを止めて猪熊を振り返る。猪熊はその様子に目をぱちくりさせながら、おずおずとパース・イラストが入った大きな紙袋を抱えて、黒崎と睨み合っている杉山の脇に置く。仕事上のことで言い争いをしているとでも思ったのか、小鳩組の幹部たちに満面の愛想笑いを振りまきながら、テーブルの下に握り拳を突き出し、杉山の耳もとで囁いた。

「ガッツ！」

そして会社では見せたことのない優雅な一礼をして帰っていこうとする。猪熊の姿をずっと目で追っていた桜田が叫んだ。

「ちょっと待て！」

その声に反応したボディガードの一人がドアの前に立ちふさがった。猪熊が右へ体をよけようとすると右へ、左へいこうとすると左へ巨体を動かして行く手をさえぎろうとする。

「おい！　その娘《こ》は関係ないだろう！」

杉山は桜田を振り返って睨みつけた。桜田の顔にはなぜか驚きの表情が浮かんでいた。桜田がボディガードに怒鳴る。

「やめろ！」

そして言った。

「その方は……その方は、猪熊組の親分のお嬢さんだ」

ボディガードがびくりとでかい図体を震わせて動きを止めた。部屋にいる男たち全員が唖《あ》然《ぜん》として猪熊を振り返る。猪熊は首をすくめ、いたずらを見つかった子供のような情けない顔で部屋にいる男たちの顔を見まわしてから、長い髪を振って挨拶をした。

「ちぃぃ〜す」

五・いつも君のそばにいるよ

1

後で知ったことだが、ヤクザの兄弟盃にはいろいろ種類があるらしい。五分と五分、五分五厘と四分五厘、四分と六分といった具合に、盃を交わした兄弟分は必ずしも同格の関係になるわけではなく、どちらが「兄貴」でどちらが「弟分」であるかを明確にすることも多い。これも後からわかったことだが、猪熊の父親、猪熊組組長は一緒に入っていた刑務所で小鳩と六四の盃を交わした「兄貴分」であるそうな。小鳩組は大手の広域暴力団の系列には加わっていない独立愚連隊のような組織だが、やはりこういう渡世の掟とは無縁ではないようだ。あの日のあの後、猪熊が訪れてからの小鳩組幹部会は状況が一変した。

猪熊のための席がユニバーサル広告社側のデスクの真ん中に設けられた。杉山たちが座る簡素な事務用椅子よりずっと座り心地が良さそうな肘掛けつきチェアが運びこまれ、猪熊だけにどくだみ茶とマロングラッセのサービスがつく。「ささ、お嬢さん、やっておくんなさい」桜田が不気味な猫なで声で言った。

小鳩源六は猪熊を覚えていないらしく、曖昧な笑顔を浮かべたまま猪熊の父親の近況を尋ね、藤村老人が猪熊のおしめを替えたことがあるのを自慢げに語り、会議テーブルの隅では青ざめた河田が埴輪《はにわ》のような顔で硬直してしまった。まだ事情をうまく呑みこめていない様子の猪熊は、四方に愛想笑いをふりまきながら小さな声でどくだみ茶に毒づいていた。「ゲロまず」

「猪熊組のお嬢さんの会社にめったなこたぁ、できませんぜ、ねえ親父さん」

桜田が失策をなじるような視線を鷺沢に浴びせると、小鳩はオモチャをとりあげられた子供の表情で、下唇を突き出しながら不承不承頷く。ユニバーサル広告社は別に猪熊の会社ではないのだが、当の経営者の石井は、砂糖のついた指先を舐める猪熊の隣で、番頭のようにひたすら身を縮めていた。

とはいえ猪熊は水戸黄門の印籠だったわけでもない。すべてが奇跡のように解決したわけではなかった。鷺沢はその場の全員を拒絶するふうにそっぽを向き続けていたが、やがて孤高の思想家を思わせる微苦笑をつくって口を開いた。

「わかりました。条件を若干修正しましょう」

唾液まみれになって石井の口から吐き出された「営業譲渡契約書」はその場で破棄されたが、手形の返却は今回のイベント、テレビＣＭ代替案の成否を見届けてからだと鷺沢は言う。

「我々は年間契約料、設備投資合わせて二千万円近い出費をしています。その投資に見合う成果がなければ、手形はお返しできないし、契約は継続させていただきます」

二千万！ どこからそういう金額が出てくるのかわからないが、とにかく底無し沼から片足だけは抜け出たようだ。設備投資——おそらく実際には使ってもいないマンションか貸オフィスの賃貸料や、バッタ屋に叩き売るような事務器機などの類だろうが——の明細を出させる約束をしてユニバーサル広告社は、鷺沢の言うところの「譲歩案」を呑んだ。

「成否の基準は？ あいまいなままだと困る」

杉山の問いに鷺沢はあらかじめ用意していたらしい数字をすらすらと口にした。

「イベントの入場者千人以上、そしてピースエンタープライズのマークが十分以上テレビ放映されること。この両方です」

杉山は値切った。

「五百人、五分ぐらいで、御の字だと思うけどな」

桜田が間に入った。

「千人、五分だ。俺が保証する」

猪熊はあの一件の後も、何事もなかったようにユニバーサル広告社に出勤してくるし、杉山たちもよけいなことは訊かない。ただし、あの翌日から石井は自分の茶を自分で淹《い》れるようになった。河田もだ。そして河田の猪熊への土産はとてつもなく豪華になった。この間などは両手で抱えるほどのバラの花と桐の箱に入った季節はずれのマスクメロン。河田は猪熊がキッチンに立とうとすると、小走りで追い抜いて冷蔵庫を開け、まず猪熊に麦茶をうやうやしく差し出し、それからこそこそと自分の分を用意する。

ヤクザの組長の娘という人生が、どんなものなのか、よくはわからない。でも県会議員の息子だった杉山は、常にひいきされ、叱られもせず、大人たちのつくり笑いに囲まれて、子供たちの輪を外からながめる寂しさは知っている。猪熊の結婚願望は、単に自分の苗字が嫌いなだけではないのかもしれない。

十一月一日、本日午前六時半をもって杉山は十六回目の（十七回目だっけ）の禁煙を開始した。いまから禁煙してどれほどの効果があるのかわからないが、とりあえずレースの日までは吸わないつもりだ。喫煙を再開するかどうかは終わってから考えればいい。もう自分の自堕落の言いわけがわりにマゾヒスティックに酒や煙草を断つのはやめにした。無理をすると必ずリバウンドがくる。

最後の一服のために、十代の頃よく吸っていた両切りピースを遠くのタバコ屋まで足を運んで買ってあった。タール二十四ミリグラム、命知らずのスモーカーのための煙草だ。一口目でむせた。二口目がくらりとめまいを誘う。唇がやけどしそうになるほど短くなるまで吸って、残りの九本はパッケージごとゴミ箱に捨てた。胸に手を当てて自分の決意のほどを確かめてみる。駄目かもしれない。もう一度ゴミ箱から出し、たっぷり水で濡らしてから流しの生ゴミ入れに放りこんだ。さぁ、練習開始。今日からはもう遊びじゃない。これが仕事なのだ。七時にいつもの公園で勝也と落ち合う約束になっていた。

約束の時間に三十分以上遅れて勝也はやってきた。浅草観音のイラスト入りTシャツを着て、アディダス三本ラインのジャージーに両手を突っこんで歩いてくる姿は、遠目に見てもやる気のかけらもない。口の端には煙草をくわえている。

「煙草はやめとけ。少なくともレースが終わるまでは」

勝也は杉山の顔に煙を吐き出す。

「あんたは？　会社じゃずいぶん吸ってたぜ、俺の倍近くはいってる」

「俺もやめた。レースが終わるまで禁煙だ」

本当は勝也の煙草の匂いに体がムズムズしていたのだが、杉山は嫌煙運動推進者のように眉をひそめて煙草のけむりを払いのけ、厳しい顔を見せた。

「まじかよ。カタギは嘘つきが多いからな」

「ほんとだ。約束する」

指切りをするつもりで勝也へ曲げた小指をつき出す。勝也は指を差し出すかわりに杉山の丸めた小指に吸いかけの煙草をつっこんだ。

「何からやろうか。インターバルやるか？」

「それよりＬＳＤやろうぜ」

「なんだって！」

思わず声を荒らげた。このラリ公め、シンナーの次はＬＳＤだと。煙草がだめならドラッグか？　呆れて勝也の顔を見た杉山を、勝也があきれた顔で見返してきた。

「ロング・スロー・ディスタンスだよ」

そんなことも知らないのかと顔に書いてある。ＬＳＤとは、長距離のトレーニング方法のひとつだという。元ラグビー選手の陸上部顧問は、そんなしゃれたものは教えてくれなかった。

よく理解していないまま、ゆっくりと走り出した勝也についていく。一応、フォームらしきポーズをとっていたが、たらたらと歩くのに毛の生えたようなスピードで公園のコースをまわる。犬の鎖を引いて走る老人にも追い越されていく。騙されているのじゃないかと思った。サボる口実に決まってる。三十分かけてようやく公園を一周半だ。杉山は「忍」のひと文字がバックプリントされたＴシャツの背中に声をかけた。

「なぁ、これでほんとうに練習になるのか？」

「じゃ、ちょっとペースあげようか」

突然勝也が走り出した。杉山も後を追う。勝也の「ちょっとあげたペース」は半端じゃなかった。一キロも行かないうちに杉山はついていくのが苦しくなってしまった。二周目を終えたところで振り向いた勝也が信じられないことを言う。

「そろそろ全開でいこうぜ。あと三周。ここなら二十三、四分ってとこだな」

まるで息のあがっていない声でそう言うと、杉山を突き放すようにみるみるうちに遠ざかっていく。必死で後を追ったが、勝也の姿はすぐに曲線カーブの多いコースの先に消えてしまった。足をふらつかせて杉山がやっと三周を走り終えた時には、もう涼しい顔で芝生に寝ころがっていた。真夏の犬みたいにあえぎながら杉山は言う。

「明日も、来てくれ、必ず。ここに、もし、来るのが、大変、だったら、変えても、いいぞ、場所。家はどこなんだ？」

勝也の答えを聞いて驚いた。住所がないのだ。当番の日は小鳩組事務所、それ以外だと女の所かダチの所だな、と勝也は言う。今日は近くの駅の地下通路で寝ていたという。

「まぁ、考えとくよ」

そう言って勝也はまた両手をジャージーに突っこんで、いましがた一時間も走り続けていたとは思えない軽々とした足取りで帰っていった。


目玉焼きをつくるのがこんなに難しいとは知らなかった。フライパンの中の二つの目玉焼きの一方は黄身が潰れてお好み焼き状になり、かろうじて無事だったほうは黒焦げだ。禁煙と本格的なトレーニングと同時に自炊も始めて、今日で四日目。まともな目玉焼きはまだひとつも食っていない。

独身時代以来の自炊を始めた理由のひとつは、レースを戦える体を取り戻すため。もうひとつは早苗に自分の料理を食べさせるためだ。今度は三週間ここにいるのだ。毎日ファミレスとコンビニというわけにはいかない。

あれから勝也は毎日やってくる。三十分遅れてくるのと、ふてくされた態度は相変わらずで、いつも歩くのも大儀そうにしているのだが、走り始めるとまるで別人になる。不思議なヤツだ。煙草は止めたのかどうかわからないが、少なくとも杉山の前では吸わない。そもそも齢を訊いたら、勝也はまだ十九だった。

トレーニングの最初の一時間は、いつもＬＳＤ。年寄りのジョギングのようなこの練習方法に杉山はいまだに半信半疑なのだが、勝也は言う。

「お互いにブランクがあるんだからさ、まずこれで贅肉を落としてスタミナをつけるんだよ。あんたちょっと腹が出てるしな」

杉山は思わず腹を押さえた。正しい指摘だった。並みの三十代よりは締まっているつもりだったが、確かに脇腹につまめるほどのムダ肉がついている。二十《はたち》の頃と同じウエストサイズを誇りにしていたのは二年前までだ。まだレースに出ようという長距離ランナーの体じゃない。第一、話しかけてもロクに返事もしないこの少年が、他人に何かを説明することは珍しい。杉山は勝也の言葉を信じることにして、毎日黙って後ろについて走っている。最後の五キロだけは全力疾走だ。タイムを計ってみると、杉山はだいたい十六分三十前後。勝也は十五分台、しかもなんとなく余力を残しているような走り方でだ。

今日は朝飯に誘ってみた。

「なぁ、ちゃんと飯食ってるか？　よかったら俺の家でごちそうするよ」

だが杉山の言葉が終わらないうちに勝也は背中を向け、振り向きもせずに片手を振って寄こして、どこか知らないねぐらに帰っていった。まるで人に懐かない野良猫みたいなヤツだ。

昔、人間に酷い目にあわされたことでもあるのだろうか。

公園のポプラ並木はいつの間にか色を変え、落とした葉をジョギングコースに敷きつめはじめた。合同練習を開始して二週間目からは一日置きにインターバル・トレーニングもとり入れる。何の説明もないまま勝也が勝手に始めたのだ。「五百」「千」「千五百」勝也はこれから走る距離だけをぼそりと告げ、いきなり走り出す。杉山はその後を追う。これの繰り返しだ。短い距離をほぼ全力疾走すると勝也は手首の脈を計り、どういう基準があるのか、突然また距離だけを告げて走り出す。時にはスローペースからだんだん速度をあげたり、ジョギングコース脇の斜面を駆け上がったり駆け降りたりすることもあるが、これも何の説明もない。たいてい途中でついていけなくなる。しかし杉山のタイムは確実に伸びていた。十一月の後半には初めて十六分を切った。勝也は相変わらず十五分台の前半。どうやらこれ以上のタイムを出す気はないらしい。

早苗がやってきたのは、幸子の入院の前日の金曜日だ。

待ち合わせ場所のレストラン「チロップ」には約束より十分早く着いたのだが、幸子と早苗はもうこの間と同じ隅の席で待っていた。二人とも髪がずいぶん短くなっていて、背後から近づくと大小二つのお菊人形が並んでいるように見えた。

「元気そうじゃないか。少し太ったか？」

杉山は会ってそうそう憎まれ口を叩く。嘘だった。幸子はあきらかに痩せて顔色もよくないように見えた。でも声はしっかりとして、力強さを増していると思えるほどだ。幸子はこの間と同様の他人行儀なせりふで杉山に詫びる。謝ることなんかないのに。謝りたいことがあるのは自分のほうだ。

幸子は早苗の荷物をつめたボストンバッグを持ってきていた。杉山がそれを受け取ると、荷物受け渡しの業務連絡のように言う。

「あんまりお菓子は食べさせないでね。この子、目の前にあると全部食べちゃうから」

「わかった、気をつける」

「九時過ぎには寝かせて。遅くても十時には」

「じゃあ就寝は十時ということにしよう」

早苗はテニスのラリーを見守るように、首を往復させて杉山と幸子の顔を交互にながめて、そのたびに一喜一憂する。

「ファミコンは一日三十分」

「一人で留守番をさせるんだ。一時間では？」

「いいわ」

早苗、笑う。

「そのかわり宿題はちゃんとさせてね。まだ九九が二の段までしか言えないのよ」

「おう、まかせとけ」

早苗、肩を落とす。

外階段を降りると、街はもう夜の闇の中だった。自分の宝ものが入っているに違いない、早苗は今日もゾウのリュックサックを背負っている。幸子が腰を落とし、同じ目の高さになって何事か言い聞かせると、早苗は少し心細そうな顔をした。杉山は幸子の病気のことは何も尋ねなかったし、幸子も何も言わない。最後にひと言だけ言った。

「じゃ、がんばって、行ってこい」

「イエッサー」

幸子は二本の指を額に当てて敬礼の真似をした。杉山が片手を上げると、幸子も手を差し上げた。「元」とはいえ、こういう呼吸は夫婦だ。二人でぱしりと音をさせてハイタッチをする。子供までつくった仲だというのに、幸子の手のひらと触れ合うと、杉山の胸は初めて手を握った時のように高鳴った。

この間と同じように右と左に別れる。この間とは逆に早苗は杉山の側だ。曲がり角に消えるまで幸子を見送った。脇道の手前でもう一度幸子が振り返り、こちら向きになったまま手を振ってくる。そのまま角を曲がろうとしてポリバケツに蹴っつまずいていた。早苗は幸子に似たのに違いない。

「さ、行こうか」

早苗はまだ母親が消えてしまった道の向こうを見つめている。もう一度声をかけると、知らないおじさんでも見るような目で杉山を見上げてきた。

マンションのドアを開けると、早苗は眉をしかめて鼻をひくつかせた。煙草の臭いを嗅いでいるのだ。

「臭くないだろ。いま、ちょっとやめているんだよ」

杉山が自慢げに胸を張るとようやく靴を脱ぎ、まだ疑わしそうに鼻の穴を広げたまま部屋へ入る。自分の巣をみつけたというふうに前回と同じくテレビの脇に走ってリュックを置くと、ようやく小さな安堵のため息をついた。そして、こちらを向いたと思ったとたん、突然爪先立ちになってくるくると部屋の真ん中でまわりはじめた。バレエダンサーのように踊りながら、ふくろうみたいな声をあげる。

「ほぉほほほほほぉ」

「どうした、早苗？」

「ほぉほほほほほほほぉ」

唖然として早苗の顔を見た。まだ缶ビールは開けていない。

「狭いお部屋だこと、あなたにはお似合いね。ほぉほほほほ」

「なんだって？」

「ほぉほほほほほぉ」

十回転はしただろうか。ようやく動きを止めた早苗が、まわりすぎて気持ち悪くなったのか、おえっとえずき、ゲホゲホと咳きこみながら言う。

「カオルコだよ」

「誰？」

「『愛のシュラ』のカオルコ。コジュウトのカオルコだよ。キョウコさんはタダヨシさんと駆け落ちしたんだけど、カオルコに見つかっちゃうんだ」

お昼の奥さま劇場は、なんだか凄いことになっているらしい。

「まだ見てるのか？」

「うん、母ちゃんがビデオを録っといてくれるんだよ。学校から帰ってから見るんだ」

「母ちゃんが？」

幸子は子供のしつけには厳しいほうだ。そういうことをするタイプの母親じゃなかったはずだ。

「最近、優しいんだ、母ちゃん。カビゴンもだ。気持ちわりいよ」

早苗はリュックに首を突っこみ、何かを探しあててから振り返った。

「じゃ〜んっ」

両足を開き片手を腰に当ててもう一方の手を突き出してくる。ファミコンゲームのソフトを握っていた。

「ダビスタの今年版だ。カビゴンが買ってくれたんだよ」

「おおっ！」思わず杉山は喜びの声をあげてしまった。

リュックの中の荷物を取り出しながら早苗が訊いてくる。

「母ちゃんのオデキはいつ治る？」

「うーん、三週間ぐらいかな」

「三週間……」早苗は天井を見上げて口の中でしばらくぶつぶつ何か唱え、それからため息をつくように言った。「三×七《さんしち》、二十四日かぁ〜」

「いや二十一日だ」

この間は背中まであった髪が、肩の上で揺れている。

「切ったんだな、髪」

「ん、ああ、母ちゃんが、父ちゃんが大変だろうって言って。だいじょうぶ。早苗、ひとりでおだんごにできるから。練習したんだよ」

早苗にとっては大切なものらしいリュックの中身をごそごそ出して、やけに手慣れた動作でもくもくと部屋の隅に積み上げている小さな背中を見つめながら杉山は思った。よし、今日は甘やかしてしまおう。

「早苗、今日は父ちゃんが夕飯をつくるぞ。チロップランチをつくってやろうか。この間お前が食べているのを見て、だいたいどういう料理かわかったからさ。最近、父ちゃん、自分で料理をつくってるから、結構自信があるんだ」

喜ぶかと思ったら、そうでもない。考えこむ表情になった。

「なんだ、嫌か？」

「うーん、できれば……別のがいいな」

「何がいい？　なんでもつくってみせるぞ」

「タコハチ定食」

「…………」

子供は難しい。一緒に暮らしていないとなおのこと。

2

十一月最後の日曜日、小鳩組「任俠展」は、ピースエンタープライズ・スクエアの一階フロアで行われた。

正面入り口には『おかげさまで四十周年——任俠展』の墨文字が躍る大看板が掲げられる。小鳩源六の直筆だ。道沿いには関東一円の組長名義の花輪がずらりと並ぶ。猪熊組組長猪熊誠次の名前もあった。入り口の両脇にはタコ焼きと焼きそばの屋台も立ったが、屋台の中にいるのは有事に備えて配備された小鳩組の戦闘部隊だ。焼きそばを焦げるままにして通りに尖った視線を投げかけている。通りの向こう側にはパトカーが停まり、何人かの警察官が遠巻きに様子を窺っていた。

入り口を入ってすぐの応接室がサブ会場だ。ソファーセットを取り除き、ＡＶコーナーが設けられている。五十インチスクリーンの前に三十脚の椅子が置かれ、画面の中では小鳩組長が『真の任俠道』について、誰もいない客席に向けてキイキイと語りかけていた。三田嶋のプロモーションビデオ案が、組長の訓話部分だけ採用されたのだ。

　エレベーターホールの一角は展示コーナー。「小鳩組長が十人斬りを達成（１９６７）した長ドス」や「船橋貞義氏（１９２３〜１９５９、小鳩組草創の立役者といわれる人物）の詰めた指」、「金石健夫氏（１９３１〜１９７２、小鳩四天王の一人）が脱獄に使ったやすり」などを展示したい、という藤村顧問の提案を、珍しく意見の一致した杉山と鷺沢が止め、無難な小鳩組創立時代の記念写真のいくつかと、小鳩組長の私蔵品（特攻隊員当時の母に宛てた手紙など）を飾ってある。

　一階の一番奥、ふだんは賭場に使われているという大部屋がメイン会場だ。テニスコート一面分ほどの広さの内部をいくつかのブースに分けてある。一番手前にウレタンマットを敷きつめた四畳半ぐらいのスペースが設けてあった。天井から鳩のピーちゃんのシルエットをかたどった看板がつり下げられ、丸く太った手書き風の書体で、こう書かれている。

『なかよし小鳩組』

　ここは子供たちのためのプレイコーナーだ。ウレタンマットの上に知育玩具をころがしてあるだけの、子供だましを絵に描いたようなこのコーナーの唯一のアトラクションは、村崎が廃材と鳩時計でつくった「小鳩ロボ」。ヤツは、こういうものをつくる時は、ふだんの仕事ではけっして見せない情熱を燃やす。ボタンを押すとお腹の扉が開いて飛び出した鳩が鳴くという以外に何の芸もないが、何か変哲があるとしたら鳩が鳴くと同時に大音量の念仏じみた、奇妙なロックが流れることだ。村崎のバンド〝ジストマ〟の新曲『小指の思い出』だ。

その隣が『青少年コーナー』。秋葉原で購入した中古のパソコンが置かれ、モニターには『小鳩組Q&A』の文字が浮かんでいる。知りたい質問をクリックすると、答えが出る。例えばこんな具合に——。

Q．小鳩グループってどんなとこ？
A．任侠道という伝統的な思想を信奉し、日々研鑽を重ねる有志が集まった親睦団体です。会員の多くは㈱ピースエンタープライズに入社し、建設業、運輸・輸送業などに従事するかたわら、街の皆様に安心と平和をお届けする「市民のための自警団」としての責務を担っています。七海市民の皆様から寄せられる生活上のトラブルの解消、七海市商店会や中小企業の皆様へのコンサルティングなど幅広い活動を行っています。数年前より麻薬撲滅運動にも積極的に取り組み、産業廃棄物処理等への前向きな対応で、環境問題にも貢献しています。

Q．小鳩グループに入るにはどうしたらよいでしょうか？
A．健康的な男子であれば学歴、年齢、職歴、前科の有無を問いません。長幼の序は重んじますが昇格は完全実力本位。本人の努力と能力によって入会直後から高収入を得ることも可能です。現在、正会員は男子のみですが女子の登用も前向きに検討しています。

全部、鷺沢の原稿だ。パソコンのすぐ脇には、応募用紙も用意されている。

会場の奥が『ジオラマ小鳩』。廃棄処分されたマネキン人形を使って、小鳩組四十年の歴史を再現した今回のイベントの目玉だ。

村崎と三田嶋を杉山やバイトで雇った奥多摩美大空手部の連中が手伝い、衣装は猪熊と裁縫が得意な大神林が担当した。「敗戦の焼け跡の中、人心の荒廃を憂えて任俠の道に身を投じ、米兵に襲われんとする婦女子を救う小鳩青年」だの「七海町（当時）の平和を守るため、単身で暴力組織へ乗りこむ小鳩組長」だの、いくつかの名場面が並ぶ。片田舎の秘宝館の蠟人形展示を想像してもらえばいい。組長役には子供用のマネキンを使う予定だったのだが、小鳩が激怒していると伝え聞かされ、白人モデル風の人形に高倉健を意識したメイクアップをほどこしたものにさしかえた。

会場の残りのスペースには『任俠道の歴史・現状・未来』と題された展示パネルが並んでいる。写植文字で説明文が並び、ところどころに参考資料写真や解説イラストなどが貼ってある。最初に原稿を書いたのは杉山だが、これも鷺沢の手によって大幅な修正が加えられていて、原形はまったくとどめていない。

任俠徒（博徒）の歴史を辿ると、遠く平安時代末期に遡ります。当時すでに我々任俠徒の前身である賭博者たちが現れ、賭博という人間の原始的本能ともいえる行為を通じて、時の人民に親しまれ、また畏怖されてきました。中世の「バサラ」「かぶき者」、江戸期の「奴」「町火消し」「俠客」。時代毎に主流は移り、呼び名も変わりましたが、我々任俠徒は常に地域社会とともに歩みながら、時々の権力と対峙し、社会の傍流からアンチテーゼを送り続けてきたのです。（中略）戦後の混乱期に都市プロレタリアート、抑圧された階級の中から多くの新興勢力が誕生し、任侠徒社会は高度成長の波に乗って一挙に爛熟期を迎えます。六〇年安保闘争時には警察の補完機能として左翼運動弾圧に加わるなど、体制側との歴史的な相互依存関係も緊密さを増しましたが、1964年からは、我々の経済的台頭を恐れる独占資本の圧力により、ブルジョア支配秩序が強制導入され、裏切り行為と呼べる不法介入、俗に言う「頂上作戦」が始まります。（中略）1992年には、弾圧法規である「暴力団対策法」が施行され、我々任侠徒は著しい窮地に立たされております。また日本政府の相次ぐ経済政策の失政は土地、債券の地道な取引を生業のひとつとする我々にも多くの打撃を与えました。しかし、我々が「体制内からの世界革命」の理想を燃やし続ける限り、そして我々を必要とし、密かな共感の拍手を送ってくださる市民の皆様の根強い支持がある限り、我々の存在は不滅です。

CFの制作がなくなった分、少しは予算の余裕ができたとはいえ、かなり安上がりのイベントだ。奥多摩美大空手部へのバイト料は大神林の顔で飯代に毛の生えた程度で済ますことができたし、什器《じゅうき》の多くは、倒産したディスプレイ会社から三田嶋が二束三文で手に入れたものを使った。

会場にはコンパニオンも何人かいる。こちらも安いギャラなのに簡単に集められた。このところの不景気でイベントらしいイベントがなく、コンパニオンも仕事にあぶれている状態なのだ。メイン会場の担当は河田の愛人のサオリだ。河田が職務権限を乱用して採用したのだが、本人はあまり喜んでいるようには見えない。レースクイーン風のレオタード姿で、片手に灰皿を持ち、ふてくされた顔をして煙草を吸っている。

開場まであと十五分。スタッフの腕章を腕に巻いた杉山の表情は暗かった。目標入場者数の千人には、どう考えても届かないと思っていたからだ。

打つべき手は打った。街のあちこちにポスターを貼り、組員のうちの比較的人相のいい連中を集めて、タコ焼き・焼きそば無料サービス券付きの入場券を配らせている。ヤクザ好きの人間が多そうな七海市競輪場には四人を送りこんで、いつもはダフ屋をやっている彼らに無料券をばら撒かせ、近辺の映画館のスケジュールを調べて、ヤクザ映画を上映している所には大神林と猪熊を派遣した。

しかし、入場料が無料とはいえ、ただでさえ地方の私設博物館並みの展示物しかないこのイベントに多くの人間が来るとは思えない。代理店時代にも経験があるが、イベントというのは自分の子供の写真のようなもので、当事者が思っているほど人は見たがるものではないのだ。そもそも、ここが小鳩組の本部であることを知っている近隣の人間は近づこうとしないだろうし、知らない人間も入り口付近の尋常でない様子を見れば、きびすを返してしまうだろう。千人という目標が杉山には天文学的な数字に思えた。

開場間近のメイン会場では、村崎がピーちゃんの着ぐるみを手にして河田を追いかけまわしている。

「さ、さ、早く」

ピーちゃんはこのイベントのマスコットだ。村崎が手作りした着ぐるみを着るのは河田。組長命令だ。

「ふざけんじゃねえ。なんでわしが……」

河田は本気で怒っていたが、組長命令なのだからしかたがない。第一、村崎は河田のボディサイズを計り、それに合わせてピーちゃんを作っている。代わりを申し出る人間がいたとしても――いないだろうが――もう遅い。

サイズはぴったりだった。愛らしい目玉をつけた巨大な頭部は、下半分がくり抜いてあって南極越冬隊の防寒服のようにそっくり顔が出る。胴体は雪だるまみたいにまん丸で、両手は翼になっている。頭も体も色は白。胴体の下では白いタイツを穿いた足が剝き出しになり、両足にはダイビングのフィンに似た靴を履く。居合わせた組員たちのほとんどが笑いを押し殺し、何人かは痛ましそうに首を振り、サオリは小さく鼻を鳴らして天井に煙草のけむりをふき上げた。

「あ、くちばし、忘れてるよ」

村崎が河田にくちばしをつけてやる。マスクのように紐で耳に留め、口と鼻をおおうしくみだ。村崎はたんねんにくちばしの曲がりを直し、お尻のしっぽのはね具合を点検する。自分の仕事の出来ばえに満足そうに頷きながら河田をほめた。

「似合うよ」

「お前、わしで遊んでないか？」

河田がくちばしを突き出して村崎を睨みつけた。村崎は瞳を悦びできらきらと輝かせながら、とんでもないというふうに首を振る。

午前九時半。杉山の危惧をよそに、開場と同時に驚くほど大勢の人間がつめかけた。ただし、ひと目でその筋とわかる連中ばかり。小鳩組の組員と、義理でやってきた他の組の人間たちだ。皆、顔見知りの人間を見つけると挨拶をし、河田の姿を笑い、小鳩や桜田がいないとわかると、ろくに中を見もせずに帰っていく。

圧巻は開館から一時間ほどたった頃だ。突然、表がざわついたかと思うと、入り口にマイクロバスが何台も停まり、警察官が取り巻く中、ブラックスーツで正装した一団が降りてきて、ずろりずろりと場内に入ってきた。その数およそ二百人。皆、パックツアーの客のように物静かに整然と行進し、重要な施設を視察する目つきで会場内を見てまわる。小鳩組長の手紙やマネキン人形を写真にとっている者もいた。

「猪熊組や」

ピーちゃんの河田がかすれ声で言う。猪熊がユニバーサルのために頼みこんでくれたのか、もともと来る予定になっていたのかはわからない。しかし、おかげで開場からわずか一時間で入場者数は一気に三百を超えた。

黒服の一団の中に、紋付き袴の、五十過ぎに見える年齢のわりに体格のいい、野球解説者を思わせる風貌の男がいた。周囲の男たちの気のつかい方から、なんとなくこの男が猪熊の父親、猪熊組組長だとわかる。一瞬、目が合ってしまった。太い半白の眉の下から鋭い眼光を向けられただけで、思わず直立不動になってしまう。猪熊組長は杉山の頭のてっぺんから足もとまでを断ち割るように一瞥すると、不機嫌に顔をしかめ、首を横に振って幅広の背中を向けた。？。なんだ？　俺の顔が気にくわなかったのだろうか。

猪熊組がどこかへ行軍するように去ってしまうと、今度はノーネクタイにダボダボスーツの、こちらは古典的なヤクザファッションの男たちが入ってきた。全部で三人。男たちを見るなり、河田はピーちゃんの愛くるしい目の下の獰猛な顔を緊張させて、すっ飛んでいく。男たちと二言、三言、言葉を交わすと、水飲み鳥のようにぺこぺこ巨大な頭を下げ始めた。

「あの人たちは？」

「ありゃ、桜の代紋よ」

河田は男たちを最敬礼で見送りながら、杉山には横柄な答えを返す。

「例の抗争中の？」

「あほか、ちゃうよ。サツだよ。七海署のマル暴。うちが妙なことやらかさんかどうか、見に来たんやろ」

「だいじょうぶなんですか、こんなイベントなんかやっていて」

「ああ、今日はあちこちから他の組も集まってて、親分さんもようけ来とる。こんな日に手《ぇ》出すほど、関西のやつらもアホやないやろ」

「いや、警察のほう。暴対法にはひっかからないのかな。当日になって中止になるかもしれないと思ってたんだけど」

「あ、そりゃだいじょうぶや。うちの親父さんとここの市長はポン友だからな。選挙の時にスキャンティを潰してやった貸しもある」

「スキャンダル？」

「それよ、それ」

「……そういうものですか」

「はいな」

　そういうものらしい。

　順調だったのは、午前中だけだった。午後から七海市内のホテルで四十周年記念パーティーが開かれるとかで、組関係の人間が皆、そちらへ行ってしまったために会場はとたんに寂しくなった。ようするに、このイベントも鷺沢の術策に利用されただけなのだ。河田の話ではヤクザは義理掛けの際に、一般人よりひと桁かふた桁は多い、驚くほどの高額を祝儀として包むという。たぶんパーティーというのは、新しく始めるビジネスの資金集めのために開かれるのだろう。このイベントは、金を出す人間たちの不満をそらすための刺し身のツマに違いない。まるで政治家のような手口だ。マルクスも墓場の下で泣いているだろう。

　正午を過ぎる頃には、いよいよ閑古鳥が鳴きはじめた。場内につめていた小鳩組の組員たちもパーティー会場に移動してしまうと、栄養失調のレースクイーンみたいなサオリが、小鳩組長のマネキンが手に持っている盃を灰皿にして煙草を吸いはじめる。客は「なかよし小鳩組」コーナーにぽつんと座って、ゲーム機にかじりついている子供だけ。タコ焼きにつられたカップルがひと組入ってきたが、ピーちゃんの河田がのたのたと近づくと後ずさりして帰ってしまった。

「三田嶋は？」杉山は村崎に訊いた。

「ああ、新しいクルマを見に行くって言ってたな」

「また？」

「こんどは二トントラックにするらしいよ」

「石井さんは？」

「さぁ？」

ゲーム機に飽きたらしい子供が小鳩ロボの腕をもぎとろうとしている。村崎が注意するが、振り向いて顔を見ただけで、まるで聞こえていないようにやめようとしない。村崎が子供のほっぺたをつねりあげると、ひっと悲鳴をあげた。河田が慌てて飛んできた。

「こ、こら、やめろ」

河田があわててすっ飛んできた。その声を聞くと、子供はわざとらしく泣きべそをかき出した。河田がピーちゃんのくちばしを震わせて叫ぶ。

「若になんてことするんだ！」

思わず杉山は子供の顔を見つめる。早苗と同じか少し歳上ぐらいだろう。遠視用眼鏡をかけ、頭と耳ばかりやけに大きくて手足がか細い。この何カ月間、ユニバーサル広告社を振り回していた黒幕は、あきれるほどひ弱で、ちっぽけな少年だった。河田の言葉を聞いた村崎は、頰をひねりあげていた手にさらに力をこめる。若が再び悲鳴をあげるのと、小鳩組長が部屋に顔を出したのはほぼ同時だった。

「おう、強《つよし》、どうした」

村崎がとっさに若を抱きかかえ、両手で頭上高く差し上げて部屋を走りはじめた。

「ぶぅ〜んぶぅ〜ん」村崎は飛行機のプロペラのロマネをする。

「ひぃぃぃぃっ」若が悲鳴をあげる。

恐怖の叫びなのだが喜んで歓声をあげているように聞こえなくもない。少なくとも小鳩組長にはそう聞こえたようだ。

「おうおうご機嫌だな、強。ほんにわんぱくじゃて」

パーティーに出かけるところらしい、小鳩組長は紋付き袴姿だ。千歳飴を持たせればよく似合うだろう。ピーちゃんの河田を見つけると、上唇をめくりあげて笑いながら呼び寄せ、背伸びをしてなにやら耳打ちをし、黒服たちを従えてバタバタと去っていった。戻ってきた河田は顔面蒼白だった。

「お、お、親父さんがお怒りじゃ」

「え、機嫌よさそうだったけど」

「あかん、目が笑《わろ》うとらん時は駄目や」

「バレたかな」泣きべそをかく若を抱え上げたまま村崎が言う。

「いや、人がおらん、若の遊び相手が誰もおらん言うておられる。後でまた顔を出されるそうじゃ。その時にまた若ひとりだと……」

河田は杉山に顔を近づけ、くちばしでつつくようにして凄む。

「なんとかせい」

なんとかしたいのは、こっちも同じだ。

「……河田さん、そんな恰好で何言っても怖くないですよ」

「なんとかせい！」

河田は涙目になって凄み続ける。しかたがない。渡世の義理だ。杉山は携帯電話を取り出した。いままでは自分の体に電話回線を繋がれるような気がして持つのを拒んでいたのだが、早苗と暮らすために初めて買ったのだ。早苗にはカビゴンの携帯を持たせている。娘に元・父親の働く姿を見せてやろう。できれば見せたくはなかったが。

毎週日曜、早苗は少年サッカーに行く。今日は地区大会の予選だとかで、弁当をつくって持たせ、ここに来る前に試合の行われる河川敷まで送っていった。終わったら他の子供たちと一緒に帰って、先に家で待っている予定になっている。八コール目でようやくつながった。

——あ〜あ〜こちら早苗、こちら早苗。応答願います。どうぞ。

「おう、早苗、いまなにしてる？」

――え～いまハーフタイムです。2―0で勝ってます。一点は早苗だよ。どうぞ。

「試合が終わったら、父ちゃんのところに来ないか。タコ焼きと焼きそばが食べ放題だ。友だちも連れてこい。これから父ちゃんの会社の兄ちゃんがクルマで迎えに行くから」

話しながら、怖い顔をつくって若に口止めをしていた村崎に目で合図する。村崎は『ジオラマ小鳩』の人形を搬入するためにワゴンで会場に来ていた。ヤツの愛車、脇腹にドクロマークをペイントしたトヨタハイエース。バンドの機材を運ぶのに便利なんだそうだ。

――でも早苗、顔わかんないよ。知らない人についてっちゃいけないんでしょ。どうぞ。

「だいじょうぶ。見ればすぐわかる。髪が長くて真っ赤で、身長は二メートル近く」

――宇宙怪人か？

「いや、ふつうの人間だ」たぶん。

――じゃ、合言葉を決めよう。早苗がピカチューって言ったら、ハイチューって答えるんだ。どうぞ。

村崎に告げると、ＯＫ！　とひと声叫んで出ていった。河田は必死で若のご機嫌をとっている。杉山も話しかけてみたが、杉山を見ているのかその先の壁を見ているのかわからない、眼鏡の中のガラス細工みたいな目で一瞬見上げてきただけで、またゲーム機へ顔をうつむかせてしまう。

冬眠明けのクマのように石井がのそのそと現れたのは、一時をまわった頃だ。入場券を配るつもりで表に出ると、通りの向こうから呑気な足どりでやってきた。

「調子は、どないだ」

事態をまったく把握していない声で言う。

「どないもこないも」

「わし、こっちにおる親戚に券を送っといたんやけど、誰ぞ来んかったか？」

「いや、来ていないと思う」

「あらら、ほんま？」

来ていないはずだ。石井の親戚ならたぶんひと目見ればわかると思う。他の誰にも言えないから、杉山は石井に愚痴をこぼした。

「来るのはヤーさんばっかりですよ。こんな所に誰も来ませんよ、普通。千人なんて約束、しなけりゃよかった」

杉山は会場を振り返って悲痛な顔をし、首を振ってみせたのだが、まるで見ていない。石井は焦げ臭い煙を立てているタコ焼きの屋台に悲痛なまなざしを向けた。

「そやろな、タコ焼きがあかん」

「え？」

「あないな耳くそみたいなタコじゃあかんて」

「はぁ？」

突然、石井が悲鳴に似た叫び声をあげる。

「ああ、あかん。ソースはあかん！」

屋台にいるのが組員だとは知らない石井は、ええから任せぇ、これだから東京のタコ焼きはあかんのや、などと呟きながら、勝手に中へ割って入った。慣れない手つきで鉄板をもてあましていた二人の組員は、石井の気迫に押されてあっさりと場所を明け渡した。

「よっしゃ、わしがやろ。ちょっと兄ちゃん貸してみぃ。まず玉子や。玉子をもっとようさん使わにゃ」

組員から包丁を奪い取り、材料と道具を点検して、ふむ、とひと声唸る。

「石井さん……あの……」

「まぁ見とき」

石井はタコの足を取り出すと、ものすごい勢いでブツ切りにしはじめた。電光石火の包丁さばきで、あっという間に切り終える。タコの塊は、ひと口大の大きさだ。目を見張っている杉山と組員たちに石井は包丁の先で指図する。

「あ、杉ちゃん、そこに立っとって。兄ちゃんたちもや。ええから、早よ。そんな顔せんと。煙草吸うててええから」

石井は杉山たちをサクラとして並ばせた。手はたえず屋台の中で動き、目だけは鋭く屋台の外の人通りを窺う。頃合いと見るや、いきなり大声を張りあげた。

「ああ、押さんといて！　ちゃんと並んでえな。タコは逃げへん……ああ、逃げよった！」

まばらだった通行人が少し多くなっていた時だ。通りを歩く誰もが何事かと振り返る。

「タコがおらん！　タコはどこやぁ〜」

何人かが近寄ってきた。石井は屋台の中で叫び続ける。タコ逃げよったぁ〜タコどこやぁ〜。警察官の一人も近づいてきた。遠巻きに人が集まると石井は屋台の下へ潜りこみ、なおも叫び続ける。タコどこや〜。そして急にすくりと立ち上がる。片手にはタコを握りしめていた。

「つかまえたぁ〜明石の大ダコやぁ〜」

手に持った冷凍ダコを、まるで生きているかのようにくねくね動かしながら、歌舞伎の所作じみた大見得を切ってぐるりと体を回転させ、集まった通行人たちにかざして見せる。たいして大きくもないタコなのだが、誰もが「おおっ」と歓声をあげた。

「はいはいはい、買うてちょうだい、見てちょうだい。大阪名物、明石の玉子焼き。玉子焼きゆうてもお弁当に入っとる玉子焼きとちゃうで。本家本元、元祖タコ焼きや。そんじょそこらのタコ焼きとはタコがちゃう。この大きさを見てや。この艶はどや。ダイヤにしたら五百カラット、時価十億円はくだらんしろもんやっ」

歌うように言いながら石井は見事な手さばきでタコを切る。なんだかさっきより切り身が大きくなっている気がする。石井は別人かと疑う機敏さで、動作には少しのムダもない。またもやビリー・ミリガンだ。いったい石井の中には何人の石井がいるのだろう。回転ゴマ芸のように鉄板の上のタコ焼きがくるくるまわると、観衆の間から再び歓声があがった。

「通常価格四百円のところ、今日はここのスポンサーさんの四十周年記念の特別価格、なんと二百円！　はいはいはい並んで並んで。押さないで押さないで。買うたら、中入って見てってや。椅子もあるで」

杉山は声をひそめて石井に囁く。

〝石井さん、無料なんですけど〟

石井も囁き返してきた。

〝あほか、この二百円がミソなんや。タダなんて気色悪うて、誰も手ぇ出さんよ〟

その通りだった。タダでも客がつかなかったタコ焼きにあっという間に客が群がってきた。警察官まで行列に並んでいる。騒ぎを聞きつけて、ピーちゃん河田も表に出てくる。

「石井！」

河田が怒鳴ると、屋台の中で石井が飛び上がった。ビルの中からパンチパーマの石井が飛び出してくる。

「お前、焼きそばやれ。素人に負けんじゃねえぞ」

くちばしで焼きそばの屋台を指してパンチ石井に命じた。たぶんユニバーサル石井は素人ではないが、河田のプロの意地に火をつけてしまったらしい。興奮してしっぽを振り立てながら言う。

「わし、ここに来る前はテキ屋の組におったのよ。おたふくソースの薫っちゅうのは、わしのことや」

退屈しきっていたコンパニオンたちも出てきて二人の石井を手伝う。これも効果的だった。もっと早く気づけばよかった。レオタードから半分尻をはみ出させたコンパニオンにつられて、足を止めた男たちが群がってくる。中で怖いお兄さんが待っているとも知らず、タコ焼きと焼きそばを買わずに会場へ入っていく人間もふえた。

入り口では組員の一人がカウンターで入場者を数えている。中に戻るついでに覗いてみた。午後二時半現在、五百六十三人。終了まであと四時間。なんとかなるかもしれない。

早苗がやってきたのは三時過ぎだった。遅くなったのは、村崎が合言葉を忘れてしまったためらしい。思い出すまではクルマに乗らない、と言われたんだそうだ。「あれ？　ファックユー」じゃなかったっけ。村崎は言う。子供に何てことを。

「お〜い、父ちゃん」

早苗を先頭に泥だらけのサッカーのユニフォームを着た子供が五、六人ぞろぞろと入ってくる。

「おっ、へんな鳥がいるぞ！」

「モンスターだっ」

「やっつけろっ」

入ってくるなり河田を追いかけまわし、どつきまわした。

「パンチ、パァンチ」

「キ〜ックだっ」

しょうもない悪ガキどもだ。早苗なんてまだ可愛いもんだ、と思っていたら、早苗も一緒に叫んでいた。

「パァァンチ、キィィィックゥゥ」

父親のほうなど見向きもしない。悪ガキどもはすぐに若の存在に気づいた。若はあの後も三時間近く、ひと言も口をきかずにゲーム機にかじりついたままだ。

「なんだこいつ、宇宙人みたいだな」

「あ、ゲームボーイの新しいヤツだ」

悪ガキどもの中でも一番悪そうな太っちょが、若のゲーム機をひったくる。

「宇宙人からゲームボーイ、ゲ〜ット！」

若はぼんやり口を開けて太っちょの手に渡ったゲームボーイを見つめている。杉山が叱りつけようとするより早く、河田が太っちょの手からゲームボーイを取り上げた。

「こら、なにやってんだ、お前。カツアゲなんかするんじゃねぇ」翼で太っちょの頭を叩き、顔を覗きこみながら巨大な頭を横に振った。「そういうことは大人になってからやれ」

ピーちゃんの丸い胴体の後ろに隠れて、両手でゲームボーイを握りしめた若が、唐突にカン高い声をあげた。

「ボクのパパは社長だぞ」

サルの顔マネをして河田を睨みかえしていた太っちょが言った。

「それがどうした、オレの父ちゃんなんか車掌だぞ、しかもＪＲ」

おおっ。その言葉に子供たちが称賛の叫びをあげる。若は唇をわなわなさせて叫んだ。

「パパは本当は小鳩組なんだぞ」

「早苗は2年4組だぞ」

「オレは3年1組だぞ」

「マーくんは2年D組だぞ」

若は唇を噛んで下を向いてしまった。杉山は早苗に声をかけた。

「お〜い早苗、仲よく遊べ。そこに書いてあるだろ。『なかよし小鳩組』って」

杉山の突然の出現に、ガキどもがおでこを突き合わせてさえずりはじめる。

「お〜い早苗、だってよ」「誰、このヒト?」「え、早苗の父ちゃん?」「あれ、この間のヒトと顔が違うぞ」「急にやせたぞ」

早苗は杉山と二人の時とは少し違う、他人行儀に詫びを言う幸子のような顔をして、みんなに説明していた。

「父ちゃん1号なんだよ」

その言葉に、ガキどもはまたもやおでこをくっつけ合う。

「え、二人いるの?」「どっちがほんもの?」「このあいだのデブのヒトが2号?」「うちの父ちゃんにも母ちゃん2号がいるんだぜ」「早苗もたいへんだな」

早苗の困惑の表情を見て、杉山はあわてて声を上ずらせた。

「よしっ、みんな、ここで遊んでいいぞ。ただし他のお客さんに迷惑をかけるなよ」

「おおっ!」

さえずりは歓声に変わった。

「じゃ、みんな、電車でゴーゴーやろうぜ」

マーくんが指を高く差し上げて言う。

「おお、やろう！」

「オレ、車掌な」太っちょが言う。

「じゃマーくん、運転手がいい」

「オレはお客さん、グリーン車のヒト。早苗は車内販売のお姉さんな」

「嫌だ、早苗はパイロットだ」

「なんで電車にパイロットがいるんだよ？」

「空も飛べる電車だ」

あれほど静かだったのが嘘のように場内がやかましくなった。若はゲームボーイを放り出し、頰を上気させながら子供たちのまわりをうろちょろしている。自分の指名を待っているのだ。

「なに？　お前もやりたいの？」

太っちょの言葉に、若はこくこくと首を振る。

「じゃ、お前、ディーゼルエンジンな」

〽電車で電車でゴーゴー、電車で電車でゴーゴー
悪ガキたちが歌いながら部屋の中を行進しはじめた。若が先頭だ。若のミキハウスのトレーナーを早苗がつかみ、早苗のユニフォームをマーくんがつかみ、一列になって歩きまわる。

歌いながら走りまわっているだけに見えるが、ちゃんと決められたステップがあるらしく、よたよた足をもつれさせている若に後ろから文句が飛ぶ。若は顔をしかめて必死で早苗たちを引っ張っていた。

「おう、やっとるな、強」

背後からカン高い声が飛び、杉山と河田は同時に背筋を伸ばした。小鳩が帰ってきたのだ。

「おうおう、先頭に立って悪さしよる。わしのガキの頃と一緒じゃ。わんぱくじゃのぉ、ガキ大将じゃのぉ」

小鳩組長は、笑っているのか怒っているのかよくわからない、酒が入って赤くゆるんだ顔で若に尋ねた。

「楽しいか、強」

その言葉に、杉山と河田は顔を緊張させて見つめ合う。若は顔を真っ赤にしてぜいぜい苦しげな息を吐きながら言った。

「うん」

そしてちょっと誇らしげに胸を張った。

午後四時、入場者数は七百十一人。あと三百人を集めればいいのだが、タイムリミットがしだいに迫ってきていた。夜までビル周辺が騒がしいと、付近の住民から警察にクレームがいくとかで、『任侠展』は六時半に閉館する。最近はヤクザもいろいろ大変だ。鷺沢が何を言おうが、もっと遅い時間に設定しておけばよかった。あと一時間、いや三十分遅くしておけば、と杉山は後悔しはじめていた。

会場にタコ焼きや焼きそばを抱えた子供たちが、わらわらと入ってくる。遅れてやってきた早苗のチームメイトだろう。みんなサッカーのユニフォーム姿だ。五人、十人、二十人……どこかからわき出てくるように数がふえていく。いったい早苗のサッカーチームは何人いるのだろうと思ってよく見ると、ユニフォームがまちまちだった。杉山は表に出てみる。

驚いた。二つの屋台の前にサッカーのユニフォームを着た子供たちが何十人も行列をつくっている。頭に手拭いの鉢巻きをした石井が必死になってタコ焼きを焼いていた。「押さないで押さないで、あ、つまみ食いはあかん。それ、まだ生焼けやで」

「早苗……友だちって……何人呼んだんだ？」

二パック目のタコ焼きを抱えて頬をふくらませている早苗に尋ねた。

「う〜ん、みんな」

「……みんなって？」

「え〜と、大会に出てるみんな」

怒られているのだと思ったらしい。だんだん声が小さくなっていく。

「宇宙怪人の持ってたキップをほかのチームにもあげちゃったんだ……ごめんよ……」

杉山はうなだれてタコ焼きをつっついている早苗を思いきり抱きしめた。

「でかした、早苗！」

早苗はケポッとタコ焼き臭いげっぷをした。

「全部で何チームだ？」

「え〜と、八試合《はち》あったから、八《は》×二《ちに》、十四チーム」

十六チーム！　そのうちの三、四チームが来てくれるだけで七、八十人にはなるだろう。目標へ大きく前進だ。そういえばまだ再婚する前、幸子が電話でこんなことを言っていた。

「ね、サッカークラブの監督さんにお中元を贈りたいんだけど、独身の男の人には、どんなものがいいのかな。え？　必要ない？　そういうわけにはいかないのよ。お世話になってるもの。ポケットマネーでおやつ食べさせてもらったり。たいへんなのよ、監督さん」

ポケットマネーがたいへんな監督さんは、杉山が想像していたよりも多かった。やってきたのは五チーム、百二十人。さぁ、勝利へのカウントダウンだ。


目の前で革命が起こっても眉ひとつ動かしそうもないあの鷺沢が、部屋に入ろうとして一瞬、ぎくりと足を止めた。さすがのヤツもこれには驚いただろう。ＡＶコーナーのあるサブ会場は、子供たちでぎっしり埋まっていた。すべての椅子は塞がり、壁際に立ったまま、あるいは床に尻をつけて、百人を超える子供たちがタコ焼きや焼きそばやジュースを手にして大騒ぎをしている。組長訓話を流していた大画面テレビはアニメ番組に切り替えられていた。子供たちが黄色い声を揃えて叫ぶ。

ピーちゃん！　ピーちゃん！　ピーちゃん！

ピーちゃんコールに片方の翼をあげて河田が応えると、歓声はさらに高まった。子供たちの大声援を受けて、河田は頬を紅潮させている。

「やあ、みんな。ピーちゃん、歌を歌うねっ」

不気味な裏声で河田が挨拶をすると、再び拍手と歓声がわき起こる。

ピーちゃん！　ピーちゃん！　ピーちゃん！

マイクを手にした河田が渋いノドで北島三郎の『兄弟仁義』を唸りはじめると、声援は一斉に非難の声に変わった。

「やめろ〜」

「へたくそ〜」

「ポケモン歌え〜」

タコ焼きが飛び、ジュースの空き缶も飛ぶ。

「よせよ、みんなっ、ピーちゃん、痛いじゃないかっ」

河田が裏声で悲鳴をあげた。部屋の隅に立っていた杉山は、タコ焼きをよけながら鷺沢にウインクを投げてやる。鷺沢は顎をあげ、蔑むような一瞥で応えてきびすを返した。

床にぺたりと座った早苗は、三パック目のタコ焼きをもこもこと頬ばっている。隣に若が座っていた。どうやら早苗を気に入ったらしく、早苗のユニフォームをつんつんと指でつついている。うちの娘に手を出すなんて二十年早い。後でもういっぺんほっぺたをつねってやろうか。

「ガングリオン歌え〜」

子供たちの誰かが声をあげると、別の誰かが答えた。

「そうだっ。機動戦隊ガングリオン！」

「なんや？　ガンクビ王？」

ピーちゃん河田に構わず何人かが歌いはじめる。

〽おお　ガングリオン〜　正義をこの手に

子供たちが次々に声を合わせていく。すぐに会場内は大合唱になった。

〽おお　ガングリオン〜　勇気をこの胸に

早苗も若も太っちょもマーくんも歌っていた。

〽悪いやつらをやっつけろ　オーッ

よく知らないのだが杉山も歌った。よく知っているらしい村崎は、マイクスタンドをギターがわりに抱えて歌った。河田も一緒になって翼を振り上げた。

〽悪いやつらをやっつけろ　オーッ

結論から言えば、小鳩組『任俠展』は、目標動員数の千人に届かなかった。入場者は九百八十六・五人。端数になっているのは、鷺沢のヤツめが子供を〇・五人でカウントしやがったからだ。そしてマラソン中継のノルマは、五分十三秒五〇に引き上げられた。足りなかった人数一人につき一秒の加算だという。お得意の理詰めのいちゃもんだ。

「お話ししていませんでしたっけ。本来ならカウントしないところですが、こちらも折れたんですよ。今回のイベントの趣旨が子供に理解できるとは思えませんから」

理解できなくて幸いだ。ただしタコ焼きの売り上げ五万九千二百円は、ユニバーサルの取り分になった。まったくありがたい。かくしてユニバーサル広告社の未来はすべて「七海マラソン」の結果にゆだねられることになった。

〽負けるな　戦え　ガングリオン〜　オーッ

3

「がんばれ父ちゃん、オオオッォオオオッ」

浦和レッズの応援歌のリズムに合わせて、村崎の乗るベスパの後部席で早苗が叫んでいる。

「がんばれカッちゃん、オオオッォオオオッ」

レースまで、あと四日、今日は午後から会社を休んで最後の調整だ。仕事をしたくなかったのか、単に買ったばかりのベスパを見せびらかしたかったのか、村崎もついてきた。

公園の外周の半分を全力で走り、少し休んでまた全力疾走。何度走っても杉山は途中でついていけなくなって、勝也の肩をたたく。先に行けという合図だ。勝也は待っていたようにペースを上げる。みるみるその背中が遠ざかり、小さくなっていく。

「グッバイ父ちゃん、オオオッォオオオッ」

勝也を追って、早苗を乗せたベスパも遠ざかっていく。

最後のタイムトライアルでは、杉山は五キロを十五分五十七秒。タマラスカヤが普段のペースならじゅうぶんついていける。勝也は十五分十六秒、しかも走り終えた後にまだ余力を残しているように見えた。十キロどころか二十キロぐらいはいけるかもしれない。

杉山は芝生に倒れこんだ。釣り上げられた魚のように口と腹だけせわしなく動かして、欠乏した酸素を体に送りこむ。杉山から少し距離を置いて勝也も寝ころがった。

「いけるぞ。だいじょうぶだ」

息を喘がせながらそう言うと、勝也は何も言わずに腕を突き上げて応える。杉山は訊いてみた。

「なぁ、何で陸上、やめちゃったんだ」

もう何度訊いたか忘れてしまったほど繰り返している質問だ。いつものように答えはない。いつものように答えを聞くのをあきらめた頃になって、勝也がぽつりと言った。

「やめたんじゃねぇよ、やめさせられたんだ」

独り言めかして言葉を続ける。

「担任の先公がさ、俺を馬鹿だって言ってよ。お前は足でこの学校に入った馬鹿だって」

「それで」

「だから足だけじゃないってことを見せてやった」

そう言って右手を拳にして左の手のひらを叩いた。

「右フック一発で退学」

「そうか……」杉山はアンケート調査の不幸と屈折と怨嗟の声の数々を思い出した。勝也は人生のスタートラインを逆走した口だ。「後悔したことはないか？」

「へっ」勝也は芝生に唾を吐くついでみたいに声を出す。「決まってるだろ」

Ｙｅｓなのか Ｎｏなのか、よくわからない返事だった。杉山からみれば、勝也は大きななくしものをしたように思えるのだが、勝也にしてみれば、もし教師を殴らずにいたら、別のものをなくしていたのかもしれない。

「なぁ」珍しく勝也が自分から声をかけてくる。「俺、ボクサーになりたいんだ。なれるかな」

なれるかもしれない。長距離ランナーはボクサーに向いている。体脂肪が少なく、リーチの長い体形の人間が多いし、脇を締め、上腕を使って強く早く、というういいランナーの腕の振りは、ボクシングの基本と同じだ。なにより持久力がある。勝也のリーチと運動能力とスタミナは、申し分ないように思えた。

「だいじょうぶ。なろうと思えばさ、半分はなったのと同じなんだ」杉山は言った。

「なんだそれ、ことわざか？」

「いや、いま考えたんだ」

鼻先で勝也が短く笑った。そして体を起こして真剣な顔で尋ねてくる。

「背中に半分、墨入れちまってるんだけど、平気かな」

たぶん、刺青を入れたままではプロテストには通らないだろう。

「もし日本でだめだったらさ、外国でプロになればいいじゃないか」

「あ、なるほどね、その手があるな」

柄にもなく勝也が素直に頷いた。

「きゃぁぁぁ〜ほほほ」

早苗の奇声が聞こえてきた。村崎が早苗を肩車したままベスパを走らせているのだ。その後ろを乗り入れ禁止のバイクの音に気づいた公園管理人が追いかけている。杉山はあわてて立ち上がり、止めに走った。

練習が終わった後、全員で杉山の家へ行く。四日後に迫ったレースのささやかな壮行会を開くのだ。メニューはしゃぶしゃぶ。いくら注意しても勝也はまともに飯を食っていないようだったから、いまから役に立つのかどうかわからないが、少しでも栄養をつけさせるつもりだった。肉をたっぷり食うのは今日までで、明日からはレースに備えて食事は炭水化物中心のメニューに変える。

マンションの入り口で猪熊が待っていた。ネギが突き出たスーパーの袋をさげている。

「来ないか」とは言ったが、こんなに早く来ているとは思わなかった。料理も杉山が自分でつくるつもりだったのだが。

「会社はだいじょうぶなのか？」

「……そうか」

「平気、平気、社長とタコ坊が二人で電話番してるから」

だいじょうぶだろうか。

さ、さ、上がって上がって。猪熊が自分の家みたいに勝也たちを招き入れる。キッチンで杉山が材料を刻みはじめると、ああ、もう下手だなぁ。見ていられないというふうに包丁を奪いとるが、そういう猪熊も下手だった。にんじんは花のカタチにしなくちゃね、などと言いながら、大量のにんじんを野菜クズにしていた。

用意してあった二キロの肉はあっという間に消えた。五合炊いた飯は、杉山がまだビールを飲んでいるうちになくなった。食ったのはほとんど村崎と勝也と早苗だ。信じられないヤツらだ。村崎が発明した、しゃぶしゃぶぶっかけ飯を他の二人が真似をして、どんぶりでおかわりを繰り返す。おかげで杉山はスーパーへ追加の肉とにぎり飯を買いに走らされるはめになった。

今日の勝也は陽気で饒舌だった。杉山とはほとんど会話らしい会話を交わさなかったくせに、杉山が聞いたこともない音楽の話で村崎と盛り上がっている。村崎が右肩に彫ったタトゥーを見せると、自分も背中の彫りかけの刺青を見せる。輪郭だけの鯉に早苗がクレヨンで色を塗ってやっていた。猪熊の顔を窺い、杉山に笑いかけ「おっさんのコレかい」と小指を立ててみせ、「な〜に言ってんの、このコはぁ〜」と妙に気取った嬌声をあげる猪熊に肩を叩かれた。早苗とはゲームとアニメの話をし、猪熊とトレンディドラマの結末について語り、杉山のつまらないと評判のジョークにもよく笑い、夜が更けてきて会話が途切れがちになって誰かが時計を眺めたりすると、自分から小鳩組の裏話を持ち出して、みんなを笑わせようとする。
結局、村崎と勝也は杉山の家に泊まることになった。村崎はもう部屋の隅に転がっている。立っていてもでかいが、寝るとさらにでかい。本当にムダに大きいヤツだ。早苗と勝也はずっとテレビゲームに夢中だ。幸子と約束した「十時就寝」も「ファミコン一日一時間」もとっくに過ぎているが、もうしばらく放っておくことにする。ちょっと酒が飲み足りなかったが、いじょうぶ。猪熊から帰りがけに怖い顔で釘をさされてしまったから、素直にウーロン茶を飲む。だ最近は酒を睡眠薬がわりに飲まなくても、すぐ眠れる。杉山のまぶたがもう重くなってきているというのに、早苗と勝也は、まだまだ元気いっぱいだ。テレビ画面に向かって二人で叫び続けている。

「あひ」

「おう」

「ひぃ」

「うげ」

「ほぉほほほほ」

「きたねぇなぁ、お前」

兄妹のように寄り添うその背中を見て、杉山は勝也の年齢が自分よりずっと早苗に近いことに気づいた。

いよいよレース開始だ。スタート五秒前を告げるファンファーレが鳴り響く。杉山は体を前傾させて全神経を集中した。すぐそばにいる早苗の顔も緊張していた。

スタート。観衆がどよめく。だが、走りはじめてすぐに敗北を悟った。先頭で飛び出したのはいいが、すぐに出足は止まり、あっという間に集団の中に呑みこまれる。追いつかれ、追い抜かれ、みるみる引き離されていく。馬体が軽すぎたのだ。厩舎での調教も追いきりが激しすぎたようだ。第三コーナーをまわる前に杉山のトウチャンホマレはどん尻になってしまった。

「やったっ！」

早苗がファミコンのコントローラーを握りしめて叫ぶ。サナエレッズは弥生賞二着。トウチャンホマレはまたも着外。

「くっそぉ、次は阪神競馬場だ」

「おしっ！」

明日は「七海マラソン」の日だ。今日こそ十時に早苗を寝かせて、杉山も早く寝るつもりなのだが、だんだん自信がなくなってきた。杉山の家に来て一週間、あいかわらず早苗はぜんぜん勉強しないが、漢字の読みだけは飛躍的に覚えた。馬、牡、牝、戦、勝、敗、連、単、芝、父、母。いま二人がやっている競馬シミュレーションゲームは、どこまで理解して早苗がやっているのかわからないが、馬の詳細な血統図までついている。父馬なにがし、母馬なにがし、というやつだ。その画面を見つめながら早苗が、ぽこりと言う。

「父ちゃんと母ちゃんは、どうしていっしょにいないんだ？」

ふいをつかれた杉山は、一杯だけと決めてちびちび飲んでいた缶ビールにむせてしまう。

「結婚をやめちゃったんだよ」

「なぜ、やめたんだ？」

この間の勝也のように、やめたんじゃない、やめさせられたんだ、とでも言おうと思ったが、正直に答えることにした。

「なぜなんだろう。父ちゃんにもよくわからないな。母ちゃんはどう思っているか知らないけれど、別に母ちゃんが嫌いなんじゃなくて……そうだな、ずっと一緒にいるようになったら、別々に暮らしていた頃より、二人とも幸せじゃなくなっちゃったんだよ」

「幸せは比べるものじゃないわ」

突然、早苗が言った。杉山は思わず顔を見つめた。妙に大人びた幸子みたいな顔で早苗は言う。

「不幸は比べることから始まるのよ」

狐憑《きつねつ》きみたいだった。

「どうした？」

飲みかけの缶ビールを振ってみた。だいじょうぶ。中身は減っていない。

「キョウコさんだよ。昨日、『愛のシュラ』の最終回だったんだ」

どうりで家に帰るといつもビデオの電源がつけっぱなしだと思った。早苗がお昼の奥さま劇場のビデオを録画していたのだ。

「最後にバスの停留所でキョウコさんが言うんだ。幸せを比べるもの干しはないのよ、って」

「……それって、ものさしじゃないか？」

「あ、そうだったっけ？」

もみじ饅頭のような小さな手でコントローラーを器用に操る早苗の素早い手さばきに、もう杉山は遠く及ばなかった。子供の成長はうらやましいほど早い。この間の勝也との熱戦でいちだんと腕をあげた。

「そういえば、この間、勝也の兄ちゃんと何を話してたんだ」

「んーと、いろいろ。ゲームの話とか。秘密の裏技とかも教えてもらったんだ」

「このゲームの裏技も？」

「もっちロンドンパリローマニューヨーク」

「父ちゃんにも教えてくれ」

「秘密の裏技だから、秘密だ」

「教えないと、明日の弁当にピーマン入れるぞ」

「教えよう」

教えてもらったのにまたも着外だった。さぁ次は若葉ステークスだ。

「勝也の兄ちゃんが、何になりたいか聞いたか？」

「あ、聞いた。ヘンだよ。カッちゃんは。男になりたいって言ってたんだ。最初から男なのに」

「ボクサーになるっていう話は？」

「へ？」

「勝也の兄ちゃんは、ボクサーになりたいんだそうだ」

杉山がそう言うと、早苗は臭い匂いを嗅ぐ時の顔をした。

「カッちゃんて、やっぱりヘンなヤツだな」

「そうかなぁ。父ちゃんは、いいと思うけどな」

「よくないよ。たいへんだよ、ボクサーは」

「知ってるのか？　ボクサーのこと」

「知ってるよ。マーくんのうちにもいるもん」

「マーくんのうちって、ジムなのか？」

「ジム？　ちがうよ。マーくんちのボクサーは、ロッキーっていう名前だ」

早く寝なくちゃ。こんなことしてる場合じゃない。そう思いつつ、新しいレースに備えてトウチャンホマレの調教を始める。

「なぁ、早苗は、大きくなったら何になりたいんだ？」

そう訊くと、一秒で答えが返ってきた。

「Jリーグ。浦和レッズでオカノとフォワードを組むんだ。そしてワールドカップでブラジルを倒す」

杉山が困った顔をすると、そんな顔をされるのに慣れているらしく、口をくちばしのように尖らせて言う。

「なれるってば、だって早苗、うちのチームで一番うまいんだよ。男の子よりぜんぜんうまいんだ」

なんと返事をしようか言葉に迷っていると、早苗のほうが先に口を開いた。

「父ちゃんは、何になりたいんだ」

今度こそ本当に言葉につまった。しばらく考えてみたが、わからなかった。

「うーん、わかんないな。考えておくよ。宿題にしてくれ」

杉山がそう答えると、早苗は眉をつり上げて、おごそかに言った。

「宿題は、ちゃんとやるんだぞ」

電話が鳴った。誰だろう？　こんな時間に。一瞬、病院からかと思って緊張した。だが電話は勝也からだった。番号は教えていたが、かけてくるのは初めてだ。

――……おっさんか？

公衆電話からだろう。声が遠くて小さい。

「おう、どうした。明日、がんばろうぜ。今日は早く寝たほうがいいぞ」

杉山の言葉が、どこかに吸いこまれてしまったように長い沈黙が続く。

——悪いけど、俺、出られない。

沈黙の彼方で勝也が言った。一瞬、息が止まった。

「え？……なに？」

——……明日は駄目だ。

「どうしたんだ、なぜ？　なにかあったのか？」

——黒崎さんに言われてさ、男になれって言われて、やっちまった。

「やったって、何を？」

——関西のヤツら……関東支部長。

「おい、ちょっと待てよ、いまどこ」

電話が切れた。杉山はしばらく受話器を握りしめたままだった。ぽっかりと口を開けて顔を覗きこんでくる早苗に、なんでもないと口にするかわりに、首を振って応えるのがせいいっぱいだった。馬鹿たれ、やっぱりヤクザだ。ヤクザはヤクザだ。馬鹿たれどもが。どうするんだ、レースは明日だというのに。どうするんだ勝也、ボクサーになる夢は。

4

レース開始までまだ二時間あるというのに七海スポーツ公園は、おびただしい数の人間であふれかえっていた。老若男女さまざまだが、誰もがトレーニングウエアを着ていて、誰もが陽に焼けていて、すでにジョグパン姿になっている誰もが筋肉の浮いた足をしている。腹の出た人間はほとんどいない。集まっている人間の体脂肪率は、街中の平均の半分ぐらいだろう。

十二月にしては日差しが強く生温かい。スタート時間の正午には、気温がかなり上がるだろう。杉山は公園の隅の芝生の上にレジャーシートを敷いて荷物を降ろす。手早く着替えて、受付で参加証明券と引き換えに受け取ったゼッケンをつけた。もうお菓子食べてもいい？ 早苗はすっかりピクニック気分だ。杉山が頷くとゾウのリュックにつめていた大量の食べ物をシートの上に並べはじめた。駅のトイレに入ってきたのに、また尿意を催してきた。大のほうもなんだか不安だ。しかし、公園に設けられた仮設トイレのとてつもなく長い行列には、とても並ぶ気になれない。

昨日はなかなか眠れなかった。時間を知るのが怖くて時計を見なかったから、いったい何時間眠れたのかわからない。起きてすぐ朝刊を広げると、片隅に勝也のことが載っていた。思いのほか小さな記事だった。

七海市内の飲食店で関西系広域指定暴力団の組員二人が銃撃され、一人が重傷。もうひとりが軽い怪我を負った。警察は重要参考人として地元の指定暴力団準構成員である少年Aの行方を追っている。

わかったのはそれだけだ。少年Aがなぜ銃を手にし、何を考え、何をしようとしていたのかについては、まったく書かれていない。眠れなかったのは、それだけが理由ではなかった。

木曜の予定だった幸子の手術の予定がずれて今日になったのだ。時刻は十時十分。もうとっくに手術室に入っているはずだ。神も仏も信じたことはなかったが、今日だけは何か祈るものが欲しかった。

昼から交通規制が敷かれる公園沿いの国道はひどい渋滞で、公園側の車線に無理やり縦列駐車をしようとしている巨大なキャンピングカーが、後続の車からクラクションを鳴らされている。こんなレースにキャンピングカーで乗りつけるなんてどこの馬鹿だ、と思ってながめていたら、運転席から声をかけられた。

「杉山さ〜ん。ラリホ〜」

三田嶋だった。助手席には大神林がいる。運転席の上のオーバーハングキャビンの窓から猪熊が手を振っていた。

「またクルマ変えたのか？」

「まさか、借りたんだよ。欲しいんだけどさ、なにしろ千二百万だからね。また仕事ちょうだいよ。俺、がんばっちゃうからさ」

「会社があればな」

大神林はトレーニングウエアの上下を着ていた。

「参加するのか」

「おすっ！　杉山さんをひとりで走らすわけにはいかないっす」

そう言いながら目はうろうろと公園の群衆の間をさまよっている。たぶん勝也を探しているに違いない。

「いつ申し込みをしたんだ？」

「おすっ！　申し込みとは、何でありましょうや？」

七海マラソンの参加には事前の申し込みが必要だ。先着五千名。締め切りは一カ月前に過ぎている。仮装部門は飛び入りＯＫだってさっき放送で言ってたぞ。杉山がそう言うと大神林は、あわてすっ飛んでいった。

猪熊がサザビーの紙袋の中から重箱を取り出す。中にはにぎり飯とだし巻き玉子とタコウインナーが入っていた。本当はもう食べ物は口に入れないほうがいいのだが、後が怖いからひとつだけ口にする。朝飯をちゃんと食べさせたのに、早苗が欠食児童のように両手でおにぎりをつかんで口につめこみはじめた。形の不揃いなおにぎりの上に、何のつもりか花にんじんが散らしてあった。桜には見えないが、三色すみれぐらいには見えなくもない。

「どう？　愛妻弁当風だよ。やだっ、私、杉山さんの奥さんだと思われちゃうよ」

猪熊が首を斜めにかたむけて杉山の目を覗きこみ、軽口めかして言う。

「だいじょうぶ。俺たちじゃそうは見えないよ。早苗の姉ちゃんというのも、ちょっと無理があるけどな」

杉山も軽口で返したつもりだったのだが、なぜか怖い顔で睨まれてしまった。

大神林がバニーガールになって戻ってきた。七海ステーションビルのパーティーグッズ売場で衣装を買ってきたのだそうだ。坊主頭にバニーの耳をくっつけた大神林は、なんだか嬉々として仮装部門の参加受付コーナーへ走る。今年から七海マラソンには、仮装部門が新設されたのだ。欧米では市民マラソンの風物詩になっている派手な仮装ランナーを募って、大会を盛り上げるつもりなのだろう、一般受付の脇では、そこだけ異次元空間になったように、ちょんまげの殿様やゲームキャラクターの主人公やピンク色のアフロヘアやとうの立ったウェディングドレスがたむろしている。真っ白い雪ダルマのような鳥もいた。河田だ。ピーちゃんの河田は、一般のランナーはもちろん仮装部門の参加者たちにまで気味悪がられて、心細げによたよた歩いていた。杉山の顔を認めると、一瞬、頰をゆるめて片方の翼を振ったが、駆け寄った時にはもう業務用のこわもて顔に戻っていた。

「来てたんですか」

小鳩組は組長以下、数十人が参加する予定になっていたのだが、昨日の今日だ、まさか来ているとは思わなかった。

「ああ、組長命令やから、しゃあない」

「勝也のことだけど……」

「昨日のことやろ。ありゃ、カタがついた」

「カタがついたって？」

「昨日の夜な、若頭が向こうの上と話つけてな。まるうおさめることになった。勝也が行く前に、うちも一人やられとるしな」

「誰が？」

「石井。意識不明や。もう戻らんやろ」

パンチパーマのあの青年だ。任侠展で懸命に焼きそばを焼いていた。案外あっさりした口調で言う河田に怒りを覚えたが、河田の顔は口で言うほど平然とはしていなかった。

「縄張《シマ》荒らしの件もな、猪熊の親分さんに中入ってもろて、手打ちすることも決まった。雨降って地ぃ固まるっちゅうやつかいな」

「地固まるって……じゃあ勝也は？」

何のために銃を手にしたんだ。パンチ石井は何のために？

「まぁ、情けない話やけど、最近はわしらの業界もこうよ。無用なドンパチより話し合い。金もかからんし兵隊も減らん」

「勝也は、いまどこです？」

「わしらも探しとる。勝也はヤバいんや。上同士で手ぇ打っても下は言うこと聞かんからな。あいつが撃ったんは下部《えだ》組織の組長や、直系の若いのんが勝也を追っかけとる。つかまったら、しまいや。ほんまはおとなしゅう出頭して懲役行ったほうがええんやけど」

小鳩源六と小鳩組の面々は、本部ビルに半分だけ人間を残して、後は予定通りここに来ているという。

「駐車場や。タマちゃんの近くに陣を張っとる。うちの親父は言いだしたら聞かんからな。何ぞあったら困るから、みんなで親父さんを囲んで走るんや。完走せんヤツは破門だそうな」

スポーツ公園に隣接した駐車場の一番手前にマイクロバスが停まり、周囲を取り巻くカメラマンを白人の小男が手を振って追い払っていた。ダニー・デビート似のその男は、テレビカメラだけをマイクロバスの中に招き入れている。バスの窓を覆ったカーテンの裾がちらりと上がり、すぐに閉じた。おそらくカーテンの向こうにいるのが今日のターゲット、タマラスカヤだ。

タマラスカヤのベース・キャンプのすぐ近くに大型のテントが広げられていた。四隅には組長付きのボディガードたちが腕を後ろに組んで突っ立っている。今日はブラックスーツではなく小鳩シャツとジョグパン姿だ。勝手知ったる他人の家だ。杉山は中を覗いて挨拶をした。昨夜、抗争があったというのが嘘のようなお気楽ムードだった。

一番中央で床几《しょうぎ》に腰を据えている小鳩組長は行楽地で使うようなサングラスをかけ、短い足を若い衆にマッサージさせている。時おりサングラスをはずして、タマラスカヤのいるワゴン車の方向を窺っていた。その横では桜田が小鳩シャツを窮屈そうに着て屈伸運動をしている。特注のＬＬサイズの小鳩シャツがはちきれそうだ。肩にかけたタオルの中でアンディ・ウォーホールの描いたマリリン・モンローが流し目を投げかけている。

鷺沢もいた。隅のほうでまばゆいほど真新しいブランド物のシューズを履いているところだった。スーツを脱いで陽光の下にいる鷺沢は、活動時間を間違えた夜行性動物のように、おどおどして見えた。白アスパラガスみたいな細い足が小刻みに震えている。さては怖いに違いない。体を動かすことが苦手なのだろう。杉山が声をかけると、びくりと肩を震わせて振り返る。フレームレス眼鏡の奥の目から、バリケードを思わせる膜が消え、どこにでもいそうな気弱な青年の顔になっていた。杉山はできるかぎりの優しい声をかけた。

「鷺沢さん、リラックス。気楽にいきましょう。新しい靴は少し歩いて慣らしたほうがいい。足の裏に石鹼を塗るといいですよ」

鷺沢はきっと杉山の顔を睨んできたが、すぐに目をそらして下を向いてしまった。

駐車場から戻る途中、少し遠まわりをしてウォームアップ・ランをする。勝也がいなくなってしまった以上、走る距離は五キロではすまない。この一カ月あまりの間、杉山はテレビ中継されたすべてのマラソンや駅伝をビデオに録画し、ストップウォッチを片手にデータを取ってみた。先頭ランナーか先頭集団が映る確率はおよそ七割。ほとんどが放送車からの正面、バストショットが多いから、ユニフォームもよく映る。しかし後続の注目選手を映す場合は、ハンディカメラを載せたバイクからの映像だ。正面のカットはぐっと少なくなる。

今回の場合、テレビ局は放送の多くをタマラスカヤの姿に費やすだろうが、男子選手も走るレースの先頭というわけにはいかないから中継車は使えないはずだ。おそらくバイクカメラでアップや横からのショットを狙うに違いない。だから位置取りをするならタマラスカヤとカメラの間。ただしムリをして悪目立ちしようとすれば、カメラマンはたちまちフレームの外にはじきだそうとするだろうし、いまいましいことに途中でＣＭも入る。一人で五分以上映るためにどのくらい走ればいいのか、正直に言って見当もつかなかった。

早苗の所に戻る。早苗と猪熊は並んで食後のお菓子をぽりぽり食べていた。杉山がストレッチでアキレス腱を伸ばしている脇で、二人はピーチクパーチクさえずり続ける。

「父ちゃん、体、カタいぞ」

「お酢飲ませるといいよ」

ほっといてくれ。

ナップザックの中で携帯電話が鳴った。ストレッチを続けながら手にとる。初めて聞く男の声だったが、声の主が誰だかはすぐにわかった。

――高橋です。いろいろご迷惑をおかけして、申しわけありません。

初めて聞くカビゴンの声は、早苗が言うほど間抜けには聞こえなかった。低くよく響き、分別のある、人に命令することに慣れた男の声だ。

――成功……と言えるのでしょうか。とりあえず幸子の手術は無事に終わりました。

昔の妻の名を呼びすてにされて、杉山は少し腹がたったが、そんな筋合いはないことにすぐ気づく。それにカビゴン高橋の声はそれほど感じが悪くはなかった。転移はなさそうです。リハビリには少し時間がかかるようですが。ロクに返事もしない杉山に、カビゴンは律儀に語りかけ続ける。

――早苗ちゃんのことも申しわけなく思ってます。本来なら私が面倒を見てあげなくちゃいけないのに。本当にすいません。

早苗は杉山の脇腹に背中をあずけ、鼻唄を歌いながらポテトチップスの袋を開けている。

——もうこれ以上、ご迷惑をおかけしないようにします。本当にもう。私が努力しますので。

「いえ、僕の娘ですから」

杉山はそれだけ返事をして後の言葉を呑みこんだ。生真面目に謝罪を続ける高橋の言葉の芯に、決意の気配を感じ取ったからだ。相手に言われる前に自分で言った。

「……もう、早苗とは会うなと？」

——あの、こんな時に……いろいろご面倒をかけっぱなしで……こんなことを言える立場ではないのですが……お察しください。私も………。

分別臭く聞こえていたカビゴン高橋の声が、かすかに震えていることに気づいた。この男だって早苗の父親になろうとして必死なのだ。杉山がなってやれなかった、いい父親に。早苗のこれからのことを考えると、どちらがそれに適任かは、杉山にだって分別がつく。いつかはこうなるだろうとわかっていた。ずっと考えまいとしていただけだ。

あの、本当に勝手ばかり言ってすいません。なるべく早く迎えに行くつもりです。病院に連れて行って母親とも会わせようと思いますし。高橋はその後も謝罪を繰り返していたが、杉山の耳にはほとんど届いていなかった。「わかりました」とだけ言って、口を封じるように携帯を切った。

早苗がハムスター鼠のように頰をポテトチップスでふくらませながら、杉山の顔を覗きこんできた。その自分とそっくりの眉をした顔を見返して、杉山は笑顔をつくった。

「やったぞ、早苗。母ちゃんの手術は成功だっ！」

「おお、オデキ、なおったんだね」

「うん、でもオッパイを片方とっちゃったんだ」

「また生えてくる？」

「いや、生えてこない」杉山は今度は少し眉をしかめた厳しい顔をして早苗に言った。「オッパイがなくなっちゃうってことは、大人の女の人には、とってもつらいことなんだ。だから、早苗が励ましてやるんだぞ。カビゴンと一緒に。カビゴンと仲良くしろよ。母ちゃんによけいな心配をかけるな」

え〜カビゴンとぉ〜。早苗は下唇を突き出してから、不思議そうな顔をして訊いてきた。

「父ちゃんは？」

「おう、父ちゃんも応援するよ。一緒には無理だけどね。そうだ。毎日、がんばれ早苗って、早苗の家に向かって念力パワーを送るよ。だいじょうぶ。いつもそばにいるからね」

いつになく饒舌な杉山の顔を、早苗が不審そうな表情で覗きこんでくる。

「父ちゃん、なんか変だぞ」

「え、そうかな？　どこかおかしいか？」

「鼻毛伸びてるぞ」

「お、そうか」

杉山はあわてて顔を押さえて、早苗の顔から目をそらせた。

十一時半、ヤツのいつもの出勤時間になって村崎がやってきた。ベスパで早苗を連れて五キロ過ぎの沿道で待つ約束になっている。石井はすでに五キロ地点で待機しているはずだ。携帯テレビとストップウォッチを持って、あとどのくらい走ればいいのかをホワイトボードで杉山に知らせる手はずになっていた。

「じゃあな、早苗」

杉山は早苗の頭を軽く叩く。口いっぱいにポテトチップスを頬ばっていた早苗は「あうっ」とだけ答えた。

なんだか他人のもののようにうまく力の入らない両足を励まして、スタート地点へ急ぐ。早めに行って、いい位置を確保したかった。公園の正面口には『第三十回七海マラソン』の文字と、それよりも大きなスポンサーのロゴマークの入ったアーケードが設けられている。そのすぐ手前から公園の中央付近にかけて何本かのラインが引かれていた。一番前のラインは招待選手のためのもの。その後の序列はゼッケン順だ。千番から六千番までのゼッケンは申し込み時に書いた自己申告のタイムによってスタートラインを振り分けられる。かなり昔の記録だが高校時代の五千のタイムと、フルマラソン経験十回という大嘘の申告がものを言って、杉山は招待選手のすぐ後ろの千番台が取れた。

考えることはみな同じだ。集合時間までまだだいぶあるのに、千番台ラインにはたくさんの人間が集まっていた。さすがにこの辺りに並ぶランナーたちは、他の参加者とは別格の雰囲気だ。年齢は二、三十代が中心。シューズもウエアも、全身から贅肉を切り落としたような体も一級品揃いだ。皆、ストレッチに余念のない様子をみせながらも、お互いのジョグパンの下の足へ値踏みする視線を投げている。杉山は思わず絞り切れずにまだ脂肪を残している自分の腹をつまんだ。

スタート二十分前になると、集合を呼びかけるアナウンスが会場に響き、ぞろぞろとスタート地点に大移動を開始した人々の前で、演壇に立った七海市長が挨拶を始めた。小鳩組長の雀友は、健全な市民生活を促進し、七海市を文化とスポーツの故郷に、と選挙演説みたいな挨拶をし、コマーシャルを挿入するように、何度もスポンサーへの感謝の意を述べたてる。続いて実行委員長挨拶。ビヤ樽のように太った自分自身は百メートルも走れないだろうビール会社の社長が演壇に立ち、学生時代にやっていたボート競技がいかに自らの人生に有益であったかを自慢げに語る長ったらしいスピーチで、参加ランナーを二、三キロ分ぐらい疲労させる。

スピーチの途中で参加者たちからどよめきが起こった。タマラスカヤが姿を現したのだ。歩きながらウォーミングアップ・ウエアを脱ぎ、従者のごとくつき従ったダニー・デビートに投げ渡す。ショッキングピンクのレオタード型ユニフォームに包まれた筋肉質の肢体に、男たちの感動の叫びがあがる。杉山の立つ二列目のスタートラインは急に混み出して、ラッシュアワー並みのもみ合いが始まった。

タマラスカヤは、自分に集まる無数の視線など目の隅にも入っていない様子で、悠然とジョギングしながら当然のように最前列の真ん中に立つ。金色の短い髪が陽光を跳ね返してキラキラと輝き、せわしなくアップを繰り返すたびに筋肉質の尻がくりっくりっと動くのを杉山の目は捉え続けた。あれがターゲットだ。やましい気持ち抜きで女の尻をこんなに見つめたことは、おそらく初めてだろう。

スタート五分前。一般参加ランナーは呑気なものでスタートラインへの大移動はまだ続いている。杉山はひじを突っ張って、両隣や後ろからの圧迫に耐えた。審判長競技説明。昔、テレビで見たことのある、かつてオリンピック選手だったトレパン姿の男が、大会ルールの説明を始めた。コースの概要、タイムの計測法、給水ポイントの場所。そして最後にこんなことを言い出した。

「えー混乱を避けますためにですね、一般参加の方のスタートは、特別招待選手がスタートして一分後になります。ピストルが二度鳴りますので、くれぐれもお間違いのないように」

参加者の間から一斉にブーイングが巻き起こる。杉山も叫んだ。ふざけるな、話が違うぞ。『タマラスカヤと走ろう——招待選手も一般選手も同時スタート』広告には確かにそう書いてあったのだ。電話で問い合わせて確認もした。公共広告機構に訴えてやる。

「タイムはお配りしたRCチップで計測いたします。記録に関してハンディはありません。えーどうぞ落ちついてスタートを」

RCチップというのは、ゼッケンと一緒に配られるICだ。シューズにつけ、電子処理で参加者のタイムを計測をする。しかし、そんなもの杉山には何の関係もない。

管弦楽団がスタート前の演奏を開始し、ランナーたちの不満の声を口封じした。スタートラインに急ぐ群衆の中に、どんたく祭りのように固まって走る異様な集団が見えた。小鳩組だ。

わっせわっせとかけ声をかけ、小鳩組長を囲んでスタート地点へ向かってくる。一瞬だがテレビカメラもそちらに向く。五秒ほど儲かったかもしれない。最後尾をよたよたと走る鷺沢のさらに後ろに、ピーちゃん河田の姿も見えた。杉山は集団をかき分けてロープの張られたスタートラインの右端まで移動し、河田に叫びかけ、大きく手を振る。杉山に気づいた河田がドナルドダックのような不恰好な足取りでこっちにやってきた。

「なんや、いま聞いたで。タマちゃんとは一緒に走れんとか言うとりゃせんかったか？」

杉山はピーちゃんの巨大な頭に顔を近づけて囁きかけた。

「河田さん、持ってるでしょ。トカレフ」

なぜわかったんだ、というふうに河田が翼で腹をさすった。ピーちゃんのお腹のポケットが拳銃の形にふくらんでいるのだ。

「おう、まだ何があるかわからんからの」

「お願いがあるんですけど」

「誰を殺《や》るんや？　あの審判長かいな」

「いや、ちょっと耳を……」

「耳なんてないがな」

杉山はさらに声をひそめて、ピーちゃんの顎の上あたりに耳打ちをする。

もう一度、最前列の中央に並び直そうとして人波をかきわけた。あちこちから怒りの声が飛ぶ。足を蹴り上げてくるヤツもいた。もう少しで元の位置に戻れるという時に、脇からひじが突き出てきて、杉山は行く手を阻まれる。くそっ。こっちは遊びじゃないんだ。杉山もひじをあげ、そいつのひじをはね返す。今度は膝でブロックしてきた。杉山も膝で押し返し、男の顔を睨みつけた。男も首をねじ曲げて杉山を振り返る。それから、そいつはにやりと笑った。勝也だった。

5

「だいじょうぶなのか？」

杉山は勝也に声をかける。勝也はきちんと小鳩組のマークが入ったシャツを着こんでいた。元・高校陸上界の逸材は、さぁ、というふうに小首をかしげ、それから不敵に笑った。

シンバルがひとつ鳴り、管弦楽団の間のびした演奏が終わると、スターターが声を張りあげる。

「位置について！」

五千人のランナーが一斉に息を止めた。

一瞬の沈黙。

杉山は身構え、前方のタマラスカヤの尻を睨みすえる。勝也がこきりと首の関節を鳴らした。

パン。

ピストルが鳴る。招待選手たちが一斉に走り出した。タマラスカヤのショッキングピンクの背中もどんどん遠ざかっていく。凄まじいスピードだ。彼らはあの速度で四十キロ以上を走り続けるのだ。信じられなかった。次々と公園のゲートから消えていくエリートランナーたちを見送りながら次の合図を待った。停止したままの肉体を細胞がせき立てて、ふつふつと滾《たぎ》っている。尿道の先がちりちりする。ほんの数秒がとてつもなく長い時間に思われた。

パン。

再び、号砲が響いた。杉山は走り出した。勝也も続く。スターターが何か叫んでいる。戻れ、と言っているのだろう。最初の号砲から三十秒もたっていないことはわかっている。いまのピストルは本物だ。河田が公園の木陰でトカレフをぶっぱなしたのだ。

杉山と勝也が走り出すと、二人の両脇もその両脇も、そして後ろの列も、そのまた後ろも続いた。止まれと言ったって、もう止まらない。もう誰にも止められない。

ゲートをくぐると、沿道を左手に折れる。招待選手たちはすでに二つ先の信号の向こうだ。差はおよそ百メートル余り。五キロの通過タイムが、杉山が現役の頃の一流男子選手と変わらないタマラスカヤに追いつくには、致命的な距離に思えた。

勝也とのペースランで何度も体に覚えさせたスピードは一キロ当たり三分十五秒。走りはじめた直後から、それをあきらめてペースアップした。杉山にとっては限界に近い、いつもの勝也のペースだ。杉山につき合っているのか自重しているのか、勝也は正確なピッチを刻みながら少し前を走り続けている。その背中に引っぱられるように足を動かし続けた。沿道にはスポンサーのロゴマークの入った幟《のぼり》が立ち、見物人たちが試飲会で配られたビールやジュースの紙コップを振って歓声をあげている。一般ランナーから二人だけ飛び出した勝也と杉山に、呑気な喝采がわいた。

いったん視野に捉えた先頭集団は、昇り勾配の沿道を上がりきった辺りで再び消える。コースの下見だけはしてあったが、目で見ただけではたいした昇りとは思えなかったこの道が、実際に走ると恐ろしく険しい坂道になった。早くもふくらはぎが引きつりはじめている。

長い長い坂道を昇りつめると、先を行くランナーたちが見通せた。遥か彼方に放送車、先導車、白バイの隊列が見える。そのすぐ後ろにトップ集団の男子選手が十人ほどの集団をつくっていた。すでに何人かが脱落し、精子の尻尾のように縦一列になって、なおも生存競争についていこうとしている。

その尻尾の後ろにもうひとつの集団があった。こちらは七、八人。女子のエリートランナーたちだ。真ん中に金色の髪を光らせたタマラスカヤがいた。カメラマンを乗せたバイクがぴったりと張りついている。

コースはこれからＪＲ七海駅の駅前広場を通り過ぎ、半円を描くように市内をぐるりとまわっていく。ゴールはスタート地点と同じ七海スポーツ公園だ。初めて経験するハイペースに息があがり、十二月だというのに額から汗がふき出してきた。隣を走る勝也をちらりと見る。勝也はユニバーサル広告社でいつもぼんやり突っ立っていた時と少しも変わらない涼しい顔で、もくもくと足を運び続けていた。

二キロを表示した立て看板の前を通り過ぎたが、タマラスカヤとの距離はいっこうに縮まっていないように見えた。道はまた昇り坂になる。勾配は最初の坂以上にきつい。やっぱり俺は馬鹿かもしれない。息を喘がせ、ぴくぴく震える足を懸命に動かして坂を昇りながら、杉山は思った。正真正銘の大馬鹿だ。弁護士事務所に駆けこんで、鷺沢の好きな法律に泣きついたほうが利口だったに違いない。こんな所で何をやってるんだ。ヤクザとの馬鹿な約束に、つまらない意地を張って、みんなまで巻きこんで。そう考えながら、それでもひたすら坂を昇り続ける。

坂の頂点に差しかかった時、右隣を走っていた勝也が左手を振った。ついて来いということらしい。道が下りになる。舞台が暗転するように眼前に七海の市街地が広がった。

滑走するように下り坂をかっ飛んでいく勝也を追って、杉山も一気に坂を駆け降りた。足の疼きがはっきりとした痛みに変わったが、加速にまかせて転げそうになりながら勝也の背中を追う。坂を降りきると、あれほど遠く遥かだったタマラスカヤの尻が、筋肉の動きがわかるほどの近さにあった。

距離にしてあと四、五十メートルぐらいだろうか。タマラスカヤはまだ女子選手の集団の中にいた。予想を超える暑さの中でペースを守っているのか、ギャラが目当てのこのレースを本気で走る気がないのか、それほどペースを上げていない。ライバルらしいライバルなどいないはずの日本の女子選手を従えて悠々とピッチを刻んでいる。タマラスカヤのすぐ脇には白人の大男がぴったりと寄り添い、集団の中から頭を突き出していた。たぶん専属のラビットだろう。テレビ局のバイクが斜め前方から執拗にタマラスカヤを狙い続けていた。

にんじんをぶら下げられた馬と同じだ。永遠に追いつけないと思えた標的が視界の先に迫ってくると、肺と足を苛《さいな》み続けているハイペースが、とたんに慣れ親しんだものに感じられた。一人、二人、集団からこぼれ落ちた女子選手をかわした。ゆっくりと、しかし確実に、こちらに背走してくるようにタマラスカヤが近づいてくる。あと十メートル。

タマラスカヤと女子選手たちの激しい息づかいが聞こえるほどに近づいた。ここからは慎重に事を運ばなくてはならない。ごく自然に距離をつめ、さりげなく友好的に女子選手たちの一団に仲間入りをするのだ。妙なマークのユニフォームの男たちがあからさまに乱入したら、テレビカメラは警戒して、杉山たちを映さずに中継する努力を始めるだろう。まだ自分の体にひと握りの余力があることを確かめてから、杉山は少しペースを落とした。調子に乗ってオーバーペースで走ってきた市民ランナーが、ここで力尽きたふうを装うのだ。勝也にも合図をする。しかし勝也はスピードを落とさない。止める間もなかった。荒い呼吸の中から声を出そうとしたが無駄だった。するするとタマラスカヤに追いつき、あっという間に追い抜いてしまった。

追い抜いた瞬間、勝也はいつも練習が終わった後にそうするように、背中を向けたまま杉山に片手を振ってきた。そして練習では見せなかった凄まじいスピードで、タマラスカヤ一行を置き捨て、どんどん遠ざかっていく。その後ろ姿を呆然と見つめながら、杉山はようやく理解した。勝也が戻ってきた理由を。杉山との練習で本当は何をめざしていたかを。あいつはトップの男子選手と勝負するつもりなのだ。

三キロ。またひとりぼっちに戻ってしまった杉山は、孤独な独り芝居を始める。ギブアップ寸前の素人ランナーが、苦しげに喘ぎながら女子選手のペースに合わせてレースを続けようとする演技だ。難しくはなかった。ほとんど事実だったからだ。

沿道ぞいを走るタマラスカヤの右手、道の中央分離帯側から近づいた。しかし、せっかくの素人芝居も無駄だった。ようやく横一線の位置に並んだ時には、カメラを載せたバイクが消えていた。かわりに杉山の動きに気づいたのは、半歩ほど先行して走っているラビットの大男だ。首をひねってこちらを見返してくる。白い肌がピンク色に日焼けした赤鬼みたいなヤツだ。

杉山がタマラスカヤの隣にポジションを取ろうとしているのに気づいて、ラビットがでかい体を二人の間にこじ入れてくる。こういう男女混合レースでは、興味本位でタマラスカヤに近づこうとするランナーが多いに違いない。ペースメークだけでなくそのガードもヤツの役目なのだ。

ラビットが腕をいきなり大きく振ってきた。ひじがカウンターになって杉山の胸を痛打する。息がつまった。ここまでなんとか杉山を運んできた使い古しの肺が一瞬停止し、ずるりと後退する。もがくように足を動かして自分を置き去りにしようとする集団に必死でついていった。

もう一度ラビットの背後につく。そしてチャンスを窺った。さっきとは目的が違うチャンスだ。今度はタマラスカヤの背中ではなくラビットの足元に視線を集中する。足の動きをヤツの大きなストライドに合わせ、そして足の運びを逆にした。右を出したら左、左を出したら右。ヤツの右足が地面を蹴ろうとした瞬間を狙って踵に右足を突き出した。

一撃でヒットした。ラビットのレーシングシューズが足から離れ、宙を舞う。知らない外国語で呪詛《じゅそ》の言葉を吐いて、隊列からラビットが脱落した。タマラスカヤが後ろを振り返った。杉山も気づかうように後ろを見ながら、シューズを手にして片足けんけんをしているラビットに舌を出してやった。

一瞬だけ乱れた集団は、全員に磁石でもついているみたいにまたくっつき合い、何事もなかったようにもとのペースに戻る。杉山を入れて六人。一歩分前を行くタマラスカヤの隣が空いていた。すかさずそこにポジションをとる。タマラスカヤが鳶《とび》色の目を訝しげに走らせてきた。杉山は苦痛に歪んだ顔をせいいっぱい二枚目風に取りつくろい、余裕の笑みさえ浮かべて、タマラスカヤにウインクした。そして自分の胸を叩く。自分が新しいラビットになるという意思表示だ。タマラスカヤはすぐに理解したらしく、形のいい顎を女王のように尊大に動かして頷いた。間近で見るタマラスカヤは思っていたより小柄で、ハリウッド女優顔負けといわれるその横顔は、グラビア写真で見るより頬が削れ、眼窩の陰影が深い。ちょっと怖かった。

カメラマンを乗せたバイクが前方から戻ってきた。杉山はまっすぐ正面を見据え、カメラなど眼中にないという顔で走り続ける。実際にカメラに気を配る余裕などまるでなかった。気温はかなり上昇している。冬の太陽の光が真夏の日差しに思えた。全身から汗がふき出している。刺青を入れた組員たちのためにシャツを長袖にしたのが、いまさらながら体に応えた。タマラスカヤの引き立て役として人選されたとしか思えない二流どころの国内女子選手は、この時点でもう後れを取り出している。全員、数メートル後を追走するのがやっとだ。それに比べてタマラスカヤは、ほとんど汗をかいていない。呼吸も人工装置のように正確無比なリズムを反復し続けている。素人臭くぜいぜいと荒い息を吐き出している杉山に時おり横目を向け、ダイジョブカ、コノ男ハという顔をした。

バイクは斜め前へ、真横へ、後にまわったかと思えば、スピードを上げて追い越していき、やや遠くの正面へとグラビア撮影をするスチールカメラマンのようにまめに動きまわって、タマラスカヤを捉え続ける。そろそろいいだろう。杉山はウエアの裾をめくって体に風を入れ、そのついでにゼッケンを少し下に引き降ろした。杉山のウエアは特製だ。組員たちが着ているものとは少しデザインを変えてあった。小鳩組のシンボルマークは同じだが、その下に、こんなキャッチフレーズが入っている——。

『マルチ&ネズミ講のご相談窓口』

　ご希望通りのストレートでわかりやすいコピー。この数カ月、身に余るほどの仕事をくれたお得意さんへの、せめてものサービスだ。消費者苦情センターのスローガンみたいだが、わかる人間にはわかるだろう。鷺沢が知ったら怒り狂うに違いない。だが、もう鷺沢は怖くない。理解できるものは、怖くない。あいつだって俺と同じだ。不安と臆病と欠陥と劣等感を抱えて生きてる者同士だ。戦って勝てない相手じゃない。

　街並みの向こうにそびえ立つ、墓石に似た七海ステーションビルの姿が大きくなってきた。七海駅の手前が五キロ地点で、その少し先に最初の給水ポイントがある。早苗を連れた村崎と表示ボードを掲げる石井がそこで待っているはずだった。

　早苗にいいところを見せてやらなくちゃ。肺はいまにも潰れそうな悲鳴をあげ、足の痛みはいよいよ決定的になり、練習の時にはけっしてなかった脇腹の痛みまで感じはじめていたが、杉山は残り少ない体内のグリコーゲンを燃やしてタマラスカヤを引っ張り続けた。他の女子選手の足音はもう聞こえない。完全にタマラスカヤと二人だけの道行きだ。

　五キロの表示板が見えてきた。どのくらいテレビに映っただろうか。タマラスカヤとともにカメラの前を走ったのは一キロ半ほど。この間の映像のほとんどが放送されたとしても、まだ足りない。あとどのくらい走ればいいのだろう。体は完全にオーバーヒートしていたが、それさえわかれば足を動かし続けることができる気がした。あるいはあきらめて立ち止まることも。

五キロを通過。百メートルほど先に最初の給水ポイントがある。沿道の中でもひときわ人だかりが多い。エリートランナーたちのスペシャルドリンクが置かれたテーブルの向こうに、スポンサーのスポーツドリンクが並べられた一般ランナー用のテーブルがある。タマラスカヤが近づくと歓声が一気に高まった。

杉山は群衆の中に早苗の姿を探した。だが、どこにもいない。そのかわりに石井がいた。給水テーブルの向こうで家庭用の伝言ボードを頭上にかざした石井が何か喚いていたが、周囲の声にかき消されて何を言っているのかわからない。ボードを見た。字がきたなくてよくわからない。五メートルまで近づいてようやくわかった。

『ＯＫ』

と書いてあった。五分十三秒五〇をクリアしたというサインだ。本当だろうか。石井は計算違いをしていないだろうか。そのまま走り過ぎようとすると、石井が沿道に飛び出してきて、興奮した声で叫ぶ。

「やったで、だいじょうぶ、成功や」

そして紙コップを差し出してきた。コップの縁に『杉ちゃんがんばれ』と書かれた旗が立っていた。石井の「だいじょうぶ」はあまりあてにならない。第一、まだ早苗の姿が見つけられないのだ。せめて早苗のいる場所までは走りたかった。ちゃんと走って通り過ぎたかった。元・父親の最後の意地だ。

足は惰性だけで動き続けている。もう少し、行けるところまで走ることに決めて、紙コップを口もとに運んだ。テレビで見慣れた動作だが、いざ自分でやってみると、走りながら水を飲むのは思いのほか難しい。ようやく口に入ったが、すぐに吐き出した。冷やしたどくだみ茶だった。スペシャルドリンクを取りそこねたタマラスカヤに渡してやる。タマラスカヤは異国の礼らしき言葉を短く言い、器用にドリンクを飲んだが、やっぱりすぐに吐き出した。左手にＪＲ七海駅を見て走る。駅前広場には特設会場が設けられて、オーロラビジョンを搭載したトレーラーが実況中継を大写しにしていた。巨大スクリーンの前は人であふれている。そしてスクリーンの中では小鳩組のシンボルマークが躍っていた。

杉山は目を見張った。映っているのは自分ではなかった。勝也だ。遠く彼方を走っていた赤いゼッケンの招待選手を従えて、先頭を走る白いゼッケンの勝也が大写しになっていた。追いついたんだ。テレビカメラはずっと、忽然《こつぜん》と現れたこの一般参加ランナーを追いかけていたに違いない。それで五分だ。石井は間違えてはいなかった。

杉山は大きく長く、息を吐いた。壊れかけのエアコンが停止する時と同じ音がした。その瞬間、ぷつり、と体のどこかで杉山を無理やり動かし続けていた配線コードが抜け、筋肉が弛緩した。シフトダウンをしたようにペースが落ちた。杉山が後退すると、タマラスカヤが心配そうな顔で振り向いてくる。案外、いいヤツかもしれない。杉山は手を振ってバイバイをする。タマラスカヤはもう一度だけ振り返り、それから毅然と前を向くと、放送用バイクを従えて、精巧なバネ仕掛けの人形のような足取りで遠ざかっていった。

早苗と村崎はどこへ行ってしまったんだろう。石井の「だいじょうぶ」と同様、村崎の「わかった」もあてにならない。本当に素敵な仲間たちだ。ペースはどんどん落ちこんでいたが、杉山は走るのをやめなかった。

市の中心街を抜けると、七海橋が見えてくる。橋の手前が七キロ地点。最初の予定にはまったくなかった場所だ。橋まであと少しという所で、さっき追い抜いた女子選手たちに抜き返されていった。ゼッケン千番台の一般ランナーたちにも次々とかわされていく。

あの橋を渡れば。杉山は思った。あの橋を渡れば、向こう側で待っているかもしれない。何の根拠もなく、ぼんやりとそう考えて痙攣を起こしはじめた足を引きずるように動かした。禍々《まがまが》しいサイレンの音が鳴り響く。ようやく七海橋にさしかかろうという時だ。前方からだった。橋の側道にいる群衆が叫び声をあげ、何人かのランナーが立ち止まっている。レースを先導していた白バイのうちの一台が、七海橋を逆走してきた。白バイの警官がマイクで叫んでいる。

「止まりなさい、西脇。止まりなさい」

白バイの前を勝也が走っていた。白バイが勝也の前に出て、行く手を塞ごうとするのを右に左にかわして、こちらへ向かってくる。あれだけのオーバーペースで先頭集団に追いついたというのに、足取りにはまったく疲れが見えない。しかも白バイを嘲笑うようにあしらっているフットワークは、惚れ惚れするほど軽快だ。ヤツは絶対にいいボクサーになるだろう。七キロを走ってきた杉山の足は、ここで初めて止まった。

杉山の姿に目を留めると、勝也もにんまり笑って立ち止まった。白バイが勝也を迂回して前にまわろうとした瞬間、勝也がそのテールを蹴り飛ばした。バランスを崩した白バイと警官が路上にころがる。勝也が再び走りはじめた。道を斜めに横切り、声をかけようとした杉山を見ず知らずの人間であるかのように無視して走り過ぎようとする。そして通り過ぎようとしたその瞬間、握った拳の上に親指を突き出してみせた。

側道で悲鳴が交錯する。振り返ると、勝也が人垣に分け入り、その向こうに消えていくところだった。バイクをあきらめた白バイ警官がこっちへ走ってくる。杉山は再び走り出した。突進してくる警官を避ける気はさらさらない。正面衝突してもつれ合うように倒れこんだ。河田は自首したほうがいいと言っていた。その通りだ。逮捕じゃ駄目だ。勝也はもうじゅうぶんハンディを背負っている。少しぐらい勝也のほうにハンディをくれてやってもバチは当たらないだろう。これが始まったばかりの勝也のレースへ贈ってやれる、せいいっぱいの餞《はなむけ》だ。

警官が立ち上がり再び後を追おうとした時には、勝也はもう欄干を軽々と躍り越え、河沿いの土手を超高校級のスピードで疾駆して、いつもそうだったように、杉山の視線の先でどんどん背中を小さくしていった。

一度止めた足は、なかなかうまく動いてくれない。しかし八キロ地点を過ぎても杉山は走り続けていた。足が痛み、肺がきしみ、脇腹が疼き、そしてひどく暑かった。汗を吸った小鳩組のシャツがやけに重く感じる。鼻水も止まらない。もう呼吸もフォームもめちゃくちゃだ。

体育教師に習った遠い体の記憶を呼び覚まそうとした。前を向く。顎を引く。腕は上腕で振る。ストライドは大きく。柔らかく着地して、強く蹴る。まだだ、止まるな。気合い入れてけ。

視界がぼやけ、後ろへ飛び去っていく風景が輪郭を失いそうになる。それでも杉山は足を前へ前へ動かし続け、目をこすりながら、沿道のどこかにいるはずの早苗を探した。

九キロ。こわれかけのエアコンのように吐く息がひゅーひゅーと情けない音をあげる。止まりそうになる体のスイッチを、何度も何度もリセットした。幾たびも後続の集団に呑みこまれ、そして置き去りにされる。一般参加の女性ランナーにも、白髪頭の壮年ランナーにも追い越されていく。酸欠で頭の中が朦朧《もうろう》としていた。その霞のかかった頭の中で、杉山は早苗から教わったポケモンのテーマソングを繰り返し繰り返し歌った。そして早苗に呼びかけ続けた。

どこへ行こうか、早苗。何して遊ぼうか、何を食おうか。なにしろあと二週間もあるんだからさ。よかったよ、早苗。これで、俺、娘の結婚式でめそめそ泣くような父親にならなくてすむよ。父ちゃんはお前の結婚式では絶対に泣かないぞって決めていたんだけど、万一ってこともあるからね。ぼんやりと半分夢を見ているように、杉山は頭の中で早苗に語りかけていた。考えてみれば、新しい父親のいる娘の結婚式なんかに、自分が出られるはずもないのに。

　十キロを過ぎた。呪文のようなポケモンの唄は、いつも途中でわからなくなってしまう。あれ、なんだっけ。忘れちまった。ねえ早苗、この続きはなんだっけ。もうどのくらいの時間、走り続けているのか、まったくわからない。腕にはめたデジタル時計を見るのもおっくうだった。どこかで早苗の声が聞こえた気がした。

　前方の二度目の給水所の向こうに、人波から頭ひとつ突き出た村崎の赤い頭が見え、その肩の上に早苗が乗っていた。顔いっぱいを口にして何か叫んでいる。杉山は最後の力を振り絞った。

　走りながらずっと早苗の顔を捉え続けた。ゆっくり走りたいのを我慢して、ペースをあげた。がんばらなくちゃ。いいところを見せなきゃ。沿道の歓声の中でもひときわカン高い早苗の声が耳に飛びこんできた。今度ははっきりと。

「がんばれ父ちゃん、オオオッオオオッ」

　おう、がんばるとも。父ちゃんはもうだいじょうぶだ。もうお前に甘えたりしない。酒も煙草もほどほどにする。最近は死ぬのが怖くなったからね。お前と母ちゃんのおかげだ。父ちゃんは父ちゃんの宿題を、ちゃんと片づけるよ。お前もがんばれ。母ちゃんをよろしく頼む。がんばってJリーグの選手になってくれ。そうしたら、きっと試合場で逢えるからさ。

　早苗の前を通り過ぎる。手を振った。早苗を肩車したまま村崎が舗道を走り出した。まだ早苗は杉山のすぐ横にいた。もう一度、手を振ると、早苗も足だけで村崎の首にしがみついて両手を振ってきた。

見てるか、早苗。これがお前の父ちゃんだ。情けなくてみっともなくて大馬鹿で鼻水たらして、でもこれがお前の父ちゃんだ。父ちゃんだった男だ。もうこれからは父ちゃんなんかに構わず生きていけ。だけど、早苗。だけど、時々でいいから、ほんの何回かでいいから、思い出してくれ。いつか誰かとの笑い話の中でいいから、あんな男と一緒になっちゃいけない、大人になってそう思う時でいいから、お前にこんな父ちゃんがいたことを思い出してくれ。

後ろで早苗の声が遠ざかる。

「グッバイ、父ちゃん、オオオッオオオッ」

目がかすみはじめていたが、足はまだ動き続けていた。

もう少し走ろう。ゴールはまだ先だ。

解　説

吉田伸子

荻原浩を、「ユーモア作家」と位置づけてしまうことに、ちょっとした抵抗が、私には、ある。

第十回小説すばる新人賞を受賞したデビュー作『オロロ畑でつかまえて』は、「ユーモア小説の傑作」と激賞された作品であるし、その続編である本書もまた、ユーモア小説という括《くく》りで語られてもおかしくない作品だとは、思う。

しかし。そういう一定のジャンルで、荻原浩という作家を括ってしまっていいのだろうか？　ぺたりとレッテルを貼ってしまっていいのだろうか？

書店の新刊コーナーで『噂』を見つけたのは二年前のことだ。作者名を見て、おやっ、と思ったことを覚えている。

その本の帯には、「驚愕の最終章！／渋谷系ミステリがいま生まれた。」とあったのだ。ん？　荻原浩って、あの、『オロロ』と『なかよし』の人だよねぇ、と思って手に取り、レジに持って行った。

当時私は、「本の雑誌」で新刊の書評ガイドを連載で書いており、その時も、そのガイド用の本を書店で探していたのだった。以下、その時書いた書評を一部引用する。

「主人公の中年のやもめ刑事、彼とコンビを組む本庁からの女刑事、主人公の娘をはじめとする今どきの女子校生、等々、元々筆力のある作家なので、うまいのは確かなんだけど、あの『オロロ』や『なかよし』を書いた作者にとって、この作品を書くことが必要なんだろうか、と思ってしまった。／ヨシダの好みの問題なんだけど、この作者には『オロロ』『なかよし』路線をつっ走って欲しいなぁ。ダメ？∨作者。」（「本の雑誌」二〇〇一年五月号）

うわぁ、自分の書いた文章に、自分で赤面してしまう。

当時の私にとって、荻原浩という作家は、「ユーモア作家」だったのだ。だから、渋谷系ミステリになんて寄り道せずに、ユーモア小説を書いて欲しい、と思ったのである。

では何故、そんな私が、冒頭のように思うようになったのか？

それには、昨年出版された、同じ作者による二冊、『母恋旅烏』と『神様からひと言』に触れなければならない。

実は、この二冊を読んで、私は作者が「ユーモア作家」である、という認識を変えたのだ。二冊とも各誌紙で絶賛されたので、読まれた方も多いと思う。前者は家族小説の、後者は会社員小説の傑作である。

どちらも、思いきり笑える。事実、後者を電車の中で読んでいた私は、思わずぷわっと吹き出して笑ってしまい、周りの人からうさん臭げに見られたほどである。

さらに、どちらも、笑いと同時に、胸の奥がぎゅうっと熱くなる。泣けるのだ。

笑いと泣きはセットになってこそ、互いが引き立つ、というのは私の持論である。たとえていうなら、お汁粉に使うお塩、みたいな関係で、ほんの少しのお塩が入るからこそ、滋味のある甘みが引き出されるのであって、お塩の入っていないお汁粉なんて、ただの甘ったるい汁である。この二冊はそういう意味で、笑いと泣きが、絶妙のバランスで、互いを引き立てあっていた、と思う。

どちらもケレンたっぷり、戯画的な場面がてんこ盛り、と、その表面だけを見るなら、なるほどユーモア小説とも読めるだろう。が、この二冊はあくまでも、家族小説であり会社員小説なのである。

『母恋旅烏』のラスト。舞台の上からテレビカメラを通して、去って行った母親に心の中で呼びかける寛二を見よ！

『神様からひと言』のラスト。会議の席で、副社長に向かって「会社はあんたの遊び場じゃない」とタンカを切る、主人公の青年、佐倉凉平を見よ！

そのことに思い至った時に、私の中で、荻原浩は「ユーモア作家」ではなくなっていた。

ユーモラスな作風、と「ユーモア作家」というのは似ているけれど、違う。

ユーモラスな作風というのは、確かにこの作家の美点だし、特筆すべき点だと思う。私もその作風を強く支持するものの一人だ。

ただ、そのユーモラスな作風は、あくまでも物語を読みやすく面白くするための、そして、その物語の奥底にあるテーマを、読み手の心にくっきりと刻みこむための、調味料なのだと思う。

そして、それは、荻原浩という作家オリジナルの、いわば「秘伝のタレ」なのだ。

前置きが長くなってしまった。

荻原浩という作家と彼の作品を語る際に必要なのは、「ユーモア作家」として云々、ではなくて、彼のその、「秘伝のタレ」なのではないか、ということが言いたかったのである。

さて、本書『なかよし小鳩組』である。『オロロ畑でつかまえて』に出てきた、倒産寸前の弱小広告代理店「ユニバーサル広告社」のコピーライター杉山の視点で、物語は語られる。前作では、日本の秘境・牛穴村の村おこしにあたり、史上空前前代未聞!? の作戦を展開したユニバーサル広告社だが、今回は、何と暴力団のCI(コーポレート・アイデンティティ、企業イメージ統合戦略)に携わることになってしまうのである。

いくら倒産寸前の会社とはいえ、よりによって暴力団のCI、である。勿論、そこに至るまでには、ひとくさりあるのだが、引き受けてしまったものはしょうがない。何しろ「やりません」「できません」が通じない相手なのだ。

本書のメインストーリーは、そんな相手=小鳩組との、CI戦略をめぐるやりとりだ。そこでは作者の「秘伝のタレ」が、要所要所でピリリと効いている。前作『オロロ畑でつかまえて』よりも、そのさじ加減はさらにレベル、パワーともにアップされており、思わず、こちらでニヤリ、あちらでプププッ、とやっているうちに、ぐいぐいと物語に引きずりこまれてしまう。

そのメインのストーリーだけでも、充分に読みごたえがあるのだが、本書にはさらに読みどころがある。

それは、メインストーリーと並行して語られる、杉山個人のストーリーである。

仕事にかこつけ家庭を顧みず、アル中スレスレの日々で失った、妻と一人娘。三十過ぎのバツイチ、それが杉山だ。妻は再婚して、新しい家族をスタートさせている。

そんな杉山のもとへ、娘の早苗が居候しにやってくる。別れた妻が、乳ガンの手術で入院する間、杉山が預かることになったのだ。早苗は、新しい父親としっくりいってない。杉山には、夏休みに「家出」をしてきた早苗を預かった経験があったのだ。

この早苗が、いい。サッカーが大好きで、大きくなったら浦和レッズに入り、さらにはワールドカップでブラジルを倒すことを夢見ている、小二の女の子。お昼の奥さま劇場『愛のシュラ』フリークで、ヒロインであるキョウコの台詞を、分かっているのかいないのか、したり顔で口にして、杉山をビビらせたりもする。

物語のラスト近く、早苗が杉山に、どうして離婚したのか、と尋ねるくだりがある。いっしょにいないのは、結婚をやめたからだ、と答える杉山に、なぜ、やめたのだ？　と早苗は聞く。

「なぜなんだろう。父ちゃんにもよくわからないな。（中略）そうだな、ずっと一緒にいるようになったら、別々に暮らしていた頃より、二人とも幸せじゃなくなっちゃったんだよ」

「幸せは比べるものじゃないわ」

突然、早苗が言った。杉山は思わず顔を見つめた。妙に大人びた幸子みたいな顔で早苗は言う。

「不幸は比べることから始まるのよ」

狐憑きみたいだった。

「どうした？」

飲みかけの缶ビールを振ってみた。だいじょうぶ中身は減っていない。

「キョウコさんだよ。昨日、『愛のシュラ』の最終回だったんだ」

そう、『なかよし小鳩組』は、ダメ男杉山の再生の物語という面もあわせ持っているのである。そして、それが、実に味わい深いのだ。

物語のラスト、小鳩組のＣＩ戦略の総決算とも言うべき、市民マラソンの場面を見よ！（どうして小鳩組の組員と杉山が市民マラソンに出場するに至ったかは、本書を読まれたい）。

「秘伝のタレ」でたっぷりと笑った後に、気がつくといつの間にか、胸が熱くなっている。

前を向いて歩いていく元気が出て来る。

そういう小説を、私は支持する。

そういう小説を書いてくれる、荻原浩という作家を、私は支持する。

願わくは、杉山と早苗のその後の物語を読みたい、と思う。いつの日か、その願いが叶うことを祈りつつ、とりあえずは、杉山と早苗、さらにはユニバーサル広告社の面々――社長の石井、村崎、猪熊――に、乾杯！

本書は、一九九八年十月、集英社より刊行されました。

集英社文庫　目録（日本文学）

太田和彦　ニッポンぶらり旅 宇和島の鯛めしは生卵入りだった
太田和彦　ニッポンぶらり旅 アゴの竹輪とドイツビール
太田和彦　ニッポンぶらり旅 熊本の桜納豆は下品でうまい
太田和彦　ニッポンぶらり旅 北の居酒屋の美人ママ
太田和彦　ニッポンぶらり旅 可愛いあの娘《こ》は島育ち
太田和彦　ニッポンぶらり旅 山の宿のひとり酒
太田和彦　おいしい旅　錦市場の木の葉丼とは何か
太田和彦　おいしい旅　夏の終わりの佐渡の居酒屋
太田和彦　おいしい旅　昼の牡蠣そば、夜の渡り蟹
太田和彦　東京居酒屋十二景
太田和彦　町を歩いて、縄のれん
太田和彦　風に吹かれて、旅の酒
太田　光　パラレルな世紀への跳躍
大竹伸朗　カスバの男　モロッコ旅日記
大谷映芳　森とほほ笑みの国 ブータン
大槻ケンヂ　わたくしだから改

大橋　歩　くらしのきもち
大橋　歩　おいしい おいしい
大橋　歩　テーブルの上のしあわせ
大橋　歩　日々が大切
大前研一　50代からの選択　ビジネスマンは人生の後半にどう備えるべきか
大森寿美男　重松清・原作　アゲイン　28年目の甲子園
岡崎弘明　学校の怪談
岡篠名桜　浪花ふらふら謎草紙
岡篠名桜　見ざるの天神さん　浪花ふらふら謎草紙
岡篠名桜　雪の夜明け　浪花ふらふら謎草紙
岡篠名桜　芝居巡り　浪花ふらふら謎草紙
岡篠名桜　花の懸け橋　浪花ふらふら謎草紙
岡篠名桜　屋上で縁結び
岡篠名桜　日曜日のゆうれい　屋上で縁結び
岡篠名桜　縁つむぎ　屋上で縁結び
岡田裕蔵　小説版ボクは坊さん。

岡野あつこ　ちょっと待ってその離婚！　幸せはどっちの側に？
岡本嗣郎　終戦のエンペラー　陛下をお救いなさいまし
岡本敏子　奇跡
小川　糸　つるかめ助産院
小川　糸　にじいろガーデン
小川貢一　築地魚の達人　魚河岸三代目
小川洋子　犬のしっぽを撫でながら
小川洋子　科学の扉をノックする
小川洋子　原稿零枚日記
小川洋子・平松洋子　洋子さんの本棚
尾北圭人　マイ・ファースト・レディ
おぎぬまX　地下芸人
荻原博子　老後のマネー戦略
荻原　浩　オロロ畑でつかまえて
荻原　浩　なかよし小鳩組
荻原　浩　さよならバースディ

集英社文庫　目録（日本文学）

集英社文庫　目録（日本文学）

乙一　暗黒童話
乙一　ZOO 1
乙一　ZOO 2
古屋×乙一×兎丸　少年少女漂流記
乙一　荒木飛呂彦・原作　The Book　jojo's bizarre adventure 4th another day
乙一　箱庭図書館
乙一　僕のつくった怪物　Arknoah 1
乙一　ドラゴンファイア　Arknoah 2
乙川優三郎　武家用心集
小野一光　震災風俗嬢
小野正嗣　残された者たち
恩田陸　光の帝国　常野物語
恩田陸　ネバーランド
恩田陸　ねじの回転　FEBRUARY MOMENT（上）（下）
恩田陸　蒲公英《たんぽぽ》草紙　常野物語
恩田陸　エンド・ゲーム　常野物語

恩田陸　蛇行する川のほとり
開高健　オーパ！
開高健　風に訊け
開高健　オーパ、オーパ!!　アラスカ・カナダ　カリフォルニア篇
開高健　オーパ、オーパ!!　アラスカ至上篇　コスタリカ篇
開高健　オーパ、オーパ!!　モンゴル・中国篇　スリランカ篇
開高健　知的な痴的な教養講座
開高健　風に訊け　ザ・ラスト
開高健　青い月曜日
開高健　流亡記／歩く影たち
海道龍一朗　華、散りゆけど　真田幸村　連戦記
海道龍一朗　早雲立志伝
加賀乙彦　津村節子　愛する伴侶《ひと》を失って
垣根涼介　月は怒らない
柿木奈子　さいはてにて　やさしい香りと待ちながら
角田光代　みどりの月

角田光代　佐内正史　だれかのことを強く思ってみたかった
角田光代　マザコン
角田光代　三月の招待状
角田光代　松尾たいこ　なくしたものたちの国
角田光代他　チーズと塩と豆と
角幡唯介　空白の五マイル　チベット、世界最大のツアンポー峡谷に挑む
角幡唯介　雪男は向こうからやって来た
角幡唯介　アグルーカの行方　129人全員死亡、フランクリン隊が見た北極
角幡唯介　旅人の表現術
梶よう子　柿のへた　御薬園同心　水上草介
梶よう子　お伊勢ものがたり　親子三代道中記
梶よう子　桃のひこばえ　御薬園同心　水上草介
梶よう子　花しぐれ　御薬園同心　水上草介
梶井基次郎　檸檬
梶山季之　赤いダイヤ（上）（下）
片野ゆか　ポチのひみつ

集英社文庫

なかよし小鳩組《こばとぐみ》

2003年3月25日　第1刷　　定価はカバーに表示してあります。
2022年10月19日　第19刷

著　者　荻原《おぎわら》　浩《ひろし》

発行者　樋口尚也

発行所　株式会社　集英社
東京都千代田区一ツ橋2-5-10　〒101-8050
電話　【編集部】03-3230-6095
【読者係】03-3230-6080
【販売部】03-3230-6393(書店専用)

印　刷　凸版印刷株式会社

製　本　加藤製本株式会社

フォーマットデザイン　アリヤマデザインストア　　マークデザイン　居山浩二

ISBN978-4-08-747557-9 C0193